2024 「時事力」発展編
公式テキスト

ニュース検定

＝ 公式テキスト ＝

1・2・準2級

監修：日本ニュース時事能力検定協会
発売：毎日新聞出版

目次 Contents

2024年度版 ニュース検定 公式テキスト 1・2・準2級

■ 政治　　　　　　　　　　　　　　　　　　　　　　　　　● 資料 ── 30

■ 経済　　　　　　　　　　　　　　　　　　　　　　　　　● 資料 ── 56

■ 暮らし　　　　　　　　　　　　　　　　　　　　　　　　● 資料 ── 74

■ 社会・環境　　　　　　　　　　　　　　　　　　　　　　　　● 資料 ── 104

■ 国 際　　　　　　　　　　　　　　　　　　　　　　　　　　● 資料 ── 120

▼ ピックアップ　多分野にまたがるトピックを紹介します

ニュース時事能力検定（N検）とは

今の時代を生きるために欠かせない、ニュースを読み解き、活用するチカラをつける検定です。

ニュース時事能力検定（ニュース検定、N検）は、新聞やテレビのニュース報道を読み解き、活用する力「時事力」を養い、認定する検定です。

時事力とは現代社会のできごとを多角的・公正に理解・判断し、その課題をみんなで解決していく礎となる総合的な力（知識、思考力、判断力など）です。大きく変動し、先行き不透明な時代に、人生を切り開くために不可欠な力です。

志願者数 **59**万人

※2023年12月現在までの累計

■ 受検級のめやす

級	5級	4級	3級	準2級	2級	1級
対象				大学生・一般		
			高校生			
		中学生				
	小学生					

■ 出題形式

四肢択一

※1級は一部記述あり

検定時間　50分

（各級45問）

合格の目安

100点満点中	
1級	80点程度
2～5級	70点程度

■ 出題範囲

各回、検定日の約1カ月前（目安）までのニュースを、［政治／経済／暮らし／社会・環境／国際］の五つの分野から出します。

2024年度に実施される2、準2級の検定問題の約6割は「2024年度版公式テキスト発展編」と「公式問題集（1・2・準2級対応）」から出題されます（掲載された問題のほか、テキスト本文の内容を基に作成した問題を含みます）。掲載された問題そのままとは限らず、関連・類似問題を含みます。

1級を目指す方へ　2024年度の1級の検定問題（全45問）のうち、記述式（5問）は2024年度版公式問題集からも出題されます。公式テキスト発展編を参考書として活用しながら、新聞やテレビで日々のニュースに目配りしてください。公式テキストには、1級受検に役立つコーナーもあります。ここで扱ったテーマに関連する問題も検定で出題されます。

政治　経済　暮らし　社会・環境　国際　総合的な時事力

■ 検定料　※全て税込み

1級	2級	準2級	3級	4級	5級
7,400 円	5,300 円	4,300 円	3,800 円	3,300 円	3,200 円

公式テキストで合格は目の前！

ニュース検定にチャレンジするあなたを公式テキスト・問題集が応援します。これらの公式教材は毎年、最新ニュースを盛り込んで編集し直しています。公式テキストをじっくりと読み込んで、公式問題集（1・2・準2級対応）に挑戦すれば、合格は目の前です！

社会、学校とつながる検定・テキスト

ニュース検定や公式テキスト・問題集で学ぶと、日々のニュースや、学校の学習の理解がぐっと深まります。中学校社会科（公民的分野）、高校の公民科目の学習にもうってつけです。

■ 教科書対照表はこちら

中学・高校の教科書（主な内容）とこのテキストの対応がひと目でわかる「教科書対照表」は、ニュース検定公式サイトでご覧になれます（右の二次元コード）。

この本の構成と使い方

N検 NEWS 時事能力検定

SDGs 国連「持続可能な開発目標（SDGs）」の17目標のうち、関連するものを掲載しています。SDGsのアイコン一覧は6ﾍﾟに掲載しています。

TOPICS テーマのポイントです。このポイントを頭に入れて、解説を読み込みましょう。

解説 テーマを理解するための分かりやすい解説は、このテキストの中心です。精読しましょう。

WORD ニュースを読み解くキーワードです。これを押さえるだけでも「時事力」がぐんと上がります。

注釈 分かりにくい用語を丁寧に解説しているほか、解説部分の背景などについても詳しく説明しています。

2級 Check 2級合格を目指す人は、このコーナーもしっかり読んでおきましょう。

論点 賛否が割れている時事問題について、賛成、反対それぞれの意見の例などを簡潔に紹介します。検定対策のほか、小論文対策、探究学習や主権者教育の一資料としてもご活用いただけます。

時事力Basic 制度の基本や論議のポイントなどを解説しています。テーマの内容や日々のニュースを理解する手助けにもなります。

図解 解説の理解を助けるグラフやイラストを配置しています。忘れずに目を通しましょう。

PLUS テーマに関連するトピックを取り上げました。解説ですくいきれない視点を提供し、理解を多角的に深めます。

POINT 解説の内容をさらに掘り下げたり、要点をまとめたりしています。ニュースのもやもやを解消します。

■**この本で使う用語**（人名や団体名、国名・地名などの固有名詞を含む）は原則として、一般の新聞・テレビのニュースで日ごろ使われている表記（略称を含む）にならっています。ただし、報道機関によって表記が異なる場合は、毎日新聞の表記にならっています。一部の用語はその見開きで初めて出てきた時に限り正式名称を使っています。海外のできごとの日付は原則として、現地時間に基づいて表記しています。

■**この本の内容**は、原則として2023年末までのニュースに基づいて編集しています。ただし、一部のテーマはそれ以降の動きも踏まえています。

期限迫る 折り返しの SDGs（エスディージーズ）

国際連合（国連）の持続可能な開発目標（SDGs）は、達成期限（2030年）まであと6年。採択された2015年からの「折り返し」を過ぎました。世界で、日本で、どの程度進んでいるか知っていますか？

1 貧困をなくそう	2 飢餓をゼロに	3 すべての人に健康と福祉を	4 質の高い教育をみんなに
5 ジェンダー平等を実現しよう	6 安全な水とトイレを世界中に	7 エネルギーをみんなにそしてクリーンに	8 働きがいも経済成長も
9 産業と技術革新の基盤をつくろう	10 人や国の不平等をなくそう	11 住み続けられるまちづくりを	12 つくる責任つかう責任
13 気候変動に具体的な対策を	14 海の豊かさを守ろう	15 陸の豊かさも守ろう	16 平和と公正をすべての人に
17 パートナーシップで目標を達成しよう			

SUSTAINABLE DEVELOPMENT GOALS

「順調」わずか15%

国連の報告書（2023年）によると、世界で達成に向けて順調なのはわずか15%。進み具合の遅れは深刻で、いち早く軌道（きどう）修正し、取り組みを加速させることが必要だとしました。

▼目標達成に向けた進み具合

- 達成の軌道外れる 48
- 停滞か後退 37
- 順調 15%

ターゲットごとに設けられた「SDGグローバル指標」に基づき、各国は目標達成に向けてどのくらい進んでいるかを報告しています。そこからは、停滞や後退する目標に加えて、進み具合の足りないターゲットも多い現状がうかがえます。

達成が「危機的」な目標は？

2 飢餓をゼロに

新型コロナウイルスの世界的流行や、ロシアによるウクライナ侵攻（しんこう）の影響（えいきょう）で、食料の値段の高騰（こうとう）が続いています。このままでは2030年もなお、**6億人以上が飢餓に直面する**とも予測されています。

◀飢餓状態の乳児＝アフガニスタンで2021年

16 平和と公正をすべての人に

ウクライナでの戦争を背景に、紛争（ふんそう）に関連した民間人の死者が**50%以上**増えました。また、紛争や迫害（はくがい）で故郷を追われた人の数も、**1億人を**超えています（2022年末時点）。

▲ロシアの攻撃で破壊されたウクライナの集合住宅＝2022年

◀紛争で故郷を追われた難民が一時的に住む「難民キャンプ」の様子＝バングラデシュで2020年

SDGsの基礎知識

国連が「人類が2030年までに達成すべき目標」として2015年に採択した、17の目標、169のターゲットです。「誰一人取り残さない（だれ）」ことを原則に、先進国も途上国（とじょうこく）も共に取り組みます。地球上のさまざまな課題は互いに関連しているとして、経済、社会、環境（かんきょう）の三つの側面から総合的に達成することを目指しています。

SDGs タイムライン

年	その年の出来事
1987	環境と開発に関する世界委員会で、「**持続可能な開発**」の概念を初めて提唱
1992	国連環境開発会議（地球サミット）で、「**アジェンダ21**」を採択
2001	「国連ミレニアム宣言」（2000年）を基に、**国連ミレニアム開発目標（MDGs）**まとまる
2012	国連持続可能な開発会議（リオ＋20）でMDGsを発展させたSDGsの策定に合意
2015	国連サミットで「持続可能な開発のための2030アジェンダ」採択、SDGs誕生
2030	SDGs達成期限

MDGsは途上国を対象に、極度の貧困と飢餓の撲滅（ぼくめつ）などの八つの目標を掲げていたよ。達成期限は2015年で、これを発展させたのがSDGsなんだ。

停滞する日本の現状

国際機関がまとめる報告書＊で、日本のSDGs達成度（2023年）は166カ国中21位。2017年の11位以降は順位が下がり、達成度も横ばいです。17の目標のうち、最低評価の「深刻な課題がある」とされた五つの目標は、いずれも最低評価の常連――。達成度を再び上昇させるには、何が必要でしょうか。

＊報告書は各国の取り組みの進み具合を「スコア」として算出し、17の目標ごとに「達成済み」「課題が残る」「重要な課題がある」「深刻な課題がある」の4段階で評価している

▼主要７カ国（G7）のSDGs達成度の推移（達成＝100）

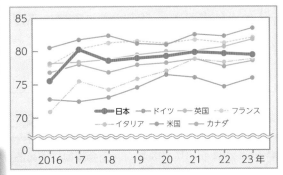

少しずつ達成度が上がっている国が多いけど……これで2030年までに達成できるのかな？

日本の課題はどこに？

達成済み

深刻な課題あり

ジェンダー平等を実現しよう

▶日本の内閣（上、2023年9月時点）とカナダの内閣（下、2023年9月時点、ロイター／アフロ）の顔ぶれ

特に政治・経済分野における男女格差が指摘されています。例えば、国会議員に占める女性の割合や、男女の平均賃金の差です。

岸田文雄内閣（2023年9月時点）では、過去最多に並ぶ5人の女性が国務大臣に就きました。しかし、これは全体の3割にも届きません。同じG7の国の中では、ドイツやカナダが男女半々なのに比べると、かなり見劣りします。

テキストの各テーマには関連するSDGsのアイコンを掲載しています。社会課題とその解決に向けて、さらなるヒントを探してみよう。

つくる責任、つかう責任

日本はこれまで、大量の汚れたプラスチックごみ（プラごみ）を中国などに輸出してきました。しかし、輸出先ではプラスチックのリサイクルを巡り、劣悪な労働環境や児童労働の問題、あるいは不法投棄やダイオキシンの発生などの環境問題が起きました。日本の輸出量は2013年をピークに減少していますが、2022年は約56万㌧。大半を東南アジアなどの途上国に輸出しています。

▶ベトナムの埋め立て処分場でプラごみを集める女性＝2021年。ベトナムは主な輸出先の一つだ

その他の目標の課題の例

 気候変動に具体的な対策を
化石燃料の燃焼などに伴う二酸化炭素排出量

 海の豊かさを守ろう
漁業などによる水産資源への悪影響、海洋汚染

 陸の豊かさも守ろう
生物多様性に重要な淡水域や、絶滅危惧種の保護

1 私たちの民主主義

TOPICS

▶ **女性議員増へ　強制力ある制度は必要？**

▶ **「1票の格差」是正の取り組み**

▶ **選挙制度を知ろう**

□ 少ない女性の国会議員

❶列国議会同盟（IPU）が発表している各国の議会（下院）の順位（2023年12月1日時点）。

❷クオータ制
国会や地方議会などの議員選挙で、候補者や議席の一定数を女性に割り当てる制度。憲法や法律によって割り当てる方法や、政党が自発的に取り組む方法がある。クオータは英語で「割り当て」を意味する。
1970年代にノルウェーで始まり、130以上の国・地域で導入されている（民主主義・選挙支援国際研究所＝IDEA＝調べ）。例えばフランスでは「パリテ法」により、政党に男女同数の候補者擁立が義務づけられている。

国会議員に占める女性の割合は近年上昇傾向にあるものの、2023年末時点で衆議院10.3％、参議院26.6％にとどまっている。特に衆議院における割合は諸外国と比べても低い水準で、186カ国中166位だ❶。

地方議会に占める女性の割合も上昇傾向だが、特別区議会（東京23区）の平均が3割を超える一方、都道府県議会と町村議会は1割台にとどまる。さらに女性議員が一人もいない市区町村議会は全体の14.8％にのぼる（2022年末時点）。

政治分野における男女共同参画推進法（2018年施行）は、選挙で男女の候補者数をできる限り均等にするよう政党などに求めている。ただ、罰則規定のない理念法であり、女性候補者を積極的に擁立するかどうかは政党間でばらつきがあるのが現状だ。特に議会で多数を占める政党では、現職の男性議員に代えて新しい女性候補者を擁立しにくいといった事情もある。海外ではクオータ制❷を導入する国もあり、日本でも強制力のある制度を求める意見があるが、実現には至っていない。

女性議員が少ない背景としては、女性が家事育児を中心的に担うべきだという社会の意識がいまだに強い中で、長時間の選挙活動や議員の仕事と家庭の両立が難しいといった理由も挙げられる。さらに近年、女性議員や候補者がセクシュアルハラスメントを受ける事例も報告されている。女性議員を増やすためには、政党による取り組みに加えて、議員の働き方改革やハラスメント防止などの対策も求められる。

▼**国政選挙の当選者に占める女性の割合の推移**

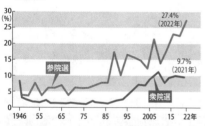

論点　クオータ制の導入に賛成？ 反対？

●賛成だ
・政党の努力に任せるだけでは、いつまでも女性議員は増えない。強制力のある制度が必要だ。
・世界の多くの国が導入し、子育てや働き方に関する政策の見直しが進むなどの実績がある。
・男性間の競争も厳しくなり、議員の質が高まる。

●反対だ
・女性だけを優遇するのは逆差別に当たる。
・政党は現職を公認候補にするのが一般的で、現職は多くが男性だ。導入されると彼らは不利益を被る。
・仕事と育児を両立できない環境が結果的に女性の立候補を阻んでいる。子育て環境などの整備が先だ。

■ 衆院選「10増10減」へ

国政選挙の「**1票の格差**」（☞11㌻）の是正も課題だ。衆議院では、改正公職選挙法（2022年施行）で小選挙区の定数を「**10増10減**」することなどが決定した。2024年以降に実施する総選挙から適用される。

定数の見直しは、従来よりも人口比を反映しやすい「**アダムズ方式**」（☞右下の「WORD」）の導入によるものだ。議員1人当たりの有権者数が多い5都県の定数が計10増え、有権者数が少ない10県の定数が1ずつ減る❶。また、これら15都県を含む25都道府県で小選挙区の区割りが変わる❷。

こうした見直しで最大格差は1.999倍に縮むとされる。最高裁判所は2倍を超えた衆議院議員選挙について、2014年選挙まで3回連続で「違憲状態」（☞133㌻）と判断しており、これを下回る。ただし、地方から都市部への人口流出が続く中で（☞26㌻）、この先ますます地方選出の議員が少なくなることへの懸念もあり、選挙制度のあり方を巡っては与野党間で協議が続いている。

❶ 2020年国勢調査の人口に基づいて計算された。

❷ この他、比例代表ブロックの定数も3増3減する（東京2増、南関東1増。東北、北陸信越、中国が各1減）。

WORD

アダムズ方式

各都道府県の人口を「ある数」で割り、それぞれ小数点以下を切り上げた整数を定数として配分する方法。米国の第6代大統領アダムズが1830年に考案した。

例えば、人口100万人のA県、50万人のB県、10万人のC県に計10議席を配分する場合を考える。「ある数」を18万として各県の人口を割ると、定数は、A県6▽B県3▽C県1——となる（☞上の表）。

この方式では小数点以下を切り上げるため、仮に有権者が1人でも定数は1になるなど、人口が少ない地域が比較的有利とされる。ただし、かつて日本で採用されていた「1人別枠方式」（まず全都道府県に1議席を割り振り、そのうえで残りの議席を人口比に基づいて配分する方法）と比べると、定数が減る県が多くなる。

▼アダムズ方式の仕組み

※A県、B県、C県に計10議席を配分

	人口	18万で割ると	定数
A県	100万	5.555……	6
B県	50万	2.777……	3
C県	10万	0.555……	1
全体の議席数と一致 ➡			10

PLUS

若者の投票率低迷

国政選挙の投票率は近年、おおむね50％台で推移している。世代別に見ると10〜20代の若者の投票率は30〜40％台で、他の世代と比べて低い傾向にある。直近の2022年の参院選（選挙区）では、18、19歳の投票率は35.42％（抽出調査）で、全体平均の52.05％を大きく下回った。一方、60代は65.69％、70代以上は55.72％と、高齢者層の投票率は高い傾向だった。

少子高齢化の中、若者の投票率の低迷が続けば、若者の意思がますます政治に反映されにくくなることが懸念される。投票率の向上には、期日前投票（☞134㌻）や不在者投票（☞138㌻）のさらなる普及も鍵となりそうだ。

2級Check ハードル高い在外投票

仕事や留学などで海外に住む人が国政選挙に投票するための「在外投票」の仕組みを巡って、使い勝手の悪さが問題視されている。

在外投票の方法には、(1)郵便投票(2)大使館など在外公館での投票(3)帰国して投票——の三つがあり、海外で投票するには(1)または(2)を利用する（☞右の図）。しかし、(1)は国際郵便で1往復半のやりとりが必要で時間がかかる。(2)は投票できる期間が短く、居住地が在外公館から遠い人もいる。

そもそも在外投票をするには、在外選挙人名簿への登録を申請する必要があり、この点も制度利用のハードルを高めている一因とされる。在外有権者は約110万人いると推計されるが、選挙人名簿登録者は約10万人、2022年参院選で投票したのは約2万人だった。在外邦人からは、インターネット投票の早期導入を求める声が出ている。一方、システム障害やサイバー攻撃への懸念や、選挙の公正さを担保できるのかといった疑問から、慎重な意見もある。

▼在外投票の主な方法

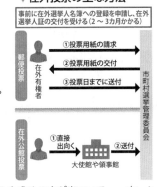

事前に在外選挙人名簿への登録を申請し、在外選挙人証の交付を受ける（2〜3カ月かかる）

郵便投票：在外有権者 ①投票用紙の請求→ ②投票用紙の交付← ③投票日までに送付→ 市町村選挙管理委員会

在外公館投票：在外有権者 ①直接出向く→ 大使館や領事館 ②送付→ 市町村選挙管理委員会

よりよい選挙制度は？

◆ 選挙の4原則

　民主主義を支える仕組みの一つが選挙だ。日本では満18歳で選挙権を得られる。このように、財産や納税額などに関係なく一定の年齢に達すれば投票できる選挙のことを「**普通選挙**」という。日本国憲法は、国政選挙で投票する人の資格について「人種、信条、性別、社会的身分、門地（家柄）、教育、財産または収入によって差別してはならない」と定めている。一方、この対極にあるのが「制限選挙」だ。明治から大正時代にかけて、一定の税を納めた25歳以上の男性しか投票できない時期があった。

　現在の選挙制度は普通選挙とともに、「1人1票」として扱う**平等選挙**、だれに投票したかの秘密を守る**秘密選挙**、代表者を直接選出する**直接選挙**——の4原則に基づく。

◆ さまざまな選挙制度

　国民の意見を政治にどう反映させるのか。民主主義の土台となる選挙制度について試行錯誤が重ねられてきたが、最適な制度は見いだせていない。

　大選挙区制は、代表者を広い地域の1選挙区から2人以上（多い場合は10人以上）選出する制度だ。小政党も議席を得やすいが、有権者と候補者の結びつきが希薄になるほか、小政党の分立で政治の不安定化を招きやすい。**中選挙区制**は日本が戦後、長く採用してきた選挙制度で、都道府県ごとに数区に分け、1選挙区から2人以上（おおむね3〜5人）選ぶ仕組み。ただ、同一選挙区から同じ政党の候補者が出ることも多く、政党の内部抗争を生みやすいとされる。政党内の派閥が候補者の調整に乗り出すことも多く、肝心の政策論議が置き去りになる弊害が指摘されてきた。

　こうした欠点を補うため、1994年に公職選挙法が改正され、1996年の衆議院議員総選挙から**小選挙区比例代表並立制**が導入された。小さな選挙区から1人の候補者を選ぶ**小選挙区制**と、各党派の得票数に比例して議席を配分する**比例代表制**を組み合わせた仕組みだ。

　1994年には、政治資金規正法の改正や政党助成法の制定などもあった（☞123㌻）。これらは、汚職防止と政権交代が起こりやすい**2大政党制**の実現を目指す改革だったが、一時期を除いて自民党を中心とする連立政権が続き、野党は劣勢のままだ（☞15㌻）。

▼選挙制度の長所と短所

	小選挙区制[*1]	比例代表制[*1]
概要	1選挙区からそれぞれ1人の代表者（議員）を選出する	各政党の得票数に応じて議席を配分する
長所	・大政党に有利に働く ・大政党による安定した政権が生まれやすい[*2] ・政党・政策本位の選挙になりやすい	・死票が少ない ・小政党も議席を得やすい ・各政党の議席数に民意が正確に反映される ・政党・政策本位の選挙になりやすい
短所	・死票が多い（得票数1位の候補者以外に投じられた票が小選挙区の議席に生かされない） ・小政党に不利に働く ・比例代表制と比べると、選挙戦が激しくなり不正が起きやすい	・小政党が分立して連立政権を組むなど不安定な政権が生まれやすい[*2] ・各候補者の人柄が有権者に伝わりにくい ・政党単位の選挙なので、無所属の人は立候補できない

＊1　一般に、小選挙区制は2大政党制、比例代表制は多党制を生みやすいとされる
＊2　議院内閣制のもとで、特に下院（日本は衆議院）議員選挙に導入された場合

▼日本の国政選挙の仕組み

衆議院（定数465／任期4年／解散あり）				参議院（定数248／任期6年／3年ごとに半数を改選）	
小選挙区	比例代表		選挙区	比例代表
289の選挙区ごと（選挙区ごとに1人選ぶ）	11のブロックごと（ブロックによって6〜28人を選ぶ）	**選挙の範囲**	45の選挙区ごと（選挙区によって1〜6人を選ぶ）	全国共通（全国で50人を選ぶ）
候補者1人の名前を書く	政党名を一つ書く	**投票の仕方**	候補者1人の名前を書く	政党名と候補者名のどちらか一つを書く
得票が1位の人[*]	①得票数に応じて、各政党に議席を割り振る ②各政党の候補者名簿で、順位の高い人から当選する	**当選者の決め方**	得票が多い順	
289人が当選	176人が当選		74人が当選	50人が当選

＊衆議院の場合、政党に所属する小選挙区候補者は同時に、比例代表にも立候補できる。小選挙区で落選しても、一定の条件を満たせば比例代表で当選できる場合がある（「復活当選」とも呼ばれる）

比例代表選挙（参議院）の仕組み
①得票数（政党名の得票と、その政党に所属する候補者名の得票の合計）に応じて、各政党に議席を割り振る
②各政党の中で、候補者名の得票が多い人から順に当選する。ただし、特定枠（設定するかどうかは各政党が決められる）の候補者は、他の候補者に優先する

「1票の格差」巡る司法判断

◆「法の下の平等に違反」と訴え

「1票の格差」とは、議員1人当たりの有権者数が選挙区によって異なるため、1票の価値に格差が生じる問題のことだ。例えば、有権者10万人で議員を1人選ぶ選挙区の1票の価値を「1」とすると、20万人で1人選ぶ場合の1票の価値は「0.5」となり、格差は2倍になる。議員1人当たりの有権者数が多いほど、1票の価値は軽くなる。

国政選挙のたびに1票の格差を巡る裁判が起こされてきた。原告は選挙の区割りが「法の下の平等」などを保障した憲法に違反すると訴える。

▼国政選挙（補選をのぞく）の「1票の格差」と最高裁判断

○合憲 △違憲状態 ✖違憲
(倍)
参院選
衆院選
6.59
5.08
5.26
5.56
5.85
5.37
4.99
3.94
4.40
4.97
4.98
5.13
5.00
5.06
4.86
4.77
3.18
2.82
2.92
2.47
2.32
2.17
2.30
2.43
3.08
3.00
3.03
1.98
2.08
2.13
1971 75 80 85 90 95 2000 05 10 15 22年

◆最高裁「合憲」判断続く

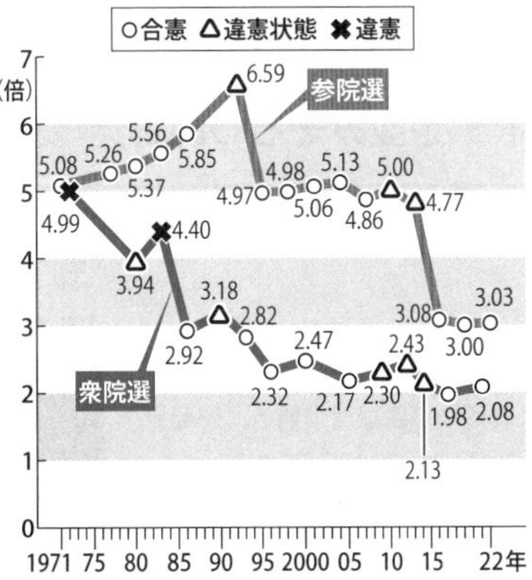

近年の国政選挙で、司法はどのような判断を下してきたのだろうか。直近の2022年の参議院議員選挙（最大格差3.03倍）について2023年10月、最高裁判所は「合憲」と判断した。各地の高等裁判所では「合憲」7件、「違憲状態（☞133㌻）」8件、「違憲」1件と判断が分かれたが、最高裁は「合区（☞下の囲み）の維持で格差は3倍程度で推移し、有意な拡大傾向にあるとは言えない」とした。

最高裁は、2021年の衆院選（最大格差2.08倍）についても2023年1月、「合憲」と判断した。近年、合憲かどうかの判断目安とみられてきた最大格差2倍を上回っていたものの、アダムズ方式（☞9㌻）の導入を2016年に決めたことなど、国会の取り組みを評価した格好だ。

PLUS

参院選「格差」縮小も制度は複雑化

参院選の**1票の格差**は衆院選と比べても大きく、過去には最大6.59倍にまで開いた。最高裁は2010年と2013年の参院選（1票の最大格差はそれぞれ5.00倍、4.77倍）を「違憲状態」と判断。選挙区を都道府県単位とする仕組みも含め制度の見直しを求めた。

これを受けて2016年選挙から導入されたのが、有権者が少ない二つの県を一つの選挙区にまとめる「**合区**」だ。4選挙区（県）が「鳥取・島根」「徳島・高知」の2選挙区に統合された。

▶「特定枠」の仕組み

●党＝5議席
①Aさん 5万票
②Bさん 2万票
③Cさん 2万票
④Dさん 3万票
Eさん 20万票
Fさん 15万票
▲党＝4議席
①Gさん 1万票
②Hさん 3万票
Iさん 18万票
Jさん 15万票
Kさん 10万票
Lさん 9万票
は特定枠（拘束名簿）
政党が得た議席数に応じて優先的に当選（名簿順）
は従来の非拘束名簿
残りの議席は、候補者の名前が書かれた票の多い順に当選（名簿は順位なし）

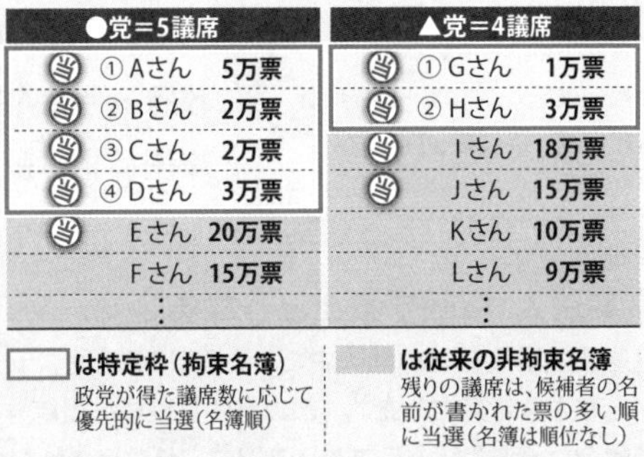

しかし、合区の結果、対象県の多くで投票率が過去最低となった。地元出身の候補者の不在で有権者の関心が下がったためで、選挙区が広くなり、選挙活動における候補者の負担が大きくなる弊害も出た。

続いて2019年と2022年の参院選で導入されたのが、「定数6増」と「**特定枠**」だ。定数は、有権者数が多い埼玉選挙区が2増、比例代表が4増された。特定枠は比例代表（非拘束名簿式、☞134㌻）であらかじめ政党が当選順位を決められる仕組み（☞右上の図）で、2019年選挙から導入された。

ただ、定数増については「人口が減り国の財政が厳しい中で国会議員を増やすのは、国民の理解が得られない」と問題視された。特定枠も、全国的な知名度や組織票がない候補者を当選させられる利点もあるが、当初の狙いは合区となった県の選挙区からあぶれた議員を救済することにあり、「ご都合主義」という批判も寄せられた。

参院選の1票の格差は対策を導入した2016年以降、3倍程度で推移し、最高裁はいずれの選挙についても合憲の判断を下している。ただ、選挙制度が複雑さを増し、格差も解消に至っていないことから、抜本的な見直しを求める声もある。

2 日本政治の現在地

TOPICS

▶ 岸田内閣　2年間のあゆみ

▶ 「マイナ保険証」切り替えへ

▶ 足並みそろわぬ野党　支持伸び悩む

支持率低迷　揺らぐ政権基盤

❶安倍氏の銃撃事件を受けて政府は、費用を全額国費で賄う「国葬」を実施した（2022年9月）。これをきっかけとして「政教分離の原則」に注目が集まり、政治と宗教の距離感が問われた。

政教分離は、国や地方自治体と宗教を分離して、間接的に信教の自由を保障する原則。大日本帝国憲法下の日本で、神道が国民統合のため政治的に利用され、戦争へ突き進んだとの反省から、現行憲法に明記された。憲法20条は国が特定の宗教団体に特権を与えることや国の宗教的活動を禁じ、憲法89条も宗教上の組織や団体への公金支出を禁じている。

政教分離を巡っては、過去に訴訟も起きている（☞30㌻）。

岸田文雄首相＝写真＝が2021年10月に就任してから2年以上がたった。内閣支持率は低迷しており（☞30㌻のグラフ）、厳しい政権運営が続く。

岸田内閣は当初、「**新しい資本主義**」（☞132㌻）を掲げたほか、2022年末には**防衛費の増額**や、**反撃能力**（敵基地攻撃能力）**の保有**方針を決定（☞24、25㌻）。2023年に入ると「**異次元の少子化対策**」に取り組むと表明して（☞62㌻）児童手当の拡充などを掲げたり、既存原発の60年超の運転などを認める「**グリーントランスフォーメーション（GX）**」に向けた基本方針を閣議決定したりした（☞52㌻）。同年10月には、税収増（☞39㌻）の還元策として所得税や住民税の定額減税（☞37㌻）を打ち出した。ただ、防衛増税（☞24㌻）などが決まっており、今後の負担増への懸念からか、国民の評価は低い。政策立案時に政府・与党内での調整不足が目立ち、自民党内で不満が募っている。

岸田首相は就任以来、2度の国政選挙に勝利した。しかし2022年、世界平和統一家庭連合（旧統一教会）と自民党（特に安倍派）の密接な関係が問題視され、不祥事による閣僚の辞任も相次ぎ、支持率は急落した。2023年前半には主要7カ国首脳会議（G7サミット）の広島開催といった外交による成果で一時回復したものの、その後はマイナンバーの誤登録問題が相次いだこと（☞13㌻）などで再び下落。さらに同年11月以降、自民党の派閥を巡る「政治とカネ」の問題が顕在化し（☞122、123㌻）、報道機関の世論調査で「危険水域」とも言われる低水準になることもあった。党内での求心力は弱まり、政権基盤は揺らいでいる。

PLUS

宗教法人　解散するとどうなる？

参議院議員選挙の期間中だった2022年7月、安倍晋三元首相が銃撃され、死亡した❶。この事件を機に、旧統一教会による高額献金などの金銭トラブル（☞73㌻）が注目された。政府は2023年10月、一連のトラブルに教団が組織的に関与したと認定し、宗教法人法に基づく解散命令を東京地方裁判所に請求した。

宗教法人法は、日本国憲法が「**信教の自由**」を保障していることを踏まえて制定された。宗教法人法に基づいて宗教法人格を得た団体は、税制優遇を受けられる。一方、「法令に違反し、著しく公共の福祉を害すると明らかに認められる行為をした」などと裁判所が認めれば、解散を命じられる。任意団体としての活動はできるが、税制優遇は受けられなくなり、運営に大きな支障が出る。

これまで「法令違反」を理由に解散命令が確定した宗教法人は、地下鉄サリン事件などを起こしたオウム真理教と、詐欺事件を起こした明覚寺（和歌山県）のみだ。今回は金銭トラブルを巡る民法上の不法行為を根拠に解散を請求した。

◘ マイナンバー トラブル続出

政府は**デジタル庁**（☞右下の囲み）を中心に行政手続きのデジタル化を進めている。その鍵と位置づけるのが**マイナンバーカード**（マイナカード）＝写真は見本・デジタル庁提供＝の普及だ。個人認証ができる電子証明書が搭載されたマイナカードを持てば、引っ越しなどの際も住民票を移す手続きをオンラインでできるようになったり、預貯金口座とひもづけて公的な給付金などをスムーズに受け取れるようになったりする。ポイント付与事業などで取得を促してきた経緯があり、2023年末時点で人口の約７割が保有する。

マイナカードに関して政府は、従来の健康保険証を2024年12月に廃止して、マイナカードと一体化した「**マイナ保険証**」に切り替えると決めている❶。「治療や服薬の履歴を医療機関や薬局間で共有でき、適切な医療を提供できる」「就職や離職のたびに保険証を切り替える必要がなくなる」などの利便性を強調する。切り替えない人には、健康保険証の代わりとなる「資格確認書」（有効期限は最長５年）を発行するとしているが、カード取得の「事実上の義務化」とも言える。

しかし、マイナンバーやマイナカードを巡ってはトラブルが続発。健康保険証などと連携する際、誤って他人の情報をひもづけていた事案が相次いで発覚した❷。入力ミスなどが原因だった。国・地方自治体は総点検を実施するなどして国民の不安払拭を図る。だが、マイナ保険証の利用率が５％未満（2023年12月）に低迷するなど、制度の浸透は不十分だ。高齢者や社会的弱者にとっては取得手続きのハードルが高い点も懸念されている。

表面

裏面

❶このほか運転免許証との一体化も目指し、「2024年度末まで」としている時期の前倒しも検討している。

❷ひもづけミスは障害者手帳などでも起きた。公金受取口座のミスについては、制度を所管するデジタル庁に政府の個人情報保護委員会が行政指導する異例の事態となった（2023年9月）。

また、マイナカードを利用したコンビニエンスストアでの公的証明書（住民票の写しなど）の交付サービスでも、システムの不具合により他人の証明書が交付される例が報告された。

WORD
デジタル庁

首相をトップとする内閣直轄の機関で、2021年に発足した。中央省庁にはさまざまな「庁」があるが、内閣（他府省より一段高い立場にある）に設置された「庁」は他に復興庁しかなく、例外的な位置づけだ。国の情報システム予算が一括計上され、他省庁への勧告権など強い権限を持つ。

デジタル庁は、デジタル社会の実現に向けた「司令塔」役を担う。マイナカード普及の他には例えば、地方自治体の基幹業務に関わるシステムの統一化に取り組む。住民基本台帳など自治体ごとにバラバラのシステムを、2025年度末までに標準化することを目指す。

論点 **新たな「庁」続々と 賛成？ 反対？**

かつて１府22省庁あった中央省庁は2001年、１府12省庁に再編された（省庁再編）。近年は政策課題に対応する新たな「庁」がしばしば作られ（☞右の表）、2023年４月には**「こども家庭庁」**が内閣府の外局として発足した（☞77㌻）。

●賛成だ
・今日の日本が直面する複雑な課題に対処するには、従来の省庁の枠組みを超えて縦割り行政を打破する必要がある。
・時の内閣がどのような政策を重視しているかを国民にわかりやすく伝えることができる。

●反対だ
・「庁」を新設したところで、新たな縦割りが生じるだけだ。既存の省庁間の連携を強化することに注力すべきだ。
・2001年の省庁再編では「行政のスリム化」が目指された。「庁」の新設はこの理念に逆行する。

▼近年発足した主な「庁」

2008年	観光庁 国土交通省の外局
09年	消費者庁 内閣府の外局
12年	復興庁 内閣の直轄
15年	スポーツ庁 文部科学省の外局
	防衛装備庁 防衛省の外局
19年	出入国在留管理庁 法務省入国管理局を格上げして再編

基本を押さえよう　政治の仕組み

◆ 国会と内閣の関係は

　日本国憲法では**三権分立**が定められている。国会、内閣、裁判所の三つの独立した機関が互いにチェックしてバランスを保つことで、権力の行き過ぎを防ぎ、国民の権利と自由を保障する狙いがある。

　このうち、立法を担う国会と、行政を担う内閣の関係は**議院内閣制**と呼ばれる。国会で多数の信任を得た議員（衆議院と参議院の指名が異なる場合は衆議院を優先する）が内閣総理大臣（首相）となり、首相をはじめとする内閣が、国会に対し連帯して責任を負って行政権を行使する——というものだ。したがって国会には、野党のみならず与党も含めて、行政のあり方を正す役割が求められる。

◆ 3種類の国会

　国会には主に三つの種類がある（☞右上の表）。

　国会審議の中心になるのが**通常国会**だ。冒頭で首相が施政方針演説を行い、政府の基本方針を説明する。会期は150日で、1回だけ延長できる。**臨時国会**は秋に召集されることが多い。**特別国会**は衆議院の解散による総選挙後に召集される。

　諸外国では、議会の会期をほぼ1年にしたり、そもそも会期を設けなかったりする例もある。日本も「通年国会」とすべきだ、との論もあり、以前は自民

国会の種類		
通常国会	毎年1回（憲法52条）、1月に召集。翌年度予算案の審議が中心。会期150日
臨時国会	内閣が必要と認めた時、または衆参いずれかの議院の総議員の4分の1以上の要求があった時、召集（憲法53条）
特別国会	衆議院解散後の総選挙の日から、30日以内に召集（憲法54条1項）
参議院の緊急集会	衆議院の解散中、国に緊急の必要が生じた時、内閣が集会を求める（憲法54条2項）

党からも聞かれた。日程闘争（☞下の囲み）を仕掛ける野党の戦術で、十分な審議時間を得られず法案が廃案となる事態に悩まされていた事情がある。近年は野党から通年国会を求める声が上がっている。政府・与党が野党からの追及を逃れるために会期を延長しなかったり、野党が臨時国会の召集を求めても即座に応じなかったりした例がみられたためだ。

◆ 論戦の中心は委員会

　国会では**委員会中心主義**がとられている。法案や予算案の審議では、委員会が議論の中心的な場となっている。これに対して、本会議を中心とするのは**本会議中心主義**と呼ばれる。

　大日本帝国憲法下の帝国議会では、英国など欧州諸国にならって本会議中心主義が採用されていた。戦後は連合国軍総司令部（GHQ）の指導により、米国を手本とする委員会中心主義が導入された。

「事前審査」と「国対政治」の是非

　議院内閣制をとる日本の政策決定過程においては、与党内の「**事前審査**」が重視されている。事前審査は、政府が法案などを正式に決める前に与党内で議論し、党内の合意を得ることだ[1]。党所属の国会議員の意見が取り入れられ、全会一致の了承を得たものが政府から国会に提出されるため、国会審議の迅速化が期待される。一方、与党議員は国会で論議することが少なく、「国会審議が退屈なセレモニーと化している」との指摘もある。

　また、与野党間の「**国対政治**」も国会審議の形骸化につながっていると指摘される。法案は与党内の事前審査を経ているため、国会審議で野党の意見が採用される場面は限られる。このため野党は、法案の廃案を狙って日程闘争に持ち込むことが多い[2]。そこで与党と

野党第1党の国会対策委員長が協議し、野党の質問時間を多くして見せ場をつくり、野党は代わりに円満な採決に協力するというケースが、しばしばみられる。

　事前審査も国対政治も半世紀以上続く慣習だが、多くの場合は密室で行われ、記録は残されない。緊張感に欠け、政策論を置き去りにしているとの批判があり、政策決定過程のあり方が問われている。

[1]自民党の場合、法案は政務調査会で審査された後、総務会（常設の最高意思決定機関）で了承される。政務調査会は、政策の調査、研究、立案を担う機関。各省庁などに対応する「部会」があり、法案は各部会、次いで政調審議会（政務調査会の決定機関）で審査される。

[2]国会に提出された法案は、その会期中に議決されなければ基本的に廃案になる（会期不継続の原則）。

政権交代をふりかえる

自民党は1955年の結党以降、ほぼずっと政権を握ってきた。途切れたのは1993～94年と2009～12年の２回だけだ。

▲自民党の結党大会。前日に解党した自由党と日本民主党の関係者ら約1000人が参加した＝1955年

◆ ２大政党による「55年体制」

1955年、自由党と日本民主党の「**保守合同**」により自民党が結党された。同じ年、左右両派に分裂していた社会党が統一された。２大政党となった自民、社会両党の対立構図はその後、1993年まで38年間続き、「**55年体制**」と称された。自民党が政権を維持する一方、社会党は批判勢力として、憲法改正の発議に必要な衆参両議院の３分の２の議席を自民党に与えないことを目指した。

▲閣僚らと乾杯する細川首相(中央)＝首相官邸中庭で1993年

◆ 11カ月で終わった「非自民連立政権」

自民党政権が最初に途切れたのは、1993年衆議院議員選挙で、第１党を保ちながらも過半数に届かなかった時だ。社会党(現在の社民党)、新生党(当時)など野党の８党・会派(共産党は除く)が、日本新党(当時)の代表だった細川護熙氏を首相とする連立内閣を作った。次の羽田孜内閣と合わせて「**非自民連立政権**」という。「連立政権を作る」と選挙中に訴えていたわけでもない政党が選挙後、寄り集まって作ったこともあり、11カ月しか続かなかった。自民党は1994年、社会党、新党さきがけ(当時)と連立を組んで政権に復帰した。

◆ 失速した民主党政権

2009年衆院選では、民主党(当時)が圧勝し、鳩山由紀夫内閣が発足。「戦後初の本格的な政権交代」だった。しかし、沖縄の基地問題や東日本大震災、東京電力福島第１原子力発電所事故に適切に対処できず、公約にない消費税の増税を法律で決めたことなどから、国民の支持を失った。

◆ 自民党が政権を奪還

2012年衆院選で民主党は惨敗し❶、自民、公明両党が政権に復帰した。発足したのが第２次安倍晋三内閣だ。２回の衆院選(2014、17年)を含む合計五つの国政選挙で大勝し、2020年９月に辞任するまで連続７年８カ月に及ぶ憲政史上最長の政権となった。

▲地震発生を受けて記者会見する菅直人首相＝2011年

❶民主党は野党に転落した後、「民進党」への改称を経て 2017 年に分裂した。立憲民主党と国民民主党は、いずれも民主党の流れをくむ。

PLUS

「代わりの選択肢」示せぬ野党

岸田文雄内閣の支持率は低い(☞12㌻)ものの、野党が現在の自公政権に代わる選択肢たり得ているとは言い難い。報道各社の世論調査では自民党と野党各党の政党支持率に大きな開きがある(2023年末時点)。

立憲民主党は、次期衆院選も意識して政権への対決姿勢を強調している。一方、選挙協力を含めた他の野党との距離感を巡り、党内外のさまざまな立場の間で揺れている。

野党第１党の地位を立憲民主党から奪おうと、攻勢を強めているのが日本維新の会だ。地域政党・大阪維新の会が母体で、大阪府・市での実績をアピールして関西以外の地域でも地方議員を増やしつつあり、政党支持率で立憲民主党を上回ることもある。

また、国民民主党は、国会審議で政府予算案に賛成したり、個別の政策テーマで自民党、公明党との３党協議を実施したりと、与党に接近する動きをみせる。

このように野党が一枚岩でないことは、結果的に政権を利することになっている、との指摘もある。

3 日本国憲法の行方

TOPICS

▶「議員の任期延長」改憲論議の中心に

▶自衛隊を憲法に明記する必要は？

▶皇族の減少 今後の対策は

◾ 議論進む緊急事態条項

日本国憲法の改正を巡って、衆議院の**憲法審査会（憲法審）❶**では、戦争や大規模自然災害などが起きた際の規定を盛り込む「**緊急事態条項**」の議論が進んでいる。ロシアによるウクライナ侵攻などを背景に、緊急時の備えは優先して議論すべきだとの認識が広がったためだ。

緊急事態条項の内容について、主な論点は二つある。緊急時に国会の機能を維持し続けるための**国会議員の任期延長**と、**内閣の権限強化**だ。

このうち議員の任期延長を巡っては、「**改憲勢力❷**」（改憲４党）が、延長規定を盛り込むべきだとの認識で一致した。改憲４党は、緊急時に選挙を行えないまま議員の任期が切れ、国会が機能しなくなる事態は避けるべきだと主張。任期延長が必要な緊急事態にあたるかどうかは内閣が認定し、国会の事前承認を得ることを要件とした❸（☞30㌻）。

改憲を巡る論点の中で最も議論が進んでいることから、自民党は2023年12月、議員の任期延長について改憲の条文案を起草する作業部会の設置を提案し、他の３党も賛同した。一方、立憲民主党や共産党は「政権の延命に悪用される恐れがある」「**参議院の緊急集会❹**で対応可能だ」などと任期延長に反対している。

内閣の権限強化の論点は、国会が開けない状況などで内閣が法律・予算と同じ効力を持つ「緊急政令」「緊急財政処分」を制定・実行することを認めるべきかどうかだ。改憲４党のうち自民党など３党は賛成する一方、公明党は内閣への「白紙委任」には慎重で、議論は深まっていない。

❶憲法審査会（憲法審）

国民投票法に基づき2007年、衆参両議院に置かれた。憲法改正（改憲）原案の審査などを行う。

❷改憲勢力

いずれも改憲に前向きとされる与党の自民党、公明党、野党の日本維新の会、国民民主党の４党を指す。自民党総裁の岸田文雄首相は、2024年9月までの総裁任期中の改憲を目指すとしている。

❸改憲４党は、大規模自然災害▽テロ・内乱▽感染症のまん延▽国家有事・安全保障──の四つの事態とこれらに匹敵する事態を、「任期延長の対象となる緊急事態」と位置づけている。一方、任期延長の判断に司法の関与を求めるかどうかなど、４党内には一部主張に差異もある。

❹参議院の緊急集会

衆議院解散中の緊急時に、参議院が国会の機能を暫定的に代行できるとする憲法の規定。

論点 緊急事態条項の創設に賛成？ 反対？

●賛成だ

・どのような事態が起きても国政を停滞させてはならない。いざという時の備えとして緊急事態条項は不可欠だ。

・大規模自然災害が相次ぎ、新型コロナウイルス禍にも直面したことで、緊急事態条項に対する国民の理解は深まっている。

●反対だ

・現行憲法（参議院の緊急集会）あるいは既存の法律（災害対策基本法など）で対応可能だ。わざわざ改憲する必要はない。

・国民の権利を制限することに対しては抑制的であるべきだ。緊急事態条項が憲法に盛り込まれると、私権制限が強まりかねない。

◘ 改憲 各党の立場は？

改憲に前向きとされる改憲4党は、衆議院と参議院でいずれも、改憲の**発議**に必要な「3分の2」を上回っている（☞30㌻）。

このうち、与党第1党の自民党は改憲を党の基本方針とする。「戦争の放棄」を掲げる憲法9条1項、「戦力の不保持」をうたう同2項を維持したまま、自衛隊の存在を記す新たな条文を足す案などを掲げる。これらの「**改憲4項目**」（☞下の「2級Check」）をたたき台として、各党との協議を進めたい考えだ。

公明党は「**加憲**」を提唱。平和主義や基本的人権の尊重、国民主権といった憲法の基本原理を守りつつ、新しい理念や権利を補強すべきだとしている。自衛隊の9条明記には反対する。

日本維新の会は、自衛隊の明記で自民党案に同調。教育無償化などを改憲で実現すべきだと訴える。国民民主党は9条について、自衛隊を「戦力」に位置づける本格的な議論を行うべきだとする。

一方、立憲民主党は「**論憲**」を掲げ、内閣による衆議院の解散権など国家権力に制約を加えることや国民の権利拡大につながる議論を提起。自衛隊を巡っては、合憲解釈が定着しており明記の必要はないとする。共産党は改憲自体に反対する「**護憲**」の立場だ。

▼改憲に対する主な政党の立場

自民党	自衛隊の明記、緊急事態条項の創設、参院選の合区解消、教育の充実の4項目の改憲を主張
立憲民主党	立憲主義に基づき「論憲」を進める。国家権力を制約し国民の権利拡大につながる議論を提起
日本維新の会	教育の無償化、統治機構改革、憲法裁判所の設置、9条への自衛隊明記、緊急事態条項の創設の5項目の改憲を主張
公明党	新しい理念や権利の補強を掲げる。議員任期延長、首相や内閣の職務を規定した72条や73条への自衛隊明記を検討
共産党	現行憲法の全条項を守り、政治に生かすと主張。改憲を議論するための憲法審査会開催に反対
国民民主党	緊急事態条項の創設や、自衛権行使の範囲を規定する9条改正に前向き

▼さまざまな改憲テーマ

参議院の選挙制度		参議院議員を「全国民の代表」（43条）ではなく都道府県の代表にすれば、参院選での「1票の格差」の問題はなくなる。自民党は県をまたぐ「合区」の解消を主張している
教育無償化		日本維新の会は、改憲案で「全ての国民は経済的理由によって教育を受ける機会を奪われない」と明記し、全ての学校教育の無償化を盛り込んだが、各党で温度差がある
地方自治		「地方自治の本旨」（92条）の内容を憲法に具体的に書き込むべきか。法律に優先する条例の制定権を地方自治体に例外的に認めるか。道州制の導入には改憲が必要か
憲法裁判所		個別の法律が違憲かどうかを裁判所に直接問うことは基本的にできず、現行憲法は特別裁判所の設置を認めていない。憲法裁判所の設置など違憲審査権を充実すべきか
首相による解散権の制約		衆院解散の大半は7条の規定（内閣の助言と承認による天皇の国事行為）に基づき、首相の「専権事項」とされる。ただ「解散権の乱用だ」として制約すべきだとの意見も
臨時国会の召集期限の明記		53条は、衆参いずれかの議院の総議員の4分の1以上が要求すれば、内閣は臨時国会の召集を決定しなければならないと定めるが、召集期限がなく事実上無視されたことも
環境権	🍃	憲法制定時に想定していなかった新しい人権の一つとされる。対象を自然環境に限定するか、文化的・社会的環境まで含めるかで意見が分かれている

【2級Check】 自民党の「改憲4項目」とは？

自民党は「自主憲法制定」を結党（1955年）以来の党の基本方針とし、2005年に新憲法草案、2012年にも改憲草案を発表してきた。

2017年5月3日には安倍晋三総裁（当時）が「自衛隊の明記」などを提案し、「2020年を新しい憲法が施行される年にしたい」と改憲への意欲を示した。これを踏まえて翌2018年に自民党がまとめたのが4項目の条文イメージだ。

この「改憲4項目」は、**自衛隊の明記**（☞19㌻）▽**緊急事態対応**（☞16㌻）▽**参議院議員選挙**の「**合区**」（☞11㌻）**解消**▽経済的な理由に関わらず教育を受けられるようにする「**教育の充実**」――から成る。改憲に向けた与野党協議を進めるためのたたき台との位置づけだ。

PLUS

新しい「人権」も論点に

時代が変化する中で、憲法制定時には想定されていなかった「新しい人権」をどのように考えるかもポイントだ。

例えば、国民が権力に妨げられずに自由に情報を得る「**知る権利**」は、憲法21条で定める「**表現の自由**」の前提として保障されると解釈されており、ネット社会の進展でさらに注目が高まる。ＳＮＳ（ネット交流サービス）の普及で、個人情報保護などに関する「**プライバシー権**」（☞91㌻）もますます重視されている。この他、気候変動など地球規模の環境問題が深刻さを増す中で、憲法13条（**幸福追求権**）などを根拠とする「**環境権**」の明記を主張する意見もある。新しい人権を巡っては、憲法の中に明記すべきか、憲法の解釈や法律の範囲内で対応すべきかで見解が分かれている。

日本国憲法の基礎知識

◆ 制定までの経緯

日本国憲法は第二次世界大戦後、**大日本帝国憲法（明治憲法）**の改正という形をとって制定された。

戦後、占領政策を担った連合国軍総司令部（GHQ）は、明治憲法を改めるよう日本政府に指示した。だが、当初の政府案は明治憲法と大差がない保守的な内容だったため、GHQはこれを拒否。象徴天皇制や戦争放棄などを盛り込んだGHQ案を示し、これを基に最終的な政府案が作成された。その後、帝国議会での審議を経て改正案が成立。1946年11月3日に公布、1947年5月3日に施行された。

日本国憲法を巡っては「**押しつけ憲法**」論も根強い。その制定過程から「憲法はGHQに押しつけられた」と問題視する主張だ。ただ、日本国憲法はGHQ案そのままではない。さらに、1946年の毎日新聞の世論調査では、象徴天皇制を「支持」が85％、戦争放棄についても「必要」が70％で、当時の国民は好意的に受け入れていたようだ。

◆ 3大原理

こうして制定された日本国憲法は、明治憲法とは全く異なるものとなった。

まず、日本国憲法は国民が制定した「**民定憲法**」と位置づけられるのに対し、明治憲法は天皇が制定した「**欽定憲法**」だった。また、日本国憲法は「**国民主権**」「**基本的人権の尊重**」「**平和主義**」の三つを基本原理とし、国会を「**国権の最高機関**」と位置づけた。一方、明治憲法は、天皇が元首として統治権を総攬する（一手に掌握する）としていた。さらに、国会は「天皇の協賛機関」で、国民（臣民）の権利も天皇によって恩恵的に与えられたものとしていた。

◆ 象徴天皇制

3大原理と並ぶ日本国憲法の特徴が「象徴天皇制」だ。天皇は「**日本国の象徴**」であり「**日本国民統合の象徴**」と規定されている（1条）。天皇は「国政に関する権能」を持たず、**国事行為**を「**内閣の助言と承認**」に基づいて行うと定められており（3条）、国事行為の具体例は憲法に列挙されている（6、7条）。

天皇の活動には、この国事行為のほか「**公的行為**」もある。憲法に直接の規定はないが、「象徴」としての地位に基づくもので、地方訪問などが該当する。国事行為と公的行為は、合わせて天皇の「**公務**」と呼ばれる。

POINT

法改正よりも高い改憲のハードル

日本国憲法は、これまで一度も改正されたことがない。改正手続きを一般の法律より厳格にしているためだ。憲法96条は、衆参各議院で「**総議員の3分の2以上**」の賛成を得て**国会が発議**し、国民に提案する▽**国民投票**で**過半数**の賛成を得る――と2段階の手続きを踏むよう定めている。こうした性質を持つ憲法は「**硬性憲法**」と呼ばれ、米国など多くの国で採用されている。

憲法改正（改憲）の具体的な手続き（☞右の図）は、**国民投票法**で定められている。投票できる年齢は、2007年の成立当初は20歳以上とされていたが、2018年からは**18歳以上**に引き下げられた。2021年にも改正され、駅や商業施設への「共通投票所」の設置などが新たに盛り込まれた。

こうした法改正を受け、自民党は改憲論議を加速させたい考えだ。しかし、各政党が国民に改憲案への賛否を呼びかける際の**CM規制**のあり方や、一定の投票率に達しなかった場合に国民投票を「不成立」とする「**最低投票率**」の規定を設けるべきかなど、論点が残っている。

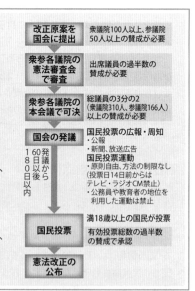

改正原案を国会に提出	衆議院100人以上、参議院50人以上の賛成が必要
衆参各議院の憲法審査会で審査	出席議員の過半数の賛成が必要
衆参各議院の本会議で可決	総議員の3分の2（衆議院310人、参議院166人）以上の賛成が必要
国会の発議	国民投票の広報・周知・公報・新聞、放送広告　国民投票運動・原則自由、方法の制限なし（投票日14日前からはテレビ・ラジオCM禁止）・公務員や教育者の地位を利用した運動は禁止
国民投票	満18歳以上の国民が投票　有効投票総数の過半数の賛成で承認
憲法改正の公布	

（発議から60日以後180日以内）

9条と自衛隊の関係は

憲法制定以来、憲法論議の最大のテーマであり続けてきたのが憲法9条（☞下の「WORD」）だ。特に、「戦力の不保持」をうたった2項に照らして自衛隊の存在は合憲か違憲か、を巡り論争が繰り広げられてきた。

1954年に創設された自衛隊は、憲法に明記されていないものの、政府は**「自衛のための必要最小限度の実力組織であって、憲法が禁じる『戦力』には当たらず、合憲だ」**との解釈を示している。議論は司法の場でも展開されたが、裁判所は正面から判断するのを避ける傾向にあった[1]。

こうした中、自民党が2018年、自衛隊を憲法に明記することなどを掲げる「改憲4項目」を示した（☞17ず）。これに対し、護憲派からは「9条や自衛隊のあり方が将来的に変わってしまう」という意見や、「自衛隊は国民の間で広く認められており、あえて憲法を改正して、その存在を明記する必要はない」といった反対論が聞かれる。また、改憲派の中にも「2項を削除して、自衛隊を戦力として位置づけるべきだ」と主張する立場もある。

[1]このような場面で裁判所はしばしば、**「統治行為論」**を持ち出してきた。国の統治の基本に関する高度な政治判断については、司法審査の対象外とする考え方だ。

WORD

憲法9条

1項（戦争の放棄） 日本国民は、正義と秩序を基調とする国際平和を誠実に希求し、国権の発動たる戦争と、武力による威嚇又は武力の行使は、国際紛争を解決する手段としては、永久にこれを放棄する。

2項（戦力の不保持／交戦権の否認） 前項の目的を達するため、陸海空軍その他の戦力は、これを保持しない。国の交戦権は、これを認めない。

PLUS

皇室制度の課題

近年、皇室制度に関するさまざまな課題が指摘されている。

現行制度では、**皇位継承**資格は**男系**の男子に限られる[2]。天皇陛下より若い人では、弟で皇嗣（皇位継承順位1位の皇族）の秋篠宮さまと、2024年9月に18歳で成年皇族となる、その長男悠仁さまだけだ。一方、女性皇族は天皇・皇族以外と結婚すると皇籍を離脱する決まりで、今後は皇族が減り、1人当たりの公務負担が重くなると懸念されている。

政府の有識者会議は2021年、減少する皇族数の確保策として、**女性皇族が結婚後も皇室に残る**案▽戦後に皇籍を離脱した**旧宮家の男系男子**が養子縁組して**皇籍に復帰する**案──の2案を軸とした最終答申をとりまとめた[3]。しかし答申は、**「女性天皇」**や、父方を代々さかのぼると天皇につながらない「女系天皇」への皇位継承権の拡大については提起せず、「皇位継承の問題と切り離して、皇族数の確保を図ることが喫緊の課題だ」と指摘。「女性・女系」への賛成論も広がる一方、保守派の反発が強く、「機が熟しておらず、かえって皇位継承を不安定化させる」と説明した。

現状の皇室制度は多くの課題を抱えているが、政治の動きは鈍く、与野党間の議論は進んでいない。

▲東日本大震災の被災地を訪問された天皇、皇后両陛下＝岩手県で2023年6月

[2]**皇室典範**（皇位継承や皇族の身分を定める法律）では、皇位は「皇統に属する男系の男子」が継承すると定められている。男系とは「父親、その父親とさかのぼると天皇につながる」という意味だ。これに対し、母方をさかのぼれば天皇とつながるものの、父方ではつながらないことを「女系」という。これまで女性で天皇になったのは8人（うち2人は、それぞれ2度即位）。これについて、いずれも男系で「女系天皇が誕生したことはない」との指摘がある。
[3]有識者会議は、上皇さまの天皇退位を実現した皇室典範特例法（2017年成立）の付帯決議を踏まえて、2021年に設置された。この付帯決議は、安定的な皇位継承などについて、速やかに検討するよう政府に求める内容だ。

4 日本外交の針路は

TOPICS

▶ 外交の基軸は米国との同盟関係

▶ 中国を意識して新興国とも連携

▶ 徴用工問題「解決策」で韓国と急接近

▣ 日米同盟 視線の先に中国

❶日本は安全保障政策で、米国による**拡大抑止**（☞下の図）を重視する。

「抑止」とはこの場合、自国への攻撃を他国に思いとどまらせることで、そのための能力を**抑止力**という。攻撃しても反撃されると他国に思わせることで、自国への攻撃を諦めさせる狙いがある。抑止力を自国だけでなく同盟国にも広げるのが、拡大抑止の考え方だ。

米国は日本に対して、通常戦力に加え、核兵器による拡大抑止（**核の傘**）を約束している。

ロシアによるウクライナ侵攻（☞106㌻）や、イスラエル・パレスチナ情勢（☞107㌻）など、世界各地で深刻な危機が相次いで生じ、日本周辺では中国による海洋進出や、北朝鮮による弾道ミサイル発射（☞22㌻）などが続いている。日本政府はこの現状を「戦後最も厳しく複雑な安全保障環境」ととらえており、これに対応するため、2022年末に閣議決定した「国家安全保障戦略」（☞24㌻）に基づいて防衛力の抜本的強化を進めている。

「**反撃能力**（敵基地攻撃能力）**の保有**」（☞25㌻）を含む防衛力強化は、**日米安全保障条約**（☞下の囲み）を中核とする日米同盟のあり方にも深く関わっている。両国は役割や任務の分担などの協議を通じ、更なる連携強化を目指す方針だ。岸田文雄首相は米国のバイデン大統領との首脳会談（2023年8月）で、同盟の抑止力・対処力を強化すべく❶、中国、北朝鮮などが開発を進める極超音速兵器（☞25㌻）を迎撃するための新型ミサイルを共同開発する方針で合意。宇宙・サイバー空間、エネルギーなど幅広い分野での協力も進める。

日米が念頭に置くのが中国だ。日本は国家安保戦略で、中国の動向は日本と国際社会に対する「これまでにない最大の戦略的な挑戦」と指摘。オーストラリアや、インドをはじめとする新興国・途上国とも連携し（☞21㌻の「2級Check」）、対応していく姿勢をとる。

▼日本が重視する「拡大抑止」とは

二つの「拡大抑止」

いずれも敵対国を威嚇し、同盟国への攻撃を思いとどまらせる狙いがある

日本が米国の「拡大抑止」を重視するのは…

核保有国が周辺に複数存在しているため
（自らを「核保有国」と呼ぶ国も含む）

ロシア	ウクライナ侵攻で核兵器使用の「脅し」を繰り返す。極東地域でも活発な軍事活動を継続
北朝鮮	これまでに6回の核実験を実施し、さまざまな種類のミサイル開発も進めている
中国	米国と経済・軍事の両面で対立。2030年までに1000発以上の核弾頭を保有するとの予測も

WORD

日米安全保障条約

日米両国の安全保障関係を定めた条約。1951年のサンフランシスコ講和（平和）条約と同時に結ばれた旧条約と、1960年に改定された新条約を指す。旧条約は米軍の日本駐留を認める一方、米軍の日本防衛義務が不明確だった。この点を明記したのが新条約だ。日本の施政下における脅威に、日米は共同で対処する（5条）。その代わりに、日本は米軍に施設などを提供する義務を負う（6条）。条約に基づいて、沖縄県など各地に在日米軍基地が置かれている（☞25㌻）。

日本と中国 距離感いかに

日本と中国は1972年の国交正常化以来、経済などさまざまな面で結びつきを強めてきた。しかし、中国は経済発展に伴って「大国」意識を強め、軍事力や経済力を背景として他国に影響を及ぼそうとする覇権主義的な動きを示すようになった。尖閣諸島（☞23㌻）周辺を含めた東シナ海や、南シナ海（☞118㌻）で力による一方的な現状変更を試みているほか、台湾への武力行使の可能性もくすぶる（☞117㌻）。

このような中国に対して、日本は米国などと連携して抑止力（☞20㌻）の向上を図ると同時に、対話を通じて「建設的かつ安定的な関係」を構築するとしている。主張すべきは主張し、その一方で共通の課題については協力する、との立場だ。中国との関係は日本経済の動向を左右する要素の一つであり、両国はインド太平洋地域と国際社会の平和と安定に責任がある、との認識が背景にある。

ただ、東京電力福島第1原子力発電所の「処理水」の海洋放出（☞99㌻）を中国が強く非難するなど、日中間には依然として課題が山積している。2023年11月の首脳会談では**戦略的互恵関係❶**の推進を再確認するなど、更なる関係悪化を避けようとする姿勢もみられたが、楽観できない状況が続く。

❶戦略的互恵関係

日中間で互いの立場が違っていても、地域の安全保障や国際的な諸課題（経済、環境、エネルギーなど）について共通の利益を求め、両国関係を発展させていこうという考え方。安倍晋三首相と胡錦濤国家主席の間で2006年に合意され、2008年の日中共同声明（☞30㌻）にも盛り込まれた。

論点　米中のはざまで日本の立ち位置は？

●米国との関係を重視すべきだ
・戦後日本の平和と繁栄は、日米安全保障条約の上に築かれてきた。日米同盟こそが日本の安全保障の要であり、それは今後も不変だ。
・中国は香港や新疆ウイグル自治区などでの人権問題（☞118㌻）を抱えている。価値観を共有しない国との関係を深めるのは難しい。

●中国との関係を重視すべきだ
・日本経済にとって、中国と良好な関係を維持することは不可欠だ。
・日本と中国は「引っ越すことができない永遠の隣人」だ。隣国である中国との関係が悪化すれば当然、日本の安全保障環境は厳しさを増す。関係改善に向けた努力を怠ってはならない。

●等距離の関係を築くべきだ
・米国と中国は日本にとって等しく重要で、優劣はつけられない。
・米中対立が激化する中、日本がどちらか一方に肩入れするのは得策ではない。むしろ対立が激化しないよう、双方の仲立ちをするのが日本に求められる役割だ。

新興国も重視　その狙いは

日本は**グローバルサウス**（☞117㌻）と呼ばれる新興国・途上国との連携強化を目指している。グローバルサウスは著しい経済成長が今後も見込まれるなど、国際社会における存在感を増している。これらの国々との結びつきを強めることが、国際協調や国益につながると日本は考えている。

その中でも日本が重視するのが、グローバルサウスの「盟主」を自任するインドだ。インドは民主主義や法の支配といった基本的な価値観を日本と共有し、豊富な労働力や巨大な市場を有する。2023年は日本が主要7カ国（G7）議長国、インドが主要20カ国・地域（G20）議長国だったこともあり、首脳が相互に訪問した。

日本とインドは、米国、オーストラリアとともに**クアッド**という協力の枠組みも形成しており、中国を念頭にインド太平洋地域でのインフラ支援やサプライチェーン（供給網、☞49㌻）など幅広い分野での連携強化を図る。ただ、インドは伝統的に「非同盟」の外交を志向しており、中国との距離感に温度差もある。

岸田首相（右）はインドのモディ首相（左）ら新興国の首脳をG7広島サミットに招待した＝2023年

▼中国を意識した多国間の枠組み

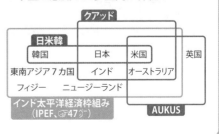

クアッド			
日米韓		**米国**	英国
韓国	日本		
東南アジア7カ国	インド	オーストラリア	
フィジー	ニュージーランド		AUKUS

インド太平洋経済枠組み（IPEF、☞47㌻）

▣ 改善進む日韓関係

日本と韓国の関係は近年、「国交正常化（1965年）以降で最悪」と評されることもあったが、関係改善が進んだ。

転機となったのは尹錫悦政権が2023年3月、最大の懸案だった**徴用工問題❶**の解決策を示したことだ。韓国政府の傘下にある財団が、元徴用工への賠償を命じられた被告の日本企業に代わって賠償金相当額を支払う内容で、日本政府は解決策を評価。同月に来日した尹氏と岸田文雄首相が会談し、日韓関係を強化する方針や、両首脳が相互訪問する「シャトル外交」の再開などで合意した。2023年中の首脳会談は7回に上り、政治、経済、文化など幅広い分野での対話も活発になりつつある。

尹氏は北朝鮮との「南北融和」を優先した文在寅前大統領と異なり、核・ミサイル開発を続ける北朝鮮に強硬姿勢で臨み、米韓同盟の強化を前面に押し出している。そのため、同じく米国と同盟関係にある日本との関係改善は、日米韓の連携強化につながることとなった。2023年8月の日米韓首脳会談では、閣僚や政府高官レベルの対話を定期的に開くことで合意。3カ国は北朝鮮のミサイル警戒情報を即時共有するシステムを同年12月から稼働させた。日米韓の連携には、安全保障協力を拡大することで、覇権主義的な行動を強める中国をけん制する狙いもある。

日韓両政府間の関係改善は進んだ一方、韓国国内には対日政策への不満が依然としてくすぶっている。両国間には**慰安婦問題**（☞133ㇷ゚）や**竹島問題**（☞23ㇷ゚）などの懸案もあり、将来にわたって安定した関係を構築できるかが焦点だ。

❶徴用工問題

徴用工とは第二次世界大戦中、日本の植民地だった朝鮮半島から日本へ渡り、軍需工場などで働いた人のこと。韓国の最高裁判所（大法院）は2018年、「強制労働させられた」とする元徴用工や遺族の訴えを認め、日本企業に賠償を命じた。日本は「国交正常化の際に結ばれた**日韓請求権協定**により解決済みだ」との立場で、消極的な対応に終始した前の文政権への不信感を募らせた。

POINT

北朝鮮との課題　拉致・核・ミサイル

日本と北朝鮮の間には、拉致、核、ミサイルといった問題が横たわる。日本はこれらの包括的な解決を目指す方針だが、日朝関係は停滞が続く。

拉致問題（☞140ㇷ゚）は2002年に5人の被害者が帰国して以降、目立った進展がみられない。被害者家族が高齢化し、時間の猶予はないが、先は見通せない。

核・ミサイル開発も懸案だ。北朝鮮はミサイル発射を繰り返し、これに対して全国瞬時警報システム（Jアラート）による警戒が呼びかけられる事態もたびたび起きている。ミサイル技術を急速に向上させ、2017年以来の核実験に踏み切る可能性も指摘される北朝鮮について、日本は「従前よりも一層重大かつ差し迫った脅威」と危機感を強めている。

PLUS

ウクライナ侵攻　北方領土問題に影

日本はロシアによるウクライナ侵攻（☞106ㇷ゚）について「国際秩序の根幹を揺るがす暴挙」と激しく非難し、米欧と足並みをそろえた対応を取る。ウクライナへの支援として▽財政支援▽物資（例えば食料、医薬品、発電機、防弾チョッキ）の提供▽避難民の受け入れ——などに取り組む一方、ロシアには経済制裁を科している（☞56ㇷ゚）。しかし、こうした姿勢はロシアの反発を招き、日露関係に影を落とすこととなった。

侵攻前、日本はロシアとの関係を重視する姿勢を取っていた。**日ソ共同宣言**（☞23ㇷ゚）に基づき、**北方領土**（北方四島、☞23ㇷ゚）問題を解決して平和条約を締結する、というのが日本の基本方針であり、そのためには

◀来日し、原爆慰霊碑に献花したウクライナのゼレンスキー大統領（左）。2023年には岸田首相（右）もウクライナを訪問した＝広島市の平和記念公園で2023年5月

良好な関係を築く必要がある、との認識からだった。

ところが、侵攻で状況は一変する。経済制裁を発動した日本への対抗措置として、ロシアは平和条約交渉を中断すると一方的に発表。また、北方領土での**共同経済活動**について「対話から脱退する」としたほか、日本人が北方領土を訪れる「**ビザなし交流**」と、元島民らの「**自由訪問**」の枠組みも破棄すると通告した。日本は対露関係の基本方針は維持するが、悪化した関係は当面の間、改善しそうにない。

日本の領土　基礎知識と現状

1968年、上空から撮影した竹島

北方領土
ロシアが主張する境界線
北海道根室市の納沙布岬
上空から望む歯舞群島

尖閣諸島の魚釣島周辺

◆ 北方領土

歯舞群島、色丹島、国後島、択捉島の4島から成る。「日本固有の領土で、外国の領土になったことは一度もない」というのが日本政府の立場だ。日本が1945年8月にポツダム宣言を受諾した後、ソ連（現在のロシア）が占拠し、日本人を退去させた。1956年の日ソ共同宣言❶には「（両国が）平和条約を締結後、ソ連は歯舞群島、色丹島を引き渡す」と明記された。しかし、平和条約はいまだに結ばれていない。

◆ 竹島

2島と数十の岩礁から成る。隠岐諸島の北西約160㌔の日本海にあり、島根県隠岐の島町に属する。日本は17世紀半ばには領有していたと考えられ、1905年に島根県への編入を閣議決定した。韓国は第二次世界大戦後に領有権を主張し始め、李承晩大統領（当時）が1952年、日本海などに「李承晩ライン」を一方的に引いて韓国領に組み込んだ❷。1954年には警備隊を派遣し、現在まで駐留を続けている。竹島問題は1965年の日韓国交正常化の際にも解決できなかった。日本は解決のため、国際司法裁判所（ICJ、☞135㌻）への付託を提案したこともあったが、韓国は拒否した。

❶日ソ共同宣言……日本とソ連が「戦争状態の終結」を宣言し、国交を回復させた。この取り決めにより、日本はソ連の支持を得て同年、国連加盟を果たしたほか、シベリアに抑留された日本人の帰還が完了した。
❷韓国は竹島を「独島」と呼ぶ。
❸中国は尖閣諸島を「釣魚島」、台湾は「釣魚台」と呼ぶ。

◆ 尖閣諸島

5島と三つの岩から成る。石垣島の北約170㌔の東シナ海にあり、沖縄県石垣市に属する。中国と台湾は、周辺の海底に石油資源がある可能性が分かった後の1971年に領有権を主張し始めた❸。中国は「日清戦争での敗戦が確定的になった清から日本がかすめ取った」などと主張しているが、日本は「1895年の編入時、他国の支配が及んでいないことを慎重に確かめた。国際法上、正当な手段で、問題ない」としている。海上保安庁が警備するなど実態としても日本が支配しており、日本政府は「（尖閣諸島に）解決すべき領有権の問題は存在しない」との立場で、北方領土や竹島の領土問題とは区別している。

▼尖閣諸島周辺での中国公船の活動状況

※海上保安庁の資料を基に作成

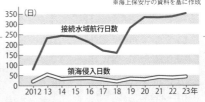

接続水域航行日数

領海侵入日数

2012 13 14 15 16 17 18 19 20 21 22 23年

（☞135㌻）

PLUS

緊張続く尖閣　中国公船の航行が常態化

尖閣諸島周辺では近年、領有権を主張する中国との間で緊張状態が続いている。日本政府は2012年、尖閣諸島のうち3島を、民間人から購入して国有化。中国は猛反発して、日中関係は冷え込んだ。国有化以降、周辺海域には中国公船が頻繁に現れるようになった。2023年には、接続水域内での航行が352日に及び、領海への侵入も42日あった。日本の排他的経済水域（EEZ）内に、中国が海洋調査用のブイを設置したことも確認された。

大転換の防衛政策

TOPICS

▶ 増額続く防衛費　財源は置き去りに

▶「反撃能力」保有で抑止力強化図る

▶ 普天間問題は長期化　異例の「代執行」も
ふ てん ま

□ 2年連続で1兆円増

❶政府は防衛費について、2027年度には8.9兆円程度とする計画だ（2023〜27年度の5年間では総額43兆円程度）。だが、日本のGDPはおおよそ500兆円台で推移しており、これでは「GDP比2％」に達しない。そこで政府は防衛費に加え、海上保安庁の予算、安全保障関連の研究開発やインフラ整備の経費などを合算した枠組みで、2％目標を達成するとしている。

そもそも「2％」の根拠は何か。政府が念頭に置くのが、北大西洋条約機構（NATO、☞112㌻）の方針だ。NATOは全加盟国の国防費を2024年までにGDP比2％以上に引き上げる目標を掲げている。政府は「必要なものを積み上げた」と主張するが、「金額ありきだ」との批判もある。

防衛費は2023年度、約6.8兆円と前年度（約5.4兆円）を大きく上回った（一般会計の当初予算）。政府の2024年度予算案でも約7.9兆円が計上され、2年連続で増加額が1兆円を超える見込み。防衛費が大幅に増え続けているのは、「関連経費と合わせて2027年度に**国内総生産（GDP、☞34㌻）**比で2％とする」との方針を政府が掲げているためだ❶。

防衛費は三木武夫内閣が1976年に閣議決定して以来、おおむねGDP比1％程度で推移してきた（☞31㌻）。中曽根康弘内閣は1987年度の予算編成時、米国の要望に応える形で1％を突破させたが、その後も1％を大きく上回ることはなかった。

政府が方針を転換した背景には、厳しさを増す安全保障環境がある（☞20〜23㌻）。核・ミサイル開発を続ける北朝鮮や、軍事的な台頭が著しい中国に対応するには、防衛力の抜本的な強化が必要との認識だ。ロシアによるウクライナ侵攻（☞106㌻）も政府の危機感を強めた。しかし、防衛力の強化に対しては「かえって他国の軍拡を招きかねない」との懸念がある。外交を尽くす努力も求められる。

財源を巡る議論も残る。政府は歳出改革などのほか、増税で賄うとしている（☞左下の図）。ただ、与党内の慎重論や世論に配慮して、増税時期の決定は先送りされたままだ。

▼**防衛費　政府の財源確保策（イメージ）**

建設国債（計1.6兆円）含むその他計2.5兆円

2027年度額

税制措置　1兆円強

防衛力強化資金（計4.6兆円程度）　0.9兆円程度

決算剰余金の活用（計3.5兆円程度）　0.7兆円程度

歳出改革（計3兆円強）　1兆円強

■法人税7000億〜8000億円
■たばこ税2000億円程度
■復興特別所得税2000億円程度

25.9兆円（従来の防衛費5年分）

2023　5年間の防衛費43兆円程度　27年度

「安保関連3文書」とは？

政府は2022年末、安全保障関連3文書を改定し、閣議決定した。(1)**国家安全保障戦略**、(2)**国家防衛戦略**、(3)**防衛力整備計画**——の三つだ。

(1)は外交・防衛政策の基本方針で、3文書の中で最上位に位置づけられる。第2次安倍晋三内閣が2013年に初めて策定し、改定は2022年が初めて。「防衛費の増額」や「反撃能力の保有」といった政府方針の根拠となっている。

(2)は防衛の目標と、目標達成のための手段を示す。(3)は保有すべき防衛力の水準（自衛隊の編成や主要装備の数量など）を具体的に示し、整備計画を定める。(2)(3)はそれぞれ従来の「防衛計画の大綱（防衛大綱）」「中期防衛力整備計画（中期防）」から改称した。

■「専守防衛」との整合性は

政府は防衛力強化のため「**反撃能力**」を保有する方針も掲げている。

反撃能力とは、相手国のミサイル発射拠点などをたたく能力のことで、「**敵基地攻撃能力**」とも呼ばれる。敵基地攻撃について歴代内閣は、攻撃を防ぐため他に手段がない場合に限り、日本国憲法上許される、との立場を取ってきた。ただし実際には、そのために必要な装備は保有してこなかった。日米安全保障条約（☞20ジ）の下、敵基地攻撃は米軍の打撃力に委ね、自衛隊は日本の防衛に徹するという役割分担をしてきたためだ。したがって日本のミサイル防衛は従来、発射後のミサイルを撃ち落とす態勢にとどまっていた。

しかし、近年は北朝鮮や中国のミサイル技術が向上。ミサイルが同時に多数発射されたり、変則軌道や極超音速（音速の5倍＝マッハ5＝以上）で飛ぶミサイルが発射されたりした場合は、迎撃が困難と指摘されている。岸田文雄首相は日本の防衛力について「現状では十分ではない」との認識を示し、相手に攻撃を思いとどまらせる**抑止力**（☞20ジ）として反撃能力は不可欠だ、と説明する❶。

日本は憲法に基づいて、相手から武力攻撃を受けた時に初めて必要最小限度の防衛力を行使する「**専守防衛**」に徹し、他国に脅威を与える軍事大国とならないことを基本理念としてきた。岸田首相は「専守防衛は今後も堅持する」と強調するが、反撃能力の保有は専守防衛の形骸化を招くとの指摘もある。

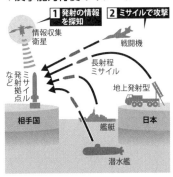

▼反撃能力行使のイメージ

❶政府は反撃手段として長射程ミサイルを想定する。米国製巡航ミサイル「トマホーク」を配備したり、自衛隊の既存のミサイルを改良して射程を伸ばしたりする方針だ。

また政府は、既存の「武力行使の3要件」（☞139ジ）に基づいて反撃能力を行使するとしている。

PLUS

沖縄の基地負担を考える

日本の防衛、そして周辺地域の安定を図るうえで重要な役割を果たしている在日米軍。ただ、その基地負担は沖縄県に偏っている。

◆米軍占領下で基地が拡大

日米安全保障条約に基づく**在日米軍基地**は全国に76カ所あり、うち沖縄には31カ所ある（2023年1月時点、以下同じ）。面積では基地の約70％が、国土面積の0.6％しかない沖縄に集中している。第二次世界大戦末期の沖縄戦を経て米軍に占領され、強引な手法で基地建設が進められた歴史があるためだ。1972年に沖縄が米国から返還され本土に復帰した後も、米軍は駐留を続けている。朝鮮半島、台湾海峡、南シナ海のいずれにも近く、日米両政府が戦略上、重要な拠点と位置づけている事情がある。

周辺住民は、基地関連の騒音や事故に悩まされてきた。米兵らの犯罪を巡り、**日米地位協定**（☞138ジ）の課題も指摘される。基地負担の軽減が求められるが、**米軍普天間飛行場**（宜野湾市）＝写真＝の問題は長期化している。

◆対立続く国と県

普天間飛行場は周囲に住宅や学校などが密集し、「世界一危険な飛行場」とも呼ばれる。日米両政府は1996年、返還することで合意した。前年に起きた米兵による小学生女児暴行事件で、県民の反基地感情が高まったことが背景にある。

返還の条件となったのが飛行場の「県内移設」で、後に日本政府は移設先を名護市辺野古に決めた。移設のため辺野古沿岸部の埋め立て工事を2018年に始めたが、現地で軟弱地盤が見つかり、工期が大幅に延長。移設は早くても2030年代半ばにずれ込むことになった。

一方、県は「県内移設では負担軽減にならない。県外、国外へ移転すべきだ」と主張し、工事の中止を求めている。国は「辺野古移設が唯一の解決策だ」との立場で、両者の主張は平行線をたどる。対立は法廷闘争に発展し、地盤改良工事の設計変更を巡っては、沖縄県に代わって国が変更を承認（代執行）する異例の事態となった。

6 地方自治のいま

TOPICS

▶ 止まらぬ「東京一極集中」と「過疎化」

▶ 統一地方選で続出「無投票」

▶ ふるさと納税「返礼品競争」の是非は

◻ 人口の3割が東京圏に

❶統一地方選挙

4年に一度、議員や首長の任期（4年）が終わる時期が近い全国の地方選挙を、できるだけそろえて実施する。1947年に第1回が実施され、2023年は第20回。議会の解散や首長の辞職などで任期終了がずれ、統一率は近年、30%を下回っている。

長らく続いてきた**東京一極集中**。この流れは今後も変わりそうにない。

2020年国勢調査によると、東京圏（東京都、神奈川県、埼玉県、千葉県）の人口が全国に占める割合は29.3%と過去最高だった。同調査に基づく「地域別将来推計人口」（国立社会保障・人口問題研究所が2023年末に発表）では、この割合は今後も上昇し、2050年には33.7%になると予測される。都道府県別の人口では東京都が唯一、2040年までは増え続ける（その後は減少に転じる）見込みだ。

対照的に、46道府県は2025年までに人口減少の局面に入り、減るスピードは時間の経過とともに加速する傾向にある。特に地方は**過疎化**がさらに深刻になり、2020年の人口を100とした場合、2050年には▽秋田県58.4▽青森県61.0——などになると推計される（☞31㌻）。

政府も手をこまねいてきたわけではない。例えば安倍晋三内閣は2014年に**地方創生**（☞29㌻）を打ち出し、2020年までに東京圏への人口流入に歯止めをかける目標を立てたが、実現できなかった。岸田文雄内閣もデジタル技術の活用で地方活性化を目指す**デジタル田園都市国家構想**を掲げるが、実効性は未知数だ。

▼東京一極集中は今後も続く見込みだ

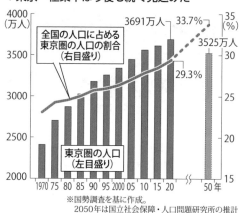

※国勢調査を基に作成。
2050年は国立社会保障・人口問題研究所の推計

PLUS

「無投票」は都市部でも

地方議会を巡って近年、議員のなり手不足が問題になっている。立候補者が定数以下しかおらず、投票なしに当選者が決まる「無投票」となる場合も少なくない。2023年の統一地方選挙❶では、無投票率（総定数に占める無投票当選者の割合）が▽道府県議会議員選挙25.0%▽町村議会議員選挙30.3%——などを記録した。都市部も例外ではなく、東京都中央区では、東京23区の区長選挙としては29年ぶりに無投票になった。

なり手不足の要因としては▽地域の政治に対する関心が低い▽報酬が低く、仕事に見合わない▽過疎地域ではそもそも、議員活動をできる人が少ない——といったことが挙げられる。地方自治体の中には、議会を夜間や休日に開いたり、議員報酬を引き上げたりして対策を講じる動きもみられる。地方自治法の改正によって2023年には、地方議員の兼業規制が緩和された。

▲無投票が決まったことを知らせる紙が張られたポスター掲示板＝東京都中央区で2023年

◘ 1兆円に迫る ふるさと納税

人口減少が自治体に及ぼす影響は多岐にわたる。中でも財政面では「税収減」に直結し、行政サービスの維持に関わってくる。各自治体はさまざまな対策に取り組んでおり、とりわけ**ふるさと納税❶**による寄付の受け入れを増やそうとする動きが活発だ。2022年度の寄付総額は9654億円と、3年連続で過去最高を更新した❷。ただ、ふるさと納税を巡っては「**返礼品**競争」が自治体間で過熱するなど、制度のあり方が問われ続けている。

そもそも返礼品を贈る義務は自治体にはない。しかし、より多くの寄付を集めようと、贈っているケースが大半だ。寄付額に比べて豪華な品物や、商品券を返礼品に用意した一部の自治体に、寄付が集中するようになった。こうした中で国は2019年、「返礼品は地場産品に限り、調達費用は寄付額の3割以下」と制度を変更。違反した自治体を制度から外せるようにした。その後も「寄付の募集経費（返礼品のほか、送料や広告費などを含む）は5割以下」とのルールを厳格化するなど、返礼品競争の抑制を図っている。こうした国の動きに対しては「地方自治の理念に逆行する」などといった批判が自治体から上がっている。

ほかにも▽高所得者ほど控除額の上限が高く、富裕層の節税策になっていて不公平だ▽主に都市部の自治体から多額の税金が流出している❸▽国全体の収入が増えているわけではなく、自治体同士で限られたパイを奪い合っているだけだ——などの課題が指摘されている。

▼ふるさと納税の仕組み

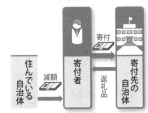

▲返礼品の例

❶ふるさと納税

応援したい自治体に寄付すると、所得税や住民税が減額（控除）される制度。控除されるのは寄付額から手数料2000円を引いた金額で、所得や家族構成に応じて上限がある。実質的に居住自治体とは別の自治体に「納税」する形になる。

❷自治体別の受け入れ額で最多は宮崎県都城市の196億円。

❸例えば東京都世田谷区からは、2023年度に得られるはずだった税収のうち100億円近くが流出した。

また、流出分の一定割合は地方交付税によって補填（はてん）されるが、財政が比較的豊かな「不交付団体」はこの措置の対象外で、世田谷区をはじめとする東京23区などは補填されない。

論点 国による返礼品規制に賛成？ 反対？

●賛成だ

・ふるさと納税は本来、自治体やその政策を応援するための制度だ。返礼品の豪華さで寄付先や寄付額が左右されるのは問題だ。

・商品券などを返礼品にするのは、制度の趣旨に照らしてあまりにも不適切。一定のルールは必要だ。

●反対だ

・国の規制は、創意工夫の意欲を自治体から奪うことになる。地方自治の理念とも相いれない。

・実態として、制度を利用する人の多くが返礼品によって寄付先を決めている。国民の選択肢をむやみに狭めるべきではない。

「観光以上移住未満」関係人口

自治体の取り組みや新型コロナウイルスの感染拡大などを背景に近年、地方移住への関心が高まっている。ただ、就業や家族の同意といったハードルが高く、移住は容易ではない。そこで、実際に暮らしていなくても、その地域に貢献できる存在として**関係人口**が注目されている。

関係人口とは、移住こそしないものの、愛着を持つ特定の自治体に継続的に関わり続ける人を指す。具体的な関わり方として「地域の祭りに毎年参加する」「副業・兼業で週末に地域の企業・NPOで働く」などがある。観光など一過性の関わりによる**交流人口**や、移住した**定住人口**とは区別される概念だ。

関係人口は、地方経済の活性化や魅力向上などに資すると期待されている。政府の調査によると2022年度、1300超の自治体が関係人口の創出・拡大に取り組んでいた。政府も民間事業者の支援に努めている。

基本を押さえよう　地方自治

日本で地方自治が制度として保障されたのは、戦後になってからだ。大日本帝国憲法の下では、府県や郡、市町村は国の指揮監督を受ける**中央集権**の体制がとられていた。戦後に制定された日本国憲法に初めて「地方自治」の章が設けられ、憲法92条で、地方公共団体（地方自治体）の組織、運営については**地方自治の本旨**（本来の目的や意義）に基づき法律で定める、とされている。地方自治に関する基本的な法律が地方自治法だ。

◆ 団体自治と住民自治

憲法や地方自治法でうたわれている地方自治の本旨は、団体自治と住民自治から成るとされる。

団体自治とは、地域の政治を自治体が政府（国）から独立して自主的に行うことを意味する。このため、自治体が自主的な立法権、行政権、財政権を持ち、国からの指示や干渉をできるだけ受けないことが望ましいとされる。

住民自治とは、地域の政治を住民の意思に基づいて行うことをいう。住民自治を実現するための最も代表的な制度が、地方議員と首長の直接選挙だ。

◆ 住民の意思を直接反映

住民自治の制度例としては他に、直接請求や住民投票がある。

直接請求は▽条例の制定や改廃を請求（イニシアチブ）▽議会の解散や議員、首長らの解職を請求（リコール）▽行政事務の監査を請求──といったものがある。いずれも一定数以上の有権者の署名が要る（☞下の表）。

▶直接請求の概要

内容	必要な署名	請求先
条例の制定、改廃	有権者の 1/50以上	首長
事務の監査		監査委員
議会の解散	有権者の 1/3以上	選挙管理 委員会
議員・首長の解職		
主要な職員の解職 （副知事、副市町村長、 選挙管理委員、公安委員、 監査委員など）		首長

◆ 地方議会と首長の関係

地方議員から成る議会は、予算を議決したり、条例を制定したりする。首長は執行機関の長として、予算や条例に基づき徴税、福祉、教育、公共事業などの行政を取り仕切る。

また、議会は首長の不信任を決議することができるのに対して、首長は議会の解散権を持つ。いずれも住民の代表である議員と首長が互いをチェックする、こうした仕組みは**二元代表制**と呼ばれる。国政と比べると、有権者から選挙で選ばれた代表者に政治を託す**間接民主制**を採用する点で共通する一方、行政の長の決め方に相違点がある（☞下の図）。

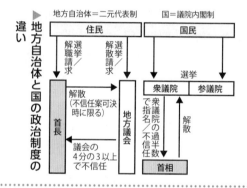

▶地方自治体と国の政治制度の違い

住民投票は、特定の問題について住民の意思を問う仕組みで、レファレンダムとも呼ばれる。法的根拠によっていくつかのタイプに分類されるが、多くの場合、投票結果に法的拘束力はない[1]。

直接請求と住民投票は、ともに**直接民主制**の一種で、間接民主制（選挙）を補う側面がある。

[1]住民投票は、法的根拠に基づいて次の三つに大別される。(1)(2)の投票結果には法的拘束力があるが、(3)にはない。
(1)憲法95条に基づくもの……特定の自治体だけに適用する特別法制定の是非を問うもので、戦後の一時期、都市建設に関連して実施された。
(2)法律に基づくもの……議員や首長の解職請求に伴う住民投票が、地方自治法に規定されている。また、大阪市を廃止して特別区に再編する「大阪都構想」の是非を問うた住民投票（2015年と2020年、大都市地域特別区設置法に基づく）も、これに該当する。
(3)条例に基づくもの……原子力発電所や産業廃棄物処理場の建設、在日米軍基地、市町村合併などを巡って実施例がある。

地方自治の理想と現実

憲法で地方自治が規定されたものの、実態としては国と自治体の上下関係が続いていた。1990年代以降、バブル経済の崩壊などを背景に「地域のことは地域で」という潮流が強まった。今日の地方分権の基礎は、平成時代に形づくられた。

◆ 地方分権一括法

地方自治法など関連法475本を一度に改正した地方分権一括法（2000年施行）では、国と自治体の関係を「上下・主従」から「対等・協力」へと転換することがうたわれた。自治体が戸籍や河川の管理など国の下請け業務を行う「機関委任事務」は廃止され、自治体の事務は自治体が主体的に行える**自治事務**（小中学校建設や都市計画決定など）と、法令に基づいて国が自治体に委ねる**法定受託事務**（旅券交付など）に整理された。多くの権限が国から自治体に移った。

◆ 平成の大合併

2000年前後には、地方分権の受け皿となる市町村の体力を高めるため合併が推進された。合併した自治体に有利な「合併特例債」（返済額の7割を国が負担）を発行できるようになると、「合併ブーム」が全国に波及。1999年3月末に3232あった市町村数は、2010年3月末には1727と半分近くまで減った（平成の大合併）。規模が大きくなったことで、

行政の効率化といった効果が生まれた一方、中心部から遠く離れた地域で公共サービスの水準が低下するなどの弊害も起きた。特例債の返済で歳出が増え、財政状況が悪化する自治体もみられた。

◆ 三位一体改革

小泉純一郎内閣は、財政面で自立を促すとして▽地方交付税の見直し▽国庫支出金の削減▽地方への税源移譲（国税を減らして地方税を増やす）——を一体的に検討する「三位一体改革」を行った。しかし、多くの自治体は、地方交付税が削減された影響で財政状況がさらに厳しくなった。

◆ 地方創生

民間の有識者会議による「消滅可能性都市」リポート（2014年、☞136ジ）をきっかけに、安倍晋三内閣は「まち・ひと・しごと創生（地方創生）」を重点政策に掲げた。財政支援や特区制度、大学の定員調整❶などによって地方活性化を図ったが、目立った成果は出せなかった。柱の一つだった「政府機関の地方移転」も、全面移転は文化庁だけにとどまった。

❶地方から都市部への人口流入は、進学や就職が一因とされる。そこで政府は、東京23区内の大学の定員増を原則認めない措置を、2028年3月末まで取っている。一方、地方の国立大学の定員増を限定的に認める仕組みも導入している。

◆ 地方財政の現状は

地方財政を巡っては「3割自治」という言葉がある。歳入の要となるはずの地方税が3〜4割にとどまり、自主財源が乏しい状況を表す。もっとも、自治体によって実情が異なる面もあり、人口や企業が集中する都市部の自治体は税収も比較的多い一方、過疎地域の自治体は税収が少なく、地方交付税や国庫支出金に頼りがちという傾向がうかがえる。

▼地方財政の主な歳入項目

地方税	住民や法人から徴収する。代表例は住民税、固定資産税、地方消費税、法人事業税
地方交付税	自治体間の税収格差を埋めるため、国が交付する。使途は自治体が自由に決められる。都道府県で不交付なのは近年、財政が比較的豊かな東京都のみ
国庫支出金	国が使途を指定して自治体に交付する

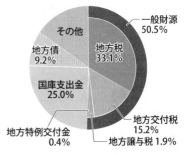

▼地方財政の歳入（2021年度決算）

一般財源 50.5%
地方税 33.1%
その他
地方債 9.2%
国庫支出金 25.0%
地方特例交付金 0.4%
地方交付税 15.2%
地方譲与税 1.9%

※地方財政白書を基に作成。都道府県や市区町村などの合計。四捨五入により合計が一致しない場合がある

◉ 国会の政党別議席数
（2024年1月末時点）

※正副議長は所属政党に含めた。欠員は参院1、衆院2

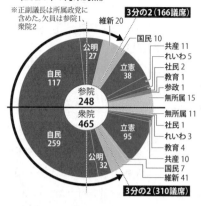

3分の2（166議席）

参院 248
- 維新 20
- 公明 27
- 自民 117
- 国民 10
- 共産 11
- 立憲 38
- れいわ 5
- 社民 2
- 教育 1
- 参政 1
- 無所属 15

衆院 465
- 自民 259
- 公明 32
- 立憲 95
- 無所属 11
- 社民 1
- れいわ 3
- 教育 4
- 共産 10
- 国民 7
- 維新 41

3分の2（310議席）

◉ 緊急事態に関する各党の主張

※衆院憲法審査会の「総括的な論点整理」などを基に作成

		自民	公明	維新	国民民主	立憲民主	共産
議員任期の延長	必要性	国会は2院制が原則。その例外である参院の緊急集会では国政選挙が実施困難となるような緊急事態には対応できない / 緊急事態に2院制を機能させるには議員任期の延長が必要				内閣の独裁を生むおそれがあり、参院の緊急集会で対応すべきだ	任期延長は選挙権の停止であり、国民主権の侵害につながる
	要件	4事態 ①大規模自然災害 ②テロ・内乱 ③感染症まん延 ④有事 ＋そのほかこれらに匹敵する事態 / 認定主体は内閣 / 国会の事前承認（自民以外は出席議員の3分の2以上）				選挙困難事態の認定基準、効果が生じる期間と地域、認定主体を議論すべきだ	極端な事例を出して議論すれば間違う危険性が高い
	効果	1年	6カ月				
		再延長可					
		選挙可能時は任期終了	通算1年を上限	選挙可能時は国会議決で任期終了（過半数）			
緊急政令と緊急財政処分		必要	白紙委任的なものは不要	必要		不要	

◉ 衆院選は次からこうなる　※数字は小選挙区数

10増10減 対象都県	
増加	
埼 玉	15 ▶ 16
千 葉	13 ▶ 14
東 京	25 ▶ 30
神奈川	18 ▶ 20
愛 知	15 ▶ 16
減少	
宮 城	6 ▶ 5
福 島	5 ▶ 4
新 潟	6 ▶ 5
滋 賀	4 ▶ 3
和歌山	3 ▶ 2
岡 山	5 ▶ 4
広 島	7 ▶ 6
山 口	4 ▶ 3
愛 媛	4 ▶ 3
長 崎	4 ▶ 3

区割り見直し対象の道府県
北海道
茨 城
栃 木
群 馬
岐 阜
静 岡
大 阪
兵 庫
島 根
福 岡

◉ 日中で交わした四つの政治文書のポイント

※写真は当時の首脳で、肩書も当時

1972年 日中共同声明
- 不正常な状態は終了し、国交正常化を実現
- 中国は台湾が不可分の領土だと重ねて表明。日本はその立場を十分理解、尊重
- 中国は日本に対する戦争賠償請求を放棄
- 日中間の紛争を平和的手段で解決し、武力または力による威嚇に訴えない
- 覇権を確立しようとする試みにも反対

日本 田中角栄首相 ／ 中国 毛沢東共産党主席

78年 日中平和友好条約
- 恒久的な平和友好関係を発展
- 紛争を平和的手段で解決し、武力または武力による威嚇に訴えない
- 覇権を確立しようとする試みにも反対
- 経済、文化関係の一層の発展と両国民の交流促進のため努力

福田赳夫首相 ／ 鄧小平副首相

98年 日中共同宣言
- 日中関係が両国にとって最も重要な2国間関係の一つと確認
- 日本は過去の中国への侵略で多大な災難と損害を与えた責任を痛感し、深い反省を表明。中国は、日本が歴史の教訓に学び平和発展の道を堅持することを希望
- 毎年いずれかの指導者が相手国を訪問
- 日本は引き続き中国の経済開発を支援。中国は日本の経済協力に感謝

小渕恵三首相 ／ 江沢民国家主席

2008年 日中共同声明

- 歴史を直視し未来に向かい「戦略的互恵関係」の新たな局面を絶えず切り開く
- 双方は、互いに協力のパートナーであり脅威とならない
- 中国側は、日本が平和国家としての歩みを堅持し、世界の平和と安定に貢献していることを積極的に評価
- 双方は、協議および交渉を通じて、両国間の問題を解決していく

福田康夫首相 ／ 胡錦濤国家主席

　日本と中国の間には、両国関係の礎と位置づけられている「四つの政治文書」がある。(1)国交を正常化し、中国が戦争賠償請求を放棄した1972年の日中共同声明(2)紛争解決を武力に訴えないことを確認した1978年の日中平和友好条約(3)両国首脳の相互訪問を決めた1998年の日中共同宣言(4)戦略的互恵関係の推進を約束した2008年の日中共同声明——の四つだ。

　2020年には習近平国家主席が国賓として来日し、両国の新たな関係を規定する「第5の政治文書」を交わすことも検討されたが、新型コロナウイルスの感染拡大により実現しなかった。

◉ 岸田文雄内閣の支持率の推移

※毎日新聞の世論調査を基に作成

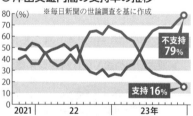

不支持 79%
支持 16%

（%）縦軸 0〜80　横軸 2021　22　23年

◉ 政教分離を巡り最高裁判所が示した判断の例

訴訟	判断	争われた内容
1977年 津地鎮祭訴訟	合憲	津市が体育館起工式を神道式で実施
92年 大阪地蔵像訴訟	合憲	大阪市が町内会に地蔵像用の市有地を無償提供
93年 箕面忠魂碑訴訟	合憲	大阪府箕面市が遺族会に忠魂碑用の市有地を無償提供
97年 愛媛玉串料訴訟	違憲	愛媛県が靖国神社に納めた玉串料を公費で負担
2010年 空知太神社訴訟	違憲	北海道砂川市が氏子集団に神社用の市有地を無償提供
21年 那覇孔子廟訴訟	違憲	那覇市が運営団体に孔子廟用の市有地を無償提供

政治

◉ 日ソ・日露の平和条約交渉の主なできごと

1956年10月	国交回復などを盛り込んだ「日ソ共同宣言」に調印。9項で平和条約締結後の歯舞群島と色丹島の日本への引き渡しを明記

日ソ共同宣言に調印する両国全権。机に座っている左が鳩山一郎首相（肩書は当時）

60年1月	ソ連は日米安全保障条約の改定を理由にして、共同宣言9項の履行停止を一方的に通告
91年12月	ソ連が崩壊し、ロシアが後継国家に
93年10月	「東京宣言」で北方四島の名称を明記し、帰属問題を解決する方針を確認
2000年5月	プーチン大統領が就任し、9月に共同宣言9項が有効であるとの認識表明
12年12月	第2次安倍政権が発足。翌年以降、平和条約交渉に積極関与
14年3月	ロシアがウクライナ南部クリミアを強制編入。日本が制裁発動
16年12月	北方領土での共同経済活動に関する協議開始で合意
18年11月	日ソ共同宣言に基づき、平和条約交渉を加速することで合意
19年1月	平和条約交渉を開始したが、進展せず
20年9月	第2次安倍政権が退陣し、後継政権は平和条約交渉に消極姿勢
22年2月	ロシアがウクライナ侵攻を開始。日本がプーチン氏の資産凍結など制裁を発表
3月	ロシアが平和条約交渉の打ち切りを通告

日露首脳会談の冒頭で握手するロシアのプーチン大統領（左）と安倍晋三首相（肩書は当時）

◉ 国の「領域」と海の主な分類

※数字は海岸からの距離で、単位はカイリ（1カイリは1.852キロ）

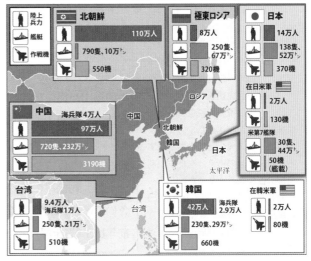

領空　領土　領海　排他的経済水域（EEZ）　公海　海

　国家は領域、国民、主権の3要素から成るとされる。国の領域は主権の及ぶ範囲で、領土、領海、領空（領土と領海の上空）で構成される。
　海は国連海洋法条約に基づいて主に、海岸から近い順に▽領海▽排他的経済水域（EEZ）▽公海——に分類される（☞上の図）。この他、領海の外側（ただし海岸から24カイ＝約44キロ＝まで）に接続水域が設定される場合もある。

◉ 防衛費の推移

※防衛白書などを基に作成。防衛費は当初予算ベースで、沖縄の米軍基地再編関連の経費を含む。GNP・GDP比は、1993年度以前はGNP、1994年度以降はGDPで計算。1950年度はGNPのデータなし

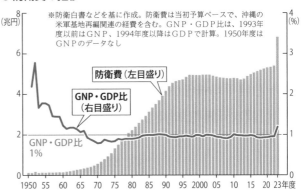

防衛費（左目盛り）
GNP・GDP比（右目盛り）
GNP・GDP比 1%

◉ 日本周辺の主な兵力の状況（概数）　※2023年版防衛白書を基に作成

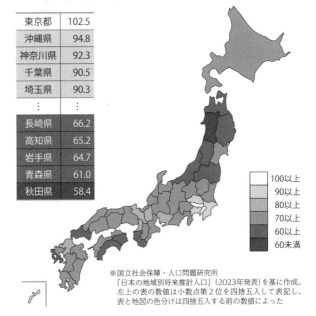

陸上兵力　艦艇　作戦機

北朝鮮　110万人　790隻、10万トン　550機
極東ロシア　8万人　250隻、67万トン　320機
日本　14万人　138隻、52万トン　370機
在日米軍　2万人　130機
米第7艦隊　30隻、44万トン　50機（艦載）
中国　海兵隊4万人　97万人　720隻、232万トン　3190機
台湾　9.4万人　海兵隊1万人　250隻、21万トン　510機
韓国　42万人　海兵隊2.9万人　230隻、29万トン　660機
在韓米軍　2万人　80機

◉ 2050年の都道府県別総人口指数（2020年＝100）

東京都	102.5
沖縄県	94.8
神奈川県	92.3
千葉県	90.5
埼玉県	90.3
︙	︙
長崎県	66.2
高知県	65.2
岩手県	64.7
青森県	61.0
秋田県	58.4

100以上
90以上
80以上
70以上
60以上
60未満

※国立社会保障・人口問題研究所「日本の地域別将来推計人口」（2023年発表）を基に作成。左上の表の数値は小数点第2位を四捨五入して表記し、表と地図の色分けは四捨五入する前の数値によった

7 足踏みする日本経済

TOPICS

▶ 節約志向で個人消費が低迷

▶ 日経平均株価がバブル崩壊後の最高値に

▶ 「異次元緩和」維持した日銀 次の一手は

■ 物価高で経済の力強さ欠く

POINT

新「総合経済対策」が決定

岸田文雄内閣は2023年11月、物価高対策を盛り込んだ新たな「総合経済対策」を閣議決定した。「**デフレーション**（デフレ、☞34ⁿ）脱却のための一時的な措置」として、所得税や住民税の減税（☞37ⁿ）と、住民税非課税世帯への給付を盛り込んだ。また、ガソリンや電気・ガス代の補助金も継続するほか、企業の賃上げを促す税制措置の拡充なども加えた。こうした対策費用を含む13兆1992億円の**補正予算**（☞38ⁿ）が国会で成立したが、うち約9兆円は国債発行による新たな借金で賄った。

❶日経平均株価

東京証券取引所の最上位市場である「プライム」の上場企業のうち、日本経済新聞社が選んだ225社の株価の平均。

2023年の日本経済は、新型コロナウイルスの感染拡大の影響や半導体（☞49ⁿ）不足などが和らぎ、好調な滑り出しだった。

2023年4〜6月期の実質**国内総生産**（GDP、☞34ⁿ）の成長率は前期（2023年1〜3月期）と比べて0.9％増（年率換算3.6％増）で、3四半期連続でプラス成長となった。部品不足が解消し始めて自動車の輸出が増えたことや、**インバウンド**（訪日外国人旅行客）需要が回復（☞48ⁿ）したことなどが貢献した。2023年5月には新型コロナの法律上の扱いが「5類」に移り（☞92ⁿ）、外食などのサービス消費も持ち直しつつある。

一方、物価高の傾向が2023年も続き、経済の回復には力強さを欠いている。2023年の消費者物価指数（平均、生鮮食品を除く）は前年比3.1％上昇（2022年は前年比2.3％上昇）と、依然として高い水準で推移した。2023年7〜9月期の実質GDP成長率は、物価高による消費者の節約志向の高まりなどで個人消費が低迷したことや、景気の先行き不安から企業の設備投資の落ち込みも目立ち、前期比0.7％減（年率換算2.9％減）とマイナスに転じた。こうした状況から抜け出すため、物価高の影響を上回る賃金の上昇が期待される。

PLUS

株高の背景は？

2023年の**日経平均株価❶**は、1990年以来となる水準に値上がりし、7月にはバブル経済崩壊後の最高値を上回る3万3753円を付けた（☞右のグラフ）。東京証券取引所（東証）が上場企業に対して経営改善策の実行を要請したことや、**円安**（☞48ⁿ）などで企業収益が改善したことが主な要因だ。

東証は2023年3月、上場各社に対して企業価値の向上や株価上昇につながる経営改善策の開示と実行を求めた。これを受け、各社では1株当たりの価値を高める「自社株買い」などが進み、株価の上昇に寄与した。

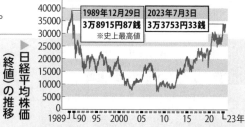

▶ 日経平均株価（終値）の推移

また、コロナ禍の影響も和らぎ、円安で収益が押し上げられた製造業を中心に株高となった。

2024年に入り、株価はさらに上昇した。1月からの**少額投資非課税制度（NISA）**の拡充（☞56ⁿ）で個人投資家の資金が市場に流入するとの期待も高まっており、株高の流れを後押しするか注目されている。

■ 金利差拡大で迫られた政策修正

日本銀行（日銀）は黒田東彦氏が総裁に就任した2013年以降、大規模な**金融緩和**（異次元緩和、☞35㌻）を続けてきた。その一環として、2016年から**長期金利**（☞35㌻）を０％程度に誘導する方法をとってきたが、2022年末に許容する長期金利の変動幅をそれまでのプラスマイナス（上下）0.25％程度から、上下0.5％程度へと広げる政策修正を実施した。

行き過ぎた**インフレーション**（インフレ、☞34㌻）を抑えるため、米欧など多くの国・地域の中央銀行が2022年春以降に**金融引き締め**（政策金利❶の引き上げ）に転じ（☞41㌻）、金融緩和で低い金利を維持する日本との間で金利差が拡大。それが円安を招く要因になったからだ。お金は金利の高い国で運用したほうが利益が大きくなるため、投資家が金利の低い円を売って、金利の高いドルなどを買う流れが強まり、結果として円安が進行した。

■「正常化」探る植田総裁

黒田氏の後任として2023年４月に総裁に就任した植田和男氏は、７月に長期金利の事実上の上限を１％とし、さらに10月には１％を一定程度超えることを容認する、２度の政策修正を実施した。2023年も米欧を中心に金利が上昇し、それに伴って日本の金利も上がる方向に作用したためだ。金利を抑えるには日銀が大量の国債を買う必要があるが、債券を売買する市場で国債の価格形成をゆがめる、といった懸念があったため、金利の許容変動幅を広げることで対応した。

異次元緩和は、日本経済に一定の効果をもたらす一方で、円安の進行やそれに伴う物価高を助長するといった〝副作用〟をもたらしている（☞下の囲み）。植田総裁による政策修正は金融緩和から脱して「正常化」を探る動きとも考えられており、次の一手に注目が高まっている。

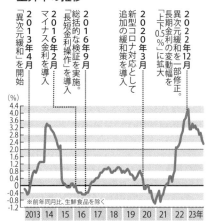

▼日銀の金融政策と消費者物価指数の上昇率の推移

2013年4月「異次元緩和」を開始
2016年2月マイナス金利を導入
2016年9月総括的な検証を実施。「長短金利操作」を導入
2020年3月新型コロナ対応として追加の緩和策を導入
2022年12月異次元緩和の一部修正。長期金利の変動幅を「上下0.5％」に拡大

※前年同月比、生鮮食品を除く

日銀は、経済成長や賃金の上昇を伴う形で物価が毎年２％ずつ上がる「**経済の好循環**」の実現を目指してきたよ。日本では2022年春以降、物価の上昇率が目標とする２％を超える状態が続いたけど、賃金の上げ幅が物価上昇のペースに追いついていないことや、コロナ禍からの経済回復の力強さを欠く、といった理由から異次元緩和を維持してきたんだ。

❶政策金利

中央銀行が通貨供給量を調整するために上げ下げする金利。日銀の場合、民間金融機関が日銀に資金を預け入れる際の金利を指す。政策金利の引き上げは「**利上げ**」、引き下げは「**利下げ**」という。

論点　日銀の「異次元緩和」を評価する？　しない？

●評価する

・これまでより強力な緩和策を実施するとのメッセージを日銀が発信したことで、停滞していた市場や経済を動かした。

・円高・株安で長年苦しんできた日本経済が、円安・株高に転じた。

・異次元緩和によって超低金利が続いたことで、企業の資金繰りが支えられ、倒産の増加や雇用環境の悪化を避けることができた。

●評価しない

・日銀が目指す「経済の好循環」（☞上の吹き出し）は、異次元緩和だけでは実現しなかった。

・国民生活を直撃している物価高の大きな要因は、多くの国・地域が金融引き締めに転じる中で、日銀が異次元緩和を継続したことで生じた円安にある。

・超低金利などによって「ゾンビ企業」（業績が悪化しているにもかかわらず生き残っている企業）を生み、経済活動の適切な新陳代謝を妨げた。

ＧＤＰの基礎知識

国内総生産（ＧＤＰ）は、国内で一定期間（普通は１年）に新たに生み出されたものやサービスの付加価値の合計を表している。「国内」で生み出された付加価値に限るため、日本企業が海外拠点で生産した分などは含まれない。日本のＧＤＰは近年500兆円台で推移しており、米国、中国に次いで世界で３番目の規模だ（2022年時点）。

 国際通貨基金（ＩＭＦ）は2023年10月、2023年の日本の名目ＧＤＰがドイツに抜かれ、世界４位になるとの見通しを発表したよ。近い将来、インドにも抜かれてしまうみたい。

◆ 半分以上が「個人消費」

日本では、内閣府が３カ月（四半期）ごとにＧＤＰを集計し、「金額」「成長率」「年率換算」などを公表している。景気動向を示す重要な指標である「成長率」は、前の３カ月間（あるいは前年）と比べたＧＤＰの増減の割合のことで、一般に「**ＧＤＰ成長率（経済成長率）**」と呼ばれる。その増減が１年間続くと仮定した場合の数値が「年率換算」だ。

日本は個人消費が全体の半分以上を占めている（☞左のグラフ）ため、個人消費の増

▼実質ＧＤＰの内訳（2022年）

公共投資 5
その他
設備投資 16
政府最終消費 22
個人消費 54%

※内閣府の資料を基に作成

減がＧＤＰ全体の増減に大きく影響する。

◆「名目」と「実質」

ＧＤＰには、実際に市場で取引されている価格で計算した「**名目ＧＤＰ**」と、物価変動の影響を除いた「**実質ＧＤＰ**」がある。名目ＧＤＰは物価変動の影響を受けるため、経済成長率はこれらの要因を取り除いた実質ＧＤＰでみることが多い。

◆「内需」と「外需」

ＧＤＰは、個人消費や企業の設備投資、公共投資などを合計した「**内需**」と、輸出から輸入を差し引いた「**外需**」で構成されている。

 輸入減でＧＤＰを押し上げ？

2023年４〜６月期の実質ＧＤＰ成長率が年率換算で3.6％増と高成長だった（☞32㌻）背景には、「輸入額の減少」がある。

ＧＤＰは「国内」で生み出された付加価値の合計であるため、輸入額はＧＤＰの計算上、差し引く必要がある。このため、輸入額が減る（差し引く額が減る）と、ＧＤＰは押し上げられ、成長率への寄与度がプラスになる。実際に、４〜６月期の輸入額は前期（2023年１〜３月期）比で3.3％減だった。ただ、輸入額の減少は内需が弱いということであり、成長率がプラスだからといって国内の経済状況が良いとは限らないことを覚えておきたい。

WORD

インフレとデフレ

物価が上がり続けることを「**インフレーション（インフレ）**」という。好景気の時にものがよく売れ、需要が供給を上回って起こる「**デマンドプル・インフレ**」や、原材料や賃金などのコストが上がる「**コストプッシュ・インフレ**」と呼ばれるインフレがある。コストプッシュ・インフレは供給側の要因で生じるインフレのため改善が難しく、家庭や企業の負担増になるだけなので「悪いインフレ」とも呼ばれる。

ロシアによるウクライナ侵攻（☞106㌻）の影響などを背景に、日本を含め世界の大半の国が「悪いインフレ」のさなかにあり、経済成長の足かせとなっている。

先進国のほとんどが、景気が停滞する中で物価が上がり続ける「**スタグフレーション**」（景気停滞を意味する「スタグネーション」と「インフレ」を合わせた造語）に陥っているとの指摘もある。

逆に、物価が下がり続けることを「**デフレーション（デフレ）**」という。ものやサービスの値段が下がることは必ずしも悪いことではないが、一層の値下がりを期待して消費者の買い控えが広がると、値下げ競争を迫られる企業は賃金・雇用を抑え、さらに物価が下がる。こうした「**デフレスパイラル**」に陥ると、経済の立て直しは容易ではなくなる。

日本銀行の役割

日本の**中央銀行**である**日本銀行**（日銀）は、さまざまな手段を用いて景気の過熱や冷え込みを防ぎ、物価の安定と経済の健全な発展を図っている。ほかにも、さまざまな「顔」を持つ（☞右の表）。

日銀の動向で特に注目されるのが、市場に出回るお金の量を調整する「**金融政策**」だ。日銀の場合は、「**金融政策決定会合**」（総裁、副総裁、審議委員の計9人で構成、年8回開催）で金融政策の内容を審議し、議決は多数決によって行う。

景気の過熱を抑えたい時は、銀行などに国債を売ったり、**政策金利**（☞33ﾍﾟ）を引き上げたりして世の中に出回るお金の量（**マネタリーベース**）を減らす「**金融引き締め**」を実施する。逆に景気が悪い時は、銀行などが持つ国債などを買い入れたり、政策金利を引き下げたりしてマネタリーベースを増やす「**金融緩和**」を実施する。

▼日銀が持つ複数の「顔」

唯一の発券銀行	銀行券（紙幣）を独占して発行する。破損した紙幣の取り換えなどの管理も担う
銀行の銀行	民間銀行が中央銀行に開設している当座預金口座で、民間銀行から預金を受け入れたり、資金を貸し出したりする
政府の銀行	税金など政府のお金の出し入れを管理する。国債の償還や利払いの事務も担う
最後の貸手	民間銀行が資金繰りに困った時に「最後の貸手」として資金を供給し、他の銀行の連鎖倒産を防いで金融システムの安定を保つ

POINT

日銀が続けてきた「異次元緩和」とは？

◆物価が毎年「2％」上がる状態に

「異次元緩和」とは、日銀による前例のない規模の金融緩和政策の通称だ。2013年3月に就任した黒田東彦総裁は、翌4月の金融政策決定会合で「物価が毎年2％上がる状態を2年程度で実現させる」という目標を表明した。日本が長年苦しんできたデフレから脱却するため、日銀が国債や、多くの株式を組み合わせた金融商品「上場投資信託（ETF）」を民間の金融機関から大量に買い入れ、マネタリーベースを増やすことを決めた。

◆日銀の狙いは？

異次元緩和は「世の中に大量のお金が出回れば、ものやサービスの値段が上がるインフレが起こり、経済が活性化する」という考え方のもとで始まった。人々が「将来、インフレになる」と考えれば、ものやサービスの値段が上がる前に買おうとするので消費が増える。企業も設備投資（工場を建てる、機械を買うなど）を前倒しするので、経済活動が活発になる、との狙いがあった。

◆「量」から「金利」へ

日銀は異次元緩和を始めたころ、「大量に国債を買い続ければ、物価は上がる」と考えていたが、物価は狙い通りに上がらなかった（☞33ﾍﾟ）。日銀は2016年に、国債の買い入れ量の目標設定をやめ、**長期金利❶**と短期金利を操作する方法に転換した❷。それでも物価は上がらず、2020年春に新型コロナウイルスの感染拡大が日本経済を直撃。追加の緩和策を相次いで打ち出すこととなった。

▼日銀を巡る近年の主な動き

2012年12月	第2次安倍晋三内閣発足。経済政策「アベノミクス」の柱の一つとして「大胆な金融緩和」を掲げた
13年 1月	政府・日銀が物価上昇目標を「2％」とする共同声明を公表
3月	黒田東彦氏が日銀総裁に就任
4月	「異次元緩和」を開始
14年 4月	消費税率を5%から8%に引き上げ
16年 1月	日銀当座預金の一部にマイナス金利の導入を決定
9月	「長短金利操作」を導入
19年10月	消費税率を10%に引き上げ
21年 3月	長期金利の変動幅を「プラスマイナス（上下）0.25％」に拡大
22年 3月	米連邦準備制度理事会（FRB）が3年ぶりに利上げ。金利差拡大で円安加速
12月	長期金利の変動幅を「上下0.5%」に拡大
23年 4月	植田和男氏が日銀総裁に就任
7月	長期金利の事実上の上限を1％に拡大
10月	長期金利が1%を一定程度超えることを容認

❶**長期金利**……返済までの期間（満期）が1年以上のお金の貸し借りに適用される金利（1年未満は短期金利）。通常、市場で取引される満期10年の新規発行国債（新発10年物国債）の利回りを指す。景気や物価の先行きを映すため「経済の体温計」と呼ばれ、住宅ローンや企業向け貸し出しの金利を決める目安になる。

❷短期金利をマイナス0.1％、長期金利を0％程度になるよう誘導する「**長短金利操作（イールドカーブ・コントロール、YCC）**」を導入（長期金利は2021年以降、段階的に変動幅を拡大、☞上の表）。日銀が国債を大量に買い入れて金利上昇を抑えてきた結果、国債の半分以上を日銀が保有する異例の事態となった（2023年9月末時点）。

借金頼みの財政

10 人や国の不平等をなくそう

■ 当初予算案112兆円　過去2番目の規模

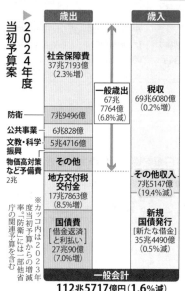

▶2024年度 当初予算案

歳出

社会保障費
37兆7193億
（2.3%増）

一般歳出
67兆
7764億
（6.8%減）

防衛 ── 7兆9496億

公共事業 ── 6兆828億

文教・科学振興 ── 5兆4716億

物価高対策など予備費 2兆 ── その他

地方交付税交付金
17兆7863億
（8.5%増）

国債費
［借金返済と利払い］
27兆90億
（7.0%増）

※カッコ内は2023年度当初予算からの増減率。防衛には一部他省庁の関連予算を含む

歳入

税収
69兆6080億
（0.2%増）

その他収入
7兆5147億
（19.4%減）

新規国債発行
［新たな借金］
35兆4490億
（0.5%減）

一般会計
112兆5717億円（1.6%減）

政府の2024年度当初予算案は、一般会計の歳出総額が112兆5717億円となった。2023年度当初予算（114兆3812億円）から1兆8095億円減ったが、当初予算案の段階で110兆円を超えるのは2年連続だ。

歳出で最も大きな割合を占めているのは「社会保障費」（約3割）だ。高齢化の進行などに伴い、前年度の当初予算と比べて2.3%増の37兆7193億円となり、過去最大を更新した。

このほか、2024年度から3年間で少子化対策に集中的に取り組む「加速化プラン」（☞62ページ）には8000億円程度を計上。新型コロナウイルス禍以降、巨額計上が続く**予備費**❶には2兆円を計上した。

歳入は、コロナ禍からの経済活動の回復と堅調な企業業績を受けて法人税収が伸びることが予想され、税収を69兆6080億円と見込んだ。不足する分は、新規国債（国の新たな借金）を35兆4490億円発行して穴埋めする。当初予算案段階での新規国債発行額は3年連続で減額されたが、歳入の約3割を借金でしのぐ予算編成が続いている。

❶予備費

自然災害や景気の急激な悪化など、年度途中に予期せぬ事態が生じた際、予算の不足に充てるための経費のこと。内閣の責任において支出できる（国会の事後承諾は必要）。予備費の具体的な使途は予算の成立段階では確定しておらず、支出が必要な時に政府が閣議で決めることから、国会の監視が及びにくい面もある。

▼補正予算額の推移

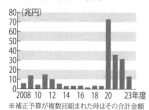

80（兆円）
70
60
50
40
30
20
10
2008 10 12 14 16 18 20 23年度
※補正予算が複数回組まれた時はその合計金額

POINT

金利上昇で膨らむ「国債費」

2024年度当初予算案の歳出のうち、過去に発行した国債の返済と利子の支払い（利払い）に充てる「国債費」が、2023年度当初予算（25兆2503億円）比7%増の27兆90億円となり、過去最大となった。利払い費の想定利率が前年度の1.1%から1.9%に引き上げられたためだ。これまでは超低金利だったため、新規国債の発行を増やしても利払い費は抑えられていたが、日本銀行の金融政策の修正（☞33ページ）などに伴う金利の上昇を踏まえ、17年ぶりに修正した。今後、金利の上昇が続けば国債費も膨らむため、その分、歳出を圧迫することになる。

こうしたことから、政府はコロナ禍への対応で大きく膨れた予算規模を「平時」に戻す方針を掲げ、2024年度当初予算案では、予備費や新規国債発行額を減額するなどして歳出総額が12年ぶりに前年度を下回った。だが、結局は過去2番目に大きい規模となり、「平時」には遠い状況だ。

また、コロナ禍以降に巨額化する**補正予算**（☞38ページ）の歳入の多くは、新規国債発行で賄われている。金利が上がる中で借金を増やしていては、利払い費がかさみ続ける。歳出のムダを削るなど、政府の歳出改革への本気度が問われている。

定額減税と賃上げ促進が柱　税制改正大綱

2024年度税制改正大綱（2023年12月閣議決定）には、1人当たり4万円の定額減税（所得税と住民税）や企業の賃上げを促す改正などが盛り込まれた。昨今の物価高に対応するとともに、家計の負担軽減を狙う。

定額減税は、納税額から一定額を差し引く仕組みだ。2024年6月から、納税者本人（年収2000万円超の高所得者を除く）と扶養家族に対し、1人当たり4万円（所得税3万円＋住民税1万円）を減税する。納税額が少ない人には、一部を現金で給付する（☞右下の「論点」の図）。

一定割合以上の賃上げをした企業の法人税を減税する「賃上げ促進税制」も強化する。大企業に対しては、より高い賃上げ率の実現を促すため、賃上げ率の低い企業の優遇を縮小する。中小企業に対しては、赤字を出し、減税できるほどの法人税額を納められない場合でも、減税の権利を最大5年間繰り越せるようにする内容が盛り込まれた。

▼**2024年度税制改正大綱の主な内容**

※「増」は負担増、「減」は負担減、ーはどちらとも言えず。★は子ども関連

暮らし	**定額減税**（1人4万円）	2024年6月から。一部が現金給付になる人も	減
	★扶養控除（高校生の子どもがいる世帯）	児童手当の対象拡大に伴い、2026年から縮小。最終決定は2024年末	増
	★ひとり親控除	2026年から拡充。最終決定は2024年末	減
	★生命保険料控除	23歳未満の扶養家族がいる場合、生命保険料の所得控除上限額（現行4万円）に2万円上乗せ。最終決定は2024年末	減
	★住宅ローン減税	子育て世帯と夫婦どちらかが39歳以下の世帯に限り、借入限度額を維持	ー
企業	**賃上げ促進税制**	大企業は要件を厳格化。賃上げ率が低い企業は優遇を縮小	増
		女性活躍や子育て支援に積極的な企業の優遇措置を創設	減
		賃上げを実施したものの赤字を出した場合でも、最大5年間は減税対象に（中小企業向け）	減
	国内生産促進税制	半導体など戦略5分野で、対象物資の生産・販売量に応じて10年間減税	減
先送り	**防衛力強化**	増税開始時期を決定せず	増

経済

ＰＢの黒字化いつ

主要国で最悪レベルにある日本の財政状況を克服するため、政府は財政健全化の指標となる、国と地方の「**基礎的財政収支（プライマリーバランス＝ＰＢ）**」について、2025年度までに黒字化する財政再建目標を掲げている。

ＰＢは、社会保障や公共事業といった政策に必要な経費を、借金に頼らず税金などの収入でどの程度、賄えているかを示す指標。政策経費が収入を下回ると黒字に、上回ると赤字になる。

政府の試算（2024年1月）では、国内経済が高い成長率で推移した場合、国と地方のＰＢは2025年度には1.1兆円の赤字が残るものの、2026年度は黒字化が達成できるとした。一方、現状と同水準程度の成長率で推移した場合は、2025年度以降も赤字が続き、2033年度時点でも黒字に転じることはない。

政府は、民間企業の投資拡大に伴う経済成長や歳出改革の徹底などによって、2025年度の黒字化達成も視野に入るとしているが、実現性は不透明だ。

ちなみに、国のＰＢの計算方法は「(歳入－新規国債発行額)－(歳出－国債費)」だよ。「歳入＝歳出」だから、「ＰＢ＝国債費－新規国債発行額」となるね。

論点 　定額減税と現金給付、どちらがいい？

●**定額減税がいい**
・今回の負担軽減策の趣旨は、物価高で苦しむ国民の負担を和らげるために、税収が増えた分を直接「還元」することだ。その趣旨に対して最も理にかなう方法は減税だ。
・現金給付にすると、消費よりも貯蓄に回ってしまう可能性が高く、政策の効果が薄れてしまいかねない。

●**現金給付がいい**
・定額減税だと、サラリーマンなどの給与所得者の場合、2024年6月分の給与や賞与支給時の源泉徴収額から実施されるため時間がかかる。一律に現金給付にするほうが、各家庭に迅速にお金を配ることができる。
・「個人消費」が減速傾向にある（☞32㌻）中で、現金給付が速やかに実施されれば、消費拡大につながる。

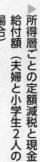

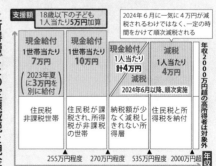

財政の基礎知識

国や地方自治体が、個人や企業から集めた税金や、**国債・地方債**を発行して借りたお金をもとにやりくりすることを「**財政**」という。民間企業が手がけない警察・消防などの公共サービスや、社会保障（年金、医療など）、公共事業（道路のような社会資本の整備など）、教育、防衛——などが主な使い道だ。

財政には、**資源配分**（公共財の供給など）▽**所得の再分配**▽**景気の安定**——の三つの役割がある。

◆ 予算…政府案は前年末に閣議決定

国、自治体の１年間の**歳出**（支出）、**歳入**（収入）の計画（見積もり）を**予算**という。日本の場合、予算を管理する会計年度は４月１日〜翌年３月31日だ。予算は**一般会計**（税収などを基に基本的な支出をする）と、**特別会計**（社会保険料など特定の収入を特定の事業に支出する）に分けられる。単に予算という時は、一般会計を指すことが多い。

国の場合、各省庁が８月末までに翌年度に必要な予算を財務省に出し（概算要求）、年末までに新年度の予算案（**当初予算案**）を閣議決定する。この予算案は国会で可決（議決）されて初めて、使える予算となる。景気対策などのため、予算を年度途中に変更して**補正予算**を組むこともある。

◆ 社会保障費…国の歳出の約３割

少子高齢化の進行に伴い、毎年度の当初予算編成では、社会保障費（一般会計歳出のうち、年金や医療、介護、少子化対策などに充てる経費）が増え続けている。歳出が膨らむ要因で、政府の2024年度当初予算案（☞36ジ゙）も含め、歳出の３割超を占める状態が続いている。

◆ 国債…借金のため国が発行

国が発行する債券を国債という。国債を買い取る銀行や企業、個人から一時的にお金を借りる。５年や10年といった満期（償還日）が決められており、国はその間利息を支払い、満期には元金を全額返済する。ただ、日本銀行による国債の直接引き受けは、財政法で原則禁じられている（**市中消化の原則**）。

国債には、主に公共事業の支出を賄うための**建設国債**、歳入不足を埋めるための**特例国債（赤字国債）**、東日本大震災からの復興に必要な財源を確保するための**復興債**がある。

PLUS

毎年度発行される「赤字国債」

財政は主に税収で賄うのが本来のあり方だが、日本では、第１次石油危機で財政が悪化した1975年度以降、赤字国債の発行が毎年度（1990年代の一時期を除く）繰り返されてきた。

しかし、赤字国債の発行は財政法で禁じられているため、発行するには原則として１年限りの特例法を制定しなければならない。ただ、国会での与野党の駆け引きで特例法が成立せず、予算の執行に支障が出る恐れもある。これを防ぐため、特例公債法が改正され、2025年度までは赤字国債を発行できることになっている。

ただ、毎年の法制定が不要になったことで、「歳出の増加に歯止めがかからなくなった」と指摘する声もある。財政が悪化すると、教育や福祉にお金を回せなくなるうえ、国が投資家の信用を失って借金できなくなり、財政危機に陥る可能性もある。

▼**国債発行残高の推移と日本経済**

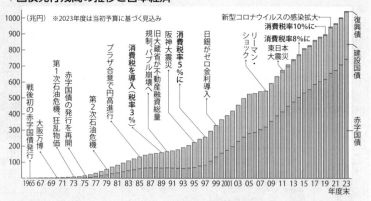

税金の基礎知識

◆ 消費、所得、法人３税が柱

　日本国憲法は納税を国民に義務づけており、国や自治体は、行政サービスなどに必要な経費を賄うため、個人や企業から税金を徴収する。所得（個人の給料や企業の稼ぎなど）に対する税（**所得税・法人税**）、買い物などの消費に対する税（**消費税**）、故人から受け継いだ財産に対する税（**相続税**）などがある。中でも、消費、所得、法人３税で国の税収の８割超（2024年度の見込みでは消費税が約34％、所得税が約26％、法人税は約24％）を占めるため、これらは**基幹税**(基幹３税)と位置づけられている。

◆ 税制改正…大綱踏まえ法改正

　政府は社会や経済情勢の変化に応じて、税制を毎年改めている。与党の税制調査会を中心に、年末までに翌年度の「与党税制改正大綱」をまとめ、これに基づいて「政府税制改正大綱」が決まる。政府は大綱の内容を反映させて税制改正法案を国会に提出し、国会での審議・成立を経て施行される。

PLUS

初の70兆円突破　2022年度税収

　2022年度の国の税収は71兆1374億円（2021年度比6.1％増）だった。70兆円を突破したのは初めてで、３年連続で過去最大を更新した。

　新型コロナウイルス禍からの経済回復や物価上昇などを受けて、基幹３税の税収がいずれも堅調だった。内訳は、消費税が2021年度比5.4％増の23兆793億円、所得税は5.3％増の22兆5217億円、法人税は9.5％増の14兆9398億円と、いずれも大きく増えた。

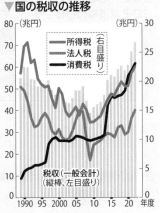

国の税収の推移

POINT

インボイス制度がスタート

　消費税の「**インボイス（適格請求書）制度**」が2023年10月から始まった。2019年10月の**軽減税率**（飲食料品〈外食・酒類を除く〉と定期購読の新聞の税率を８％に据え置くこと）の導入で、二つの税率が混在するようになり、正確な税額を計算するには品目ごとに税率を記した請求書が必要だ、という理由で導入された。これにより、買い手が仕入れ税額控除（納める消費税額を計算する際、売り上げにかかる消費税額から仕入れにかかる消費税額を差し引くこと）を適用するには、売り手が発行したインボイスが必須となった。

◆小規模事業者にとっては負担増

　売り上げが一定額以下の零細事業者や個人事業主はこれまで、消費税の納税が免除される「免税事業者」だったが、インボイスを発行するためには納税義務のある「課税事業者」になる必要がある。

　零細事業者らはこれまで、品目ごとの代金と消費税額を分けずに請求したり、支払いを受けたりするケースが多かった。しかし、課税事業者になってインボイスを発行するようになると、代金と消費税額をそれぞれ明示して請求しなければならない。免税事業者の時と同じ収入を得るためには消費税分を上乗せして請求する必要があるが、「立場が弱く、値上げ交渉ができない」といった声も聞かれる。

　免税事業者のままでいることも可能だが、「インボイスがないと取引先企業の負担が増えるため、取引を敬遠されてしまう」との声もある。これを受け、政府は負担を軽減するための時限的な緩和策を導入している。

▼消費税を巡る主なできごと

1979年1月	大平正芳（まさよし）内閣が一般消費税導入を閣議決定
9月	大平首相が導入撤回を表明
1987年2月	中曽根康弘内閣が売上税法案を国会提出
5月	売上税法案が廃案に
1988年12月	消費税法が成立（竹下登内閣）
1989年4月	税率3％で消費税を導入（竹下内閣）
1994年2月	細川護熙（もりひろ）内閣が国民福祉税（税率7％）構想を表明。直後に撤回
11月	税率を5％に引き上げる改正消費税法成立（村山富市＝とみいち＝内閣）
1997年4月	税率を5％に引き上げ（橋本龍太郎内閣）
2012年8月	「税と社会保障の一体改革関連法」が成立。税率を2014年4月に8％へ、2015年10月に10％へと引き上げる計画が決定（野田佳彦内閣）
2014年4月	税率を8％に引き上げ（安倍晋三内閣）
2016年3月	税率10％への引き上げと同時に軽減税率を導入すること、2021年4月からインボイス（適格請求書）制度を導入すること（その後、導入時期を2023年10月に変更）などを盛り込んだ「改正消費税法」が成立（安倍内閣）
2019年10月	税率を10％に引き上げ（安倍内閣）同時に、軽減税率を導入
2023年10月	インボイス制度を導入

経済

9

混迷する世界経済

TOPICS

▶ 停滞感が強まる中でも堅調な米国経済

▶ 転換点迎えた米欧中銀の金融政策

▶ 収束遠い米中の覇権争い 背景は？

▼主要国・地域の実質 GDP成長率の推移

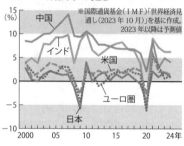

※国際通貨基金（IMF）「世界経済見通し（2023年10月）」を基に作成。2023年以降は予測値

▼日米欧の消費者物価指数の上昇率の推移

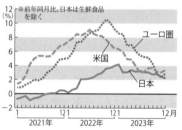

※前年同月比。日本は生鮮食品を除く

❶米連邦準備制度理事会（FRB）

米国の中央銀行。金融政策は、年8回開く「連邦公開市場委員会（FOMC）」で決める。FRBの決定は世界経済に与える影響が大きいため、議長は「大統領に次ぐ権力者」とも言われる。

■ インフレの影響で成長鈍化

新型コロナウイルス禍からの経済回復や、ウクライナに侵攻したロシアへの**経済制裁**（☞56、134㌻）によって生じたエネルギー資源の供給不足を背景に、世界中が急激なインフレーション（インフレ、☞34㌻）に見舞われている。その影響で世界経済は全体として成長が鈍化しているが、国・地域で状況が異なっている。

例えば、米国の2023年の実質国内総生産（GDP）の成長率は前年と比べて2.5％増（速報値）となった。**米連邦準備制度理事会（FRB）❶**による**金融引き締め**（☞35、41㌻）の副作用で景気後退に陥ると心配されていたが、GDPの3分の2を占める「個人消費」が堅調で、米国経済の力強さが示された。

これに対し、欧州（ユーロ圏、☞41㌻の側注）の成長率は前年比0.5％増（速報値）にとどまり、2022年の3.5％増から急ブレーキがかかった。エネルギー資源の高騰などに伴うインフレの影響が深刻で、停滞感が強まった。

世界経済のリスクとして注目されるのは、中国の動向だ。2023年の成長率は前年比5.2％増と、2022年の3.0％増と比べて持ち直したが、大手不動産会社が相次いで経営破綻するなど、不動産危機の様相だ。若年層の失業率の高さや、賃金の伸び悩みなどを背景に消費も冷え込んでおり、中国経済が揺らげば、世界経済全体への悪影響も避けられない。

「切り離し」から「リスク低減」へ

2023年5月に広島市で開催された主要7カ国（G7、☞136㌻）首脳会議（サミット）の首脳宣言には、中国との関係について**「デリスキング（リスク低減）」**というキーワードが用いられた。

それまで唱えられていた**「デカップリング（切り離し）」**は、経済分野で中国と決別することを意味していた。これに対してデリスキングは、気候変動問題での協調や通常の経済活動の維持など、安全保障に関わらない分野では安定した関係を保ちつつ、中国への過度な経済的依存度を下げることを目指したものだ。G7各国の中国に対する姿勢が変化していると言える。

デリスキングという言葉は元々、欧州で繰り返し使われてきた。今回の首脳宣言に反映された背景には、世界経済の成長が鈍化する中、世界2位の経済大国である中国を無視できない、という事情がある。

だが、半導体の製造といった軍事技術にも関わる「経済安全保障」（☞49㌻）の領域では、G7と中国が歩み寄る兆しは見えない。

■ 利上げ打ち止めか？　米欧中銀

　ＦＲＢと**欧州中央銀行（ＥＣＢ）** 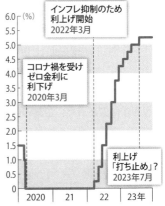は2022年、新型コロナの感染収束後に加速したインフレを抑制するため、金融引き締めへとかじを切り、2023年も**政策金利**（☞33ぺ）の引き上げ（**利上げ**）を続けた。しかし、2023年末にかけてともに追加利上げを見送るなど、米欧の中央銀行の金融政策は転換点を迎えつつある。

　ＦＲＢとＥＣＢは2020年以降、新型コロナの感染拡大で急激に悪化した景気を下支えするため、大規模な**金融緩和**（☞35ぺ）を実施した。しかし、感染収束後に経済活動が再開し、物品の供給が需要に追いつかない状況が続いてインフレの傾向が見られていたところに、ウクライナ侵攻の影響によるエネルギー価格の高騰が追い打ちをかけ、米国の消費者物価指数は一時、約40年ぶりの上昇率を記録した。ＦＲＢやＥＣＢは、インフレ抑制を最優先に、急ピッチで利上げを進めてきた。

■ 「利下げ」に転じるかが焦点

　しかし、過度な利上げは自国だけでなく世界経済全体の景気を冷え込ませる恐れがある。例えば、米国の相次ぐ利上げで「ドル高」が進んだ（☞42ぺ）結果、新興国などは通貨安に見舞われた。新興国の多くはインフラ整備などにかかる資金を海外からドル建て（貸し借りをドルで行うこと）で借りているため、返済負担が増しているのだ。

　こうした副作用が生じていることや、2023年に入ってインフレの勢いが徐々に鈍ってきた（☞40ぺの下のグラフ）ことも踏まえ、ＦＲＢは利上げスピードを緩め、9月会合以降は利上げを見送った。ユーロ圏でも、域内経済をけん引するドイツを中心に景気の減速懸念が強まり、ＥＣＢは10月、12月と2会合連続で金利の据え置きを決めた。

　米欧とも今後インフレが再燃し、利上げが再開される可能性はあるものの、金融市場では「これで利上げは打ち止め」との見方が拡大している。2024年は、ＦＲＢやＥＣＢが景気の下支えを目的とした「利下げ」に転じるかどうかが焦点だ。

▼米国の政策金利の推移

> インフレ抑制のため
> 利上げ開始
> 2022年3月

> コロナ禍を受け
> ゼロ金利に
> 利下げ
> 2020年3月

> 利上げ
> 「打ち止め」？
> 2023年7月

2020　21　22　23年

❶欧州中央銀行（ＥＣＢ）
　ユーロ圏（欧州連合加盟国のうち、共通通貨ユーロを使用する20カ国）の統一的な金融政策を担う中央銀行。本部はドイツ。最高意思決定機関である理事会は、総裁と副総裁、専務理事の計6人と、ユーロ圏の中銀総裁から成る。

　欧州諸国の中で最も経済規模が大きいドイツが、日米欧によるロシアへの経済制裁に端を発するエネルギーショックで、経済に大打撃を受けているみたい。米国のエネルギー価格調査会社によると、2023年3月の産業用の電気料金は、フランスや日本の約2倍、カナダの4倍以上に。高い電気料金が商品やサービスの価格に跳ね返って家計を圧迫し、消費が低迷しているんだ。

経済

論点　「利上げ」の効果と副作用

●効果
・金利が上がると個人や企業が銀行からお金を借りる際の負担が増す。その結果、借り控えが起きてものやサービスの需要が減り、インフレが抑えられる。
・利上げでインフレを抑えれば、年金生活者など収入が増えにくい人の生活を支えることにつながる。
・段階的な利上げによって景気の過熱を少しずつ抑えることができ、日本で1990年代前半にバブル経済が崩壊した時のような急激なショックを避けられる。

●副作用
・銀行からの借り入れや住宅ローンの金利が上がるため、マイホームや車の購入、子どもの教育のためにお金を借りる家庭の生活を圧迫する。
・原材料や賃金の上昇などによる「コストプッシュ・インフレ」（☞34ぺ）には利上げの効果は薄いとされ、景気を冷え込ませるだけで終わりかねない。
・金利が上がると他の国よりも通貨が買われやすくなり（☞42ぺ）、通貨高を招いて輸出に不利になる。

世界の主な経済危機

◆ 世界恐慌（1929年）

1929年10月24日（「暗黒の木曜日」とも呼ばれる）に米ニューヨーク証券取引所で株価が大暴落し、取り付け騒ぎが起きて多くの銀行が破綻した影響が世界中に広がった。企業の倒産も相次ぎ、失業者が続出。第二次世界大戦の誘因にもなった。

◆ アジア通貨危機（1997年）

タイの通貨（バーツ）が欧米の機関投資家によって一斉に売られたのをきっかけに暴落し、アジア各国の通貨にも飛び火して起こった通貨危機。

◆ リーマン・ショック（2008年）

米国の大手証券会社の経営破綻（2008年9月）がきっかけで起こった。「世界金融危機」とも呼ばれる。米国の住宅バブル崩壊で、低所得者向けの高金利住宅ローン（サブプライムローン）関連の金融商品を大量に抱えていた米リーマン・ブラザーズ社が経営に行き詰まり、米欧の金融機関に信用不安が広がった。世界各国で株価が暴落して世界同時不況を招き、日米欧は大幅なマイナス成長に陥った。

◆ 欧州債務危機（2009年）

2009年にギリシャの財政赤字の改ざんが発覚し、ギリシャの国債価格が暴落したことに端を発した債務危機。この結果、ポルトガル、アイルランド、イタリア、スペインなどでも信用不安が広がった。

◆ 新型コロナ危機（2020年）

新型コロナウイルスの世界的流行に伴い、各国が外出制限や営業停止措置などを行った結果、世界同時不況に陥り、世界で失業者が続出した。

POINT

経済危機　どう対応する？

世界を揺るがす経済危機の際に取られる対応策としてはまず、「国ごとの対応」が挙げられる。代表例は、政府が公共投資や減税などを行って需要を作り出す「**財政政策**」や、中央銀行が**政策金利**（☞33ジ）の引き下げなどを行うことで、個人や企業がお金を借りやすくして投資や消費を促す「**金融緩和政策**」だ。

2020年の新型コロナ危機では、各国政府が国民への現金給付や失業手当の拡充、雇用維持に向けた補助金を手厚くするといった、過去に例がないほどの大規模な財政政策を実施した。

ただし、こうした非常時の対応は、経済が正常に戻った時点で終わらせることが求められる。財政政策が続けば、政府の借金が膨らんで財政危機を引き起こす恐れがあるほか、企業が自ら成長しようという意欲が鈍り、結果的に経済の活力が失われてしまいかねないからだ。

また、国際機関も含めた「国際協調による対応」も危機対応の一つだ。代表例として、国際通貨基金（IMF、☞135ジ）による「緊急融資」が挙げられる。例えばリーマン・ショック時には、経営危機に陥った金融機関が投資資金を引き揚げたため、多くの新興国が資金流出に見舞われたが、IMFの緊急融資によって国家財政の破綻を防いだ。

PLUS

ドルは「**基軸通貨**」（国際取引で幅広く使われる信用力の高い通貨）でもあるから、その安心感が需要を高めている面もあるよ。

続く「ドル高」の背景

2022年3月以降の**米連邦準備制度理事会**（FRB、☞40ジ）による急速な利上げ（☞41ジ）に伴い、通貨を売買（交換）する為替市場では「ドル高」が進み、「独歩高」（主要な通貨の中で、ある通貨だけが高騰すること）の状態が続いた。中央銀行の金利操作によって為替相場（通貨の交換比率）にこうした影響が及ぶのはなぜなのか。

その大きな理由は、為替市場での需要と供給のバランスによって、為替相場が常に変動する仕組み（**変動相場制**）を多くの国が採用しているためだ。

お金は金利の高い国で運用するほうが利益が大きくなるため、一般に金利の「低い国」から「高い国」へ流れる傾向にある。また、急速に進んだインフレーション（☞34ジ）の影響で世界経済の成長が鈍化する（☞40ジ）中、米国の経済は堅調で、多くの資金が市場に流れ込んでいる。こうしたことから、投資家の需要がドルに集中し、円やユーロ、ポンドなど多くの主要国通貨に対してドル高が進んだ。

米国と中国　対立の背景は？

世界１、２位の経済大国である米国と中国の対立は、米国のトランプ政権時（2017年１月～2021年１月）に激化した貿易摩擦から、**５Ｇ**（**第５世代通信規格**、☞138㌻）などのハイテク産業を巡る争いに発展した。バイデン政権発足後も中国への対抗姿勢を維持している。

米中両政府は2018年以降、互いの製品に**関税**（☞45㌻）をかけ合う「**貿易戦争**」を繰り広げた。発端となったのは、中国に対する多額の貿易赤字を問題視したトランプ氏が、「中国が米国の**知的財産❶**を勝手に奪っている」などと主張し、関税を引き上げたことだ。

その後、関税をかけ合う状態からは抜け出したが、2019年には、５Ｇの技術で世界的に優位に立つ中国の通信機器大手・華為技術（ファーウェイ）に対して、米国は「安全保障上の脅威がある」として米国製の部品などの輸出を事実上禁じた。

◆ なぜ対抗姿勢を維持？

バイデン政権発足後も、中国の人権問題（☞118㌻）への批判を強めるなど、対抗姿勢を維持している。その要因は、中国が国を挙げてハイテク産業の育成に取り組んでいることだ。この中核に位置づけられるファーウェイなどの先端技術が軍事転用されたり、アプリなどのサービスがスパイ活動に使われたりして、中国が経済と安全保障の両面でさらなる脅威となることを恐れている。

米国は2022年、自国の先端技術が中国に軍事利用されることを防ぐため、先端半導体やその関連技術などの輸出規制を強化した❷。また、中国への経済的な依存度を下げるため、日本や欧州といった同盟国との関係を強化して、半導体をはじめとする重要物資の国際的なサプライチェーン（供給網）の構築を急いでいる（☞45㌻）。

米国の近年の主な対中経済政策

	2018年7月	中国に対して制裁関税第１弾を発動
トランプ政権	8～9月	制裁関税第２～３弾発動
	19年5月	中国通信機器大手、華為技術（ファーウェイ）に輸出規制
	9月	制裁関税第４弾発動
	20年2月	米国の対中輸出を大幅に拡大することなどを盛り込んだ両国の「第１段階の合意」が発効。一部関税を引き下げ
バイデン政権	22年5月	新経済圏「インド太平洋経済枠組み（ＩＰＥＦ＝アイペフ、☞47㌻）」の発足を宣言
	6月	新疆（しんきょう）ウイグル自治区からの物品輸入を原則禁止する「ウイグル強制労働防止法」施行
	10月	先端半導体や半導体製造装置などの輸出規制を強化
	23年5月	主要７カ国首脳会議の首脳宣言に対中国の「デリスキング（リスク低減）」を盛り込む（☞40㌻）

❶**知的財産**……新しい技術やデザイン、植物の新品種、文学作品など、人間の知的な活動によって生み出されたアイデアや創作物のこと。これらが創作者の財産として一定期間守られる権利を「**知的財産権**」という。知的財産権は、産業に関する「**産業財産権**」（特許権、実用新案権、意匠権、商標権）と、文化・芸術に関する「**著作権**」に大別される。

❷中国はこれに強く反発し、中国が高いシェアを持つ半導体素材（レアメタル＝希少金属）の輸出規制を打ち出すなど、米国の動きをけん制している。

PLUS

デジタル化する世界　新ルールも

社会全体で急速に進む「デジタル化」を踏まえ、経済分野でもさまざまな新ルールが策定されている。

例えば2021年には、国境を越えて事業を展開する「多国籍企業」に対して適切に課税する新たな国際ルールに、130以上の国・地域が合意した。巨大ＩＴ企業など全世界で一定の売上高がある多国籍企業に対して、「デジタル課税」を導入すること▽国によって異なる法人税の税率に、世界共通の目安（最低税率＝15％）を設けること——の２本柱から成る。

デジタル課税は2025年中の発効を目指しており、最低税率は各国が法改正によって順次導入する（日本は2024年度以降、段階的に導入予定）。

◆ 中央銀行デジタル通貨（ＣＢＤＣ）の動向は？

世界の中央銀行が発行や研究を進める「デジタル通貨」（☞137㌻）の共通ルールも2021年、主要７カ国（Ｇ７、☞136㌻）の主導でまとまった。ＣＢＤＣを巡っては、バハマやカンボジアのように既に発行済みの国もある一方、Ｇ７の中銀などは技術的な課題や安全性の研究を共同で進めている段階で、将来的に発行するか否かは国・地域によって立場が異なっている。

ちなみに日本銀行は、現時点で発行する計画はないとしているものの、将来的なニーズに備えるため2021年から「デジタル円」の実証実験を始め、2023年４月からは民間企業とともに検証を実施している。

10 揺らぐ自由貿易体制

TOPICS

▶ ＴＰＰに英国が参加へ　今後の焦点は？

▶ 揺らぐ日中の通商関係　水産業への影響大

▶ 求心力低下のＷＴＯ　改革への道筋見えず

◼ ＴＰＰ　欧州へ拡大

▼ＴＰＰを巡る構図

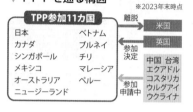

※2023年末時点

❶ 2020年に欧州連合（ＥＵ）を離脱した英国は、ＥＵ以外の国・地域との貿易促進を図るため2021年、ＴＰＰ参加を申請していた。

環太平洋パートナーシップ協定（ＴＰＰ、☞47ᵍ）に参加する日本など11カ国は2023年７月、英国の参加を承認した❶。2018年にＴＰＰが発効して以降、新規参加は初めてで、ＴＰＰはアジア太平洋地域から欧州へと経済圏を拡大する。今後、参加各国の国内手続きを経て、英国は正式にＴＰＰの参加国となる。

■ 中国の参加は認められるか？

ＴＰＰには他に、中国や台湾など６カ国・地域が参加を申請している（2023年末時点）。今後の焦点は、世界２位の経済大国である中国の扱いだ。ＴＰＰ参加交渉の開始には全ての参加国の同意が必要だが、中国との経済関係が深い東南アジアや南米の参加国は中国の参加を歓迎する一方、日本やカナダなど先進国は慎重な立場を取り、意見が割れている。中国政府による国有企業への巨額な補助金など、ＴＰＰのルールに沿わない不公正な慣行を問題視しており、ＴＰＰが掲げる「高水準のルールに基づく自由貿易」にそぐわないと考えているためだ。

一方で中国は、アジア太平洋地域への経済的な関与を強める姿勢を鮮明にしている。ＴＰＰ参加に向け、製造業への外資の参入規制を撤廃するなど市場開放を進めているほか、悪化していたオーストラリア（☞45ᵍの「POINT」）との関係改善に本格的に動いている。

2017年にＴＰＰから抜けた米国に対して、日本は何度も復帰するよう求めてきたよ。でも、米国内では、過去の自由貿易協定が製造業の海外流出を招いて雇用を減らした、との考えも根強くあるんだ。もし、対立を深める中国がＴＰＰに参加したら、復帰はますます難しくなるとみられているよ。

PLUS

曲がり角の自由貿易　保護主義的な動きも

現在の自由貿易体制は、第二次世界大戦後の国際協調によって築かれた。戦前に各国が**保護主義**に走ったことが、大戦の引き金になったとの反省からだ（☞46ᵍ）。東西冷戦（☞112ᵍ）の終結が1989年に宣言されると、経済のグローバル化が急速に進み、日米欧の企業が中国やロシアなどに進出して「**国際分業体制**」を構築。新興国や途上国では雇用や所得が増え、各国の消費者はものを安く買えるようになった。

戦後の世界はこうした体制の下、互いの産業を支えながら発展してきた経緯がある。しかし、米国と中国の対立激化（☞43、117ᵍ）や、ロシアによるウクライナ侵攻（☞106ᵍ）によって、曲がり角を迎えている。自由貿易推進の旗振り役だった西側先進国が、中国など特定の国への経済的な依存度を下げる動きを強めている（☞45ᵍの「論点」）ほか、ロシアに科したさまざまな**経済制裁**（☞56、134ᵍ）によって、エネルギー資源などの国際的な供給網が混乱しているためだ。一部の国では、自国で必要な物資が不足しないよう、輸出を制限するといった保護主義的な動きもみられており、国同士の新たな対立を招きかねない状況だ。

■ 中国 日本産水産物を禁輸

日本の最大の貿易相手国である中国との通商関係が揺らいでいる。

中国は2023年8月、東京電力福島第1原子力発電所の「処理水」の海洋放出（☞99ﾍﾟｰｼﾞ）に反発し、日本産水産物の輸入を全面停止した。2022年の日本産水産物の輸出額は総額3873億円で、このうち中国は871億円と、全体の22.5％を占める最大の輸出先だった（☞右のグラフ）。

中国の輸入停止措置により、2023年9月の中国への水産物輸出は前年同月と比べて90.8％減少。特に主要輸出品であるホタテやナマコなどの輸出がゼロとなり、漁業者や水産加工業者は大きな打撃を受けた。

日本政府は、処理水放出について「科学的な分析と事実に基づく措置で、国際的にも理解されている」と主張する。一方、中国は「消費者の命と健康を守るための措置」と輸入停止を正当化している。日中両政府は2023年11月の首脳会談で、対話を通じて処理水問題を解決することを確認したが、中国側の規制解除は見通せない。政府は約1000億円を投じるなどして水産業の支援に乗り出している。

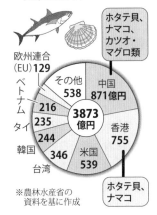

▼日本産水産物の主な輸出先（2022年）

ホタテ貝、ナマコ、カツオ・マグロ類

欧州連合（EU）129　ベトナム 216　タイ 235　韓国 244　台湾 346　米国 539　香港 755　中国 871億円　その他 538

3873億円

ホタテ貝、ナマコ

※農林水産省の資料を基に作成

経済

❶関税
海外からの輸入品に、輸入国側が課す税金。安価な輸入品の流入によって国内産業が打撃を受けるのを防ぐのが主な目的だ。関税がかけられた輸入品の価格は高くなるため、国内の消費者にとっては負担増となる。

> こうしたフレンドショアリングの動きが強まって、貿易や投資の分断が進めば、**経済のブロック化**（☞46ﾍﾟｰｼﾞ）につながりかねないよ。国によって抱える事情はさまざまだけど、自由で開かれた貿易体制が世界経済の発展や平和の基本であることを忘れてはいけないね。

POINT

国際問題化する「経済的威圧」

中国政府が、自国の意に沿わない国に対し、一方的に貿易や投資を制限する「**経済的威圧**」が国際問題化している。代表例は、オーストラリア産の大麦やワインにかかる**関税❶**を大幅に引き上げたことだ。新型コロナウイルスの発生源について、オーストラリアが第三者機関による調査を求めた結果、中国との関係が悪化したことが背景にある。台湾との関係を強化したリトアニアも、中国から一方的な貿易制限を受けた。

こうしたことを受け、先進国を中心に経済的威圧に対して協調して対抗する枠組みづくりが進んでいる。2023年5月に広島市で開かれた主要7カ国（G7、☞136ﾍﾟｰｼﾞ）首脳会議（サミット）では、調整プラットフォームの設置で合意した。

論点　フレンドショアリングの動きに賛成？ 反対？

ロシアによるウクライナ侵攻や中東地域における戦闘（☞107ﾍﾟｰｼﾞ）などで世界情勢が不安定化する中、効率よりも自国の安全保障、国際協調よりも同盟国・有志国間の連携を重視する流れが強まっている。

例えば米国は、信頼できる国・地域で供給網を構築する「**フレンドショアリング**」を提唱して、国際分業体制の見直しを進めている。その一環として発足したのが**インド太平洋経済枠組み**（IPEF、☞47ﾍﾟｰｼﾞ）だ。

●賛成だ
・さまざまな電子機器に使われる半導体（☞49ﾍﾟｰｼﾞ）や、重要鉱物（レアアースなど）といった重要物資の調達を特定の国に過度に依存すると、政治的な思惑で供給を止められ、自国の産業が混乱する可能性がある。これを回避するための枠組みが必要だ。
・新型コロナが世界的に流行していたころ、医療品や農産物を自国に囲い込む、保護主義的な動きがみられた。非常時でも、こうした物資の安定供給を約束できる国同士の結びつきを強めておくべきだ。

●反対だ
・このような方法での体制の見直しは、これまで構築されてきた国際的な供給網をゆがめてしまう。その結果、生産コストが上昇し、ものやサービスの価格に跳ね返って消費者に不利益を与える。
・第二次世界大戦後の経済のグローバル化や自由貿易の促進は、世界経済の成長を後押ししてきた。世界が二つにブロック化されると、世界の国内総生産（GDP）の5％が失われてしまう、との試算もあり、世界経済全体へ悪影響を及ぼす。

自由貿易体制の歩み

◆ ブレトンウッズ体制を構築

1929年に始まった**世界恐慌**（☞42ﾟ）を機に、各国は**関税**（☞45ﾟ）の引き上げや通貨の切り下げといった自国産業を過度に保護する政策を進め、植民地など自国の勢力圏内で資源や食料の自給自足を図る閉鎖的な貿易体制に陥った。こうした「**経済のブロック化**」が国同士の対立を深め、第二次世界大戦の誘因となった。この反省から、米英などの連合国は1944年、「**ブレトンウッズ体制**」と呼ばれる国際枠組みの構築で合意した。**自由貿易**の推進と、それを支える為替の安定を目指すものだ。

◆ GATTが発効

西側先進国の自由貿易を推進するため、1948年には「**関税貿易一般協定（GATT）**」（米国など23カ国が署名）が発効した。自由貿易が活発になれば、経済成長が促されて世界が豊かになり、無用な争いを防ぐことができる、というのが基本理念だ。貿易自由化のルールを決めるため、全加盟国が参加する**多角的貿易交渉（ラウンド）**が、1994年に終了した「**ウルグアイ・ラウンド**」まで計8回実施された。

◆ GATTに代わり、WTOが発足

ウルグアイ・ラウンド妥結時に、GATTに代わる「**世界貿易機関（WTO）**」の設立が合意され、翌1995年に発足した。WTOは、GATTから引き継いだ「**最恵国待遇**」（全加盟国に同等の貿易条件を与える）と「**内国民待遇**」（輸入品を国産品と同様に扱う）を2大原則とし、ラウンドを通じて貿易障壁の削減・撤廃、通商ルールの強化・充実を図る役割を担う。また、GATT時代にはなかった貿易紛争の強力な処理機能も持つ（☞下の囲み）。

◆ 「全会一致」が足かせに

2001年に始まった**ドーハ・ラウンド**では、貿易を通じた途上国の開発をテーマに交渉が進められたが、先進国と新興国の主張が折り合わず、2008年に合意間近で決裂。WTOでは全会一致でものごとを決めるのが原則だが、150以上の国・地域が一致して貿易自由化を進める難しさが浮き彫りとなった。

◆ FTAやEPAの締結が加速

ドーハ・ラウンドが手詰まりになったことから、近年は**自由貿易協定（FTA）**や**経済連携協定（EPA）**など、少数の国・地域の間で協定を結ぶ動きが加速してきた。FTAは主に関税を互いに削減・撤廃して、貿易を盛んにすることを目指す。EPAはFTAよりも対象が広く、サービスを含めた障壁の削減、投資環境の整備、知的財産権（☞43ﾟ）保護の強化、労働力移動の促進などを含んでいる。

上級委員会の代替枠組みに日本が参加

WTOの加盟国同士の紛争解決を担う上級委員会が、長らく機能不全に陥っている。上級委の「裁判官」に当たる委員の欠員補充を米国が拒んでいるためだ。

紛争解決制度は、WTOの中核的な機能の一つで、「1審」に当たるパネルと「最終審」に当たる上級委員会の2審制を採用する。2国間の協議で紛争が解決できない場合はパネルが設置され、WTOのルールに基づいて是正を勧告したり裁定を下したりする。パネルの判断に不服があれば、上級委に上訴できる。

米国はトランプ政権時代の2020年、「上級委が中国や途上国に有利な判断をしている」として、委員選任を拒んだ。上級委の定員は7人で、案件を審理するには最低3人必要だが、2019年末には委員が1人になった。このため、1審で敗訴した国が上級委に上訴すれば、判断を棚上げできる状況になっている。

米国は上級委の改革を要求しているが、上級委の判断を尊重する欧州諸国や途上国との溝は深く、改革への道筋は見えないままだ。

こうした状況を受け、欧州連合（EU）や中国、カナダなど有志の加盟国・地域は2020年、上級委の代わりとなる「**多国間暫定上訴仲裁アレンジメント**」（暫定上訴制度、MPIA）を設立した。MPIAに合意した国・地域同士のみに適用される上訴手続きで、日本政府も2023年3月に参加することを決めた。

▼WTO紛争解決手続きの流れ

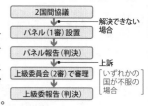

日本の自由貿易交渉

◆ 環太平洋パートナーシップ協定（ＴＰＰ）

太平洋を囲む国々で結んだＥＰＡ。米国がトランプ政権時の2017年に離脱した❶ため、残る11カ国で結び直した。2018年発効。農産品や工業製品の関税の削減・撤廃、投資や知的財産権保護を含む幅広い分野で共通ルールを定め、域内の貿易や投資の活発化を目指す。日欧ＥＰＡなどと比べると規模は小さいが、関税撤廃率は95％と、高い自由化率を誇る。

◆ 日欧ＥＰＡ

日本と欧州連合（ＥＵ）が結んだＥＰＡ。2019年発効。関税の多くを即時撤廃、または一部を段階的に引き下げる内容。例えば、日本製乗用車に課す関税を2026年に撤廃し、一般機械や電気機器の関税も多くの品目で撤廃する。日本が輸入する欧州産チーズやワインなどの関税削減・撤廃も盛り込まれ、国内の消費者に恩恵をもたらしている。このほか、日本とＥＵそれぞれの**地理的表示（ＧＩ、☞137ポ）**を保護し合うルールも含んでいる点が特徴だ。

◆ 日英ＥＰＡ

ＥＵから離脱した英国と２国間で結んだＥＰＡ。2021年発効。農産品や工業製品の関税の削減・撤廃の内容については、日欧ＥＰＡをおおむね踏襲しているが、電子商取引（ＥＣ）など関税以外の分野では、日欧ＥＰＡよりも先進的なルールを導入した。

◆ 地域的な包括的経済連携（ＲＣＥＰ）協定

日本や東南アジア諸国連合（ＡＳＥＡＮ、☞119ポ）加盟国など15カ国で結んだＥＰＡ。2022年発効。ＴＰＰなどと同様に農産品や工業製品の関税の削減・撤廃を目指す。日本にとっては中国、韓国と結ぶ初めてのＥＰＡで、参加国の国内総生産（ＧＤＰ）と人口がそれぞれ世界の約３割を占める巨大な経済圏だ。しかし、参加国に農業が盛んな国が多いことから農産品の関税撤廃率は限定的となり、ＴＰＰの水準を下回った。

❶日本は米国とその後、２国間で貿易協定を結び（**日米貿易協定**）、2020 年に発効した。

▶日本を取り巻く主な経済枠組み

ＴＰＰ	カナダ メキシコ ペルー チリ	日本 オーストラリア ニュージーランド	**RCEP** 中国
		ベトナム ブルネイ シンガポール マレーシア	カンボジア ミャンマー ラオス
	参加決定 英国	インドネシア フィリピン タイ	**ＡＳＥＡＮ**
		韓国	
		米国　インド フィジー	
		IPEF	

※2023年末時点

POINT

米国主導の「ＩＰＥＦ」って？

米国が主導し、日本やインドなど14カ国が参加する新経済圏構想「**インド太平洋経済枠組み（ＩＰＥＦ）**」が2022年、発足した。貿易▽供給網の強化▽脱炭素などクリーンな経済▽反汚職など公正な経済──の４分野を柱としたルール作りを目指している。

ＩＰＥＦは、アジア太平洋地域での影響力の拡大を狙う中国に対し、米国が同地域でのリーダーシップを再興するための手段とされている。

ＴＰＰからの離脱をきっかけに米国がアジアへの関与を弱める中、中国は巨大経済圏「ＲＣＥＰ協定」の発効によって存在感を高めているほか、ＴＰＰへの新規参加を申請する（☞44ポ）など、着々と足場を築いてきた。こうした動きに危機感を募らせた米国のバイデン大統領が構想を練り、自由で公正な経済秩序を掲げるＩＰＥＦの発足を宣言した。

一方、ＩＰＥＦは人権保護やデジタル領域などでの貿易ルール作りは進めるものの、ＴＰＰやＲＣＥＰ協定のように関税の削減・撤廃に関する交渉はしない点が特徴だ。背景には米国の国内事情（☞44ポの吹き出し）がある。

◆「貿易」除く３分野で実質妥結

2023年11月の閣僚会合では、４分野のうち「供給網の強化」に関する協定に署名し、「クリーンな経済」と「公正な経済」で実質妥結に達したことを確認した。「貿易」は妥結に至らず先送りされたが、交渉を前進させていく方針を協定に明記した。

TOPICS

▶ 続く円安 負担増の一方で恩恵も

▶ 重要視される「経済安全保障」背景は？

▶ 人権対応遅れる日本 法制化の是非

■ 円安でコスト増 倒産も続々…

2022年から始まった**円安❶**の傾向がなお続き、家計や企業経営を圧迫している。円安によって輸入品を中心に物価が押し上げられた影響で、身近な食料品や生活用品、電気・ガス料金などが相次いで値上がりしたためだ。2022年以降、原材料費や光熱費の上昇分を価格に転嫁する動きが見られ、多くの企業が値上げに踏み切ったが、中小企業を中心に十分に転嫁できていない例も多く、収益を圧迫。2023年の倒産件数は8690件と、2022年（6428件）と比べて大きく増えた。

一方、輸出が中心の企業などは円安の恩恵を受け、2023年9月の中間決算で最高益を更新する企業が相次いだ。また、急増した訪日外国人旅行客（**インバウンド**、☞下の囲み）による国内消費が拡大し、百貨店などの業績も改善した。

■ カギを握る賃上げ 持続できるか

政府は引き続き、物価高の影響を和らげる対策を講じている（☞32㌻の「POINT」）が、カギを握るのは、物価上昇のペースを上回る賃上げだ。2023年**春闘**（☞136㌻）の賃上げ率は約30年ぶりの高水準となり、基本給を底上げする**ベースアップ（ベア）**などが実施された。岸田文雄首相はこの水準を上回る賃上げを経済界に求めているが、中小企業を含めた幅広い賃上げが持続できるかがポイントだ。

❶円安

他国の通貨に対して、日本の円の価値が下がること。例えば、対米ドルの場合、「1㌦＝100円」から「1㌦＝110円」になると、1㌦を得るのに必要な円が増える（円の価値が下がる）ため、「円安・ドル高になった」という。

▼ドルに対する円の価値は大きく変わってきた

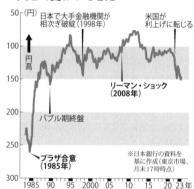

※日本銀行の資料を基に作成（東京市場、月末17時点）

▼月別の訪日客数の推移

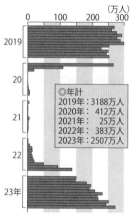

◎年計
2019年：3188万人
2020年：412万人
2021年：25万人
2022年：383万人
2023年：2507万人

※日本政府観光局（JNTO）の資料を基に作成。2023年の年計、11、12月分は推計値

PLUS

急増する訪日客 円安が追い風

2022年10月に政府が新型コロナウイルスの水際対策を緩和して以降、訪日客が急速に増えている（☞左のグラフ）。新型コロナの流行が落ち着いたほか、円安の進行で、訪日客にとって日本での買い物が割安になったことが大きな理由だ。

政府は2023年3月、「観光立国推進基本計画」を6年ぶりに改定し、「2025年までに訪日客数を過去最高だった2019年（3188万人）を超える水準に回復させる」「日本での消費額をできる限り早く5兆円に拡大させる」との目標を掲げた。

だが、公共交通機関の混雑やごみのポイ捨てなど、観光地に旅行客が集中することで起こる「**オーバーツーリズム（観光公害）**」の問題が全国各地で生じている。政府は基本計画に「訪日客の地方誘致の促進」も盛り込んでおり、訪日客の増加と観光公害への対応を両立させながら、観光産業のさらなる発展を目指す考えだ。

経済安保推進法が順次施行

日本の**経済安全保障❶**を包括的に強化する「経済安全保障推進法」が2022年8月以降、順次施行されている。この法律は、**半導体❷**など特定重要物資の**サプライチェーン（供給網）❸**の強化▽基幹インフラ（電気や水道など社会的な基盤施設）の安全確保▽先端技術開発での官民協力▽軍事技術に関わる特許の非公開——の四つの柱から成る（☞右の表）。

法律制定の主な背景には、米中の対立激化によって、重要物資の確保や、先端技術の海外流出を防ぐことの重要性が高まったことがある。また、米国を中心に、中国など「特定の国」への経済的な依存度を下げるための供給網の構築を急いでおり（☞45ﾍﾟ）、日本も対応を迫られた形だ。

経済界からは懸念の声も

ただ、この法律は経済安全保障の強化のために、政府が企業活動を規制する内容で、違反した場合の罰則規定も盛り込まれている。また、どのような特許を非公開にするかなど、詳細な運用については国会審議を経ずに政令や省令で決める仕組みであるため、経済界からは「自由な経済活動が妨げられる」といった懸念の声も上がっている。

加えて、中国は「世界の工場」と称され、ものづくりの拠点でもある。日本にとって最大の貿易相手国でもあり、多くの日系企業が中国に進出している。経済安全保障の強化によって日中関係が悪化し、日本経済に悪影響が及ぶとの指摘もある。

▼経済安保推進法のポイント

四つの柱	政府の関与
特定重要物資の供給網の強化 半導体、医薬品、蓄電池、天然ガスなど11分野	経済安全保障上、特に重要な「特定重要物資」11分野を扱う企業の調達計画を政府が認定し、国内生産基盤の整備を支援する
基幹インフラの安全確保 電気、ガス、石油、水道、鉄道、航空、空港、情報通信、放送、郵便、金融、クレジットカード、貨物自動車運送、外航貨物——の14分野	14分野を対象に、重要な機器の調達先や保守管理の委託先について国への事前報告を義務づける。国民生活に密接に関わる分野に安全保障上のリスクのある外国製品が入り込む事態を防ぐ
先端技術開発での官民協力 宇宙開発、人工知能（AI）、バイオ技術、量子技術など	先端技術の研究開発のために必要な情報や資金を政府が提供・支援し、官民連携で実施する。情報提供を受けた民間人は守秘義務を負う
軍事技術に関わる特許の非公開 原子力など大量破壊兵器につながる技術や軍事転用につながる技術	国や国民の安全を損なう恐れのある特許の出願を非公開にして、重要な発明の流出を阻止。特許を非公開にした企業や個人には、一定の特許収入を補償

❶経済安全保障

生活や産業に不可欠な物資が不足しないよう、政府がその確保に力を入れ、社会を支える仕組みの安全性を高めたり、国の競争力を左右する先端技術などを守ったりしようという考え方。米中の対立（☞43、117ﾍﾟ）やロシアによるウクライナ侵攻（☞106ﾍﾟ）など、自国にとって脅威となるできごとが世界で相次ぐ中、従来の安全保障の考え方に加え、経済面で国や国民を守ることも同様に重要だと認識されるようになっている。

❷半導体

電気を通す「導体」と、通さない「絶縁体」の中間の性質を持つ物質や材料のこと。一つの基板にさまざまな半導体を集めた電子部品を「集積回路（IC）」といい、これも慣用的に半導体と呼ぶ。

❸サプライチェーン（供給網）

商品の原材料の調達から、消費者の手元に届くまでの全体の一連の流れのこと。

経済

POINT

半導体の国内生産強化へ

パソコンやスマートフォンなどあらゆる製品に搭載される半導体は、「産業のコメ」とも呼ばれる。人工知能（AI）など先端技術の開発や、ミサイル、レーダーといった軍事力をも左右するため、経済安全保障上の主戦場になっている。

半導体産業は、米国のメーカーが設計・開発を担い、韓国や台湾のメーカーが製造するなど国際的な分業体制が築かれてきた。しかし近年、日米欧などを中心に国内生産を強化しようとする動きが強まっている。

例えば日本は、半導体受託生産の世界最大手「台湾積体電路製造（TSMC）」との交渉を進め、熊本県に製造工場を建設した（第1工場＝写真＝が2023年末に完成）。また、次世代半導体（回路線幅が2ﾅﾉ相当の微細なもの）の国内量産化を目指す新会社「ラピダス」が2022年、国内の主要企業8社の出資で設立され、北海道千歳市に工場を建設している。

日本政府も、国内の半導体関連産業の売上高を2020年の5兆円から2030年には15兆円超に拡大する目標を掲げており、多額の補助金を出すなど、国策として半導体産業を後押ししている。

日本産業の特徴と課題

日本では、**第1次産業**（農業、林業、漁業）や**第2次産業**（製造業、建設業、鉱業など）の就業者が減る傾向にある一方、**第3次産業**（商業、金融業、サービス業など）の就業者が増えている（☞**下のグラフ**）。

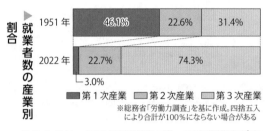

▶ 割合　就業者数の産業別

	第1次産業	第2次産業	第3次産業
1951年	46.1%	22.6%	31.4%
2022年	3.0%	22.7%	74.3%

■第1次産業　□第2次産業　□第3次産業
※総務省「労働力調査」を基に作成。四捨五入により合計が100%にならない場合がある

このように、国の経済発展に伴って産業構造が変わる「**産業の高度化**」が起きるのは必然だ。しかし、日本では少子高齢化などによって、私たちの暮らしを支える第1次産業の担い手が減っていることが課題だ。担い手が限られる中で、ITなどを活用して作業を効率化することなどが求められている。

◆ 先進国で最低水準の食料自給率

政府は農業政策の指針「**食料・農業・農村基本計画**」（2020年閣議決定）で、**食料自給率**（カロリーで計算）を2030年度に45%に、農林水産物・食品の輸出額を2030年に5兆円にする目標を掲げている。

日本の食料自給率は近年、40%を下回っており、先進国の中でも最低水準だ。気候変動による農産物の不作や紛争の勃発などによって、輸入先から食料を調達できなくなった場合などの影響を最小限にするための動きが国内外で活発化しており、日本は小麦や大豆など、輸入依存度が特に高い農産物の自給率をどう高めていくかなどが今後の課題だ。

一方、農林水産物・食品の輸出は好調だ。2023年の輸出額は、最大の貿易相手国である中国が日本産水産物の輸入を全面停止した（☞45ﾍﾟ）影響で伸び幅は鈍化したが、2013年から11年連続で増えており、近年は1兆円を超えている（☞57ﾍﾟのグラフ）。

農産物の開発者の「**知的財産権**」（☞43ﾍﾟ）を保護する取り組みも進んでいるよ。高級ブドウ「シャインマスカット」など、国内で開発された特定のブランド農産物の種や苗木を、不正に海外に持ち出すことを禁じる改正種苗法が2021年、施行されたんだ。

◆ 中小企業が9割超

企業は、資本金の額や従業員の数によって「**大企業**」と「**中小企業**」に分類される。日本は、企業数全体の9割超を中小企業が占め、従業員数でも全体の約7割を占めている。このため、中小企業の経営状態の悪化は、日本経済に直接影響する。

論点　**人権DDを法制化すべきか、否か？**

企業が、物資の仕入れ先や生産・販売過程で、強制労働などの人権侵害が起きていないかどうかを調べ、適切な対応を取る「**人権デューデリジェンス（人権DD）**」の取り組みが、欧米を中心に進んでいる。

こうした動きのきっかけとなったのは、2011年に開かれた国連人権理事会で「**ビジネスと人権に関する指導原則**」が全会一致で承認されたことだ。その後、「**ESG投資**」（☞133ﾍﾟ）が世界の潮流となったほか、中国・新疆ウイグル自治区の人権問題（☞118ﾍﾟ）が世界的に注目されたことを背景に、各国の企業は人権問題への対応を加速させている。

一方、日本は人権DDへの対応が遅れている。政府は2022年、企業向けのガイドラインを策定したが、法的拘束力はなく、従わなくても罰則はない。

●**法制化を急ぐべきだ**
・欧米では人権DDを法律で義務化する動きが相次いでいる。人権侵害に関与する企業との取引を規制する取り組みも広がるなど、国際的な共通認識だ。
・日本政府が策定した企業向けのガイドラインには法的拘束力がなく、罰則もない。これこそが日本企業の対応を遅らせる要因であり、法制化すべきだ。

●**法制化せず、自主規制で対応すべきだ**
・複数ある全ての取引先を対象に「人権侵害がない」ということを証明するのは至難の業だ。特に中小企業では、対応にかけられる人員や予算も限られる。
・仮に海外の取引先で人権侵害が起きていても、取引を解消すれば現地で不買運動に遭うなどのリスクがあり、簡単に取引先を変えられない場合もある。

転換期の自動車産業

自動車産業は、日本経済を支える代表的な産業だ。部品メーカーなど多くの下請け企業と従業員を抱える裾野の広い産業で、多くの人が自動車に関わって働いている。日本の年間輸出総額（約98兆円）のうち、自動車（部品を含む）は約2割を占めており、日本の輸出品の中心でもある。

しかし近年、「脱ガソリン」という大きな転換期に直面している。日本の自動車産業が新たな潮流に対応できるかは、日本経済に与える影響も大きい。

◆ 2035年までに全て「電動車」に

世界的な脱炭素化の流れの中で、中国や欧米が先行して「脱ガソリン」を掲げたことなどを踏まえ、日本政府は、2035年までに国内で販売する新車を全て「電動車」（☞右の表）に切り替え、ガソリンだけで走る車の販売を禁じる目標を表明した。

世界ではガソリン車から電気自動車（ＥＶ）への移行が急速に進んでおり、日本でもＥＶの販売台数が年々増えている。しかし、2023年に国内で販売された乗用車（軽自動車を除く）のうちＥＶの割合はわずか2％未満で、約36％を占めるガソリン車とはまだ開きがある。

◆ 日本が得意なＨＶ

日本が電動車に含める「ハイブリッド車（ＨＶ）」を巡っては、ガソリンも使って走ることから、将来的に販売が難しくなる国・地域もある。ただ、政府はＨＶの販売を当面容認する方針だ。日本はＨＶの技術で世界的に優位に立っており、これを禁じると自動車産業全体に影響が及ぶためだ。

▼電動車の例とその特徴

電気自動車 （ＥＶ）	・電気を動力源にして走る ・走行中に二酸化炭素（CO_2）を出さない ・ガソリン車と比べて開発や生産が容易
燃料電池車 （ＦＣＶ）	・水素と酸素の化学反応で得た電気を動力源にして走る ・走行中にCO_2を出さない ・ガソリン車と比べて高価
ハイブリッド車 （ＨＶ）	・ガソリンと電気を動力源にして走る ・走行中にCO_2を出す（ガソリン車よりは少ない） ・日本はＨＶの技術で世界的に優位に立つ

ＥＶやＦＣＶなど、走行中にCO_2を出さない自動車は「ゼロエミッション車」とも呼ばれるよ。ＨＶは走行中にCO_2が出るからこれに含まれないんだ。ちなみに、「エミッション」は廃棄物を指すよ。

PLUS

「物流の2024年問題」の影響は？

「働き方改革」の一環で、トラック運転手の残業時間の上限を年960時間に制限する規制が、2024年4月から導入される（☞67㌻）。この結果、1人の運転手が運べる荷物の量が減り、物流が滞ることが懸念されている。これを「物流の2024年問題」という。

トラック運転手はこれまで、労働時間が全産業の平均と比べて長いことが問題視されてきた。残業時間の上限規制を導入することで「働き過ぎ」の是正につなげる。しかし、インターネット通販の利用者が増えて荷物量も増える中、2024年度には全国の荷物の14％、2030年度には34％が運べなくなるとの試算もある。

こうした物流の崩壊を回避することを目的に、政府は2023年10月、宅配便の再配達件数を半減させるため、玄関前に荷物を置く「置き配」を選んだ人にポイントを付与する▽船舶や鉄道などへ輸送手段の転換を進める——といった緊急対策をまとめた。

民間企業でも、生鮮食品などを新幹線で大量に運ぶことが計画されているほか、輸送効率を高めるため、複数の企業の荷物をまとめて運ぶ「共同輸送」の導入が進んでいる。

「全固体電池」量産化へ

ＥＶの普及に向けた起爆剤として期待される次世代電池「全固体電池」の開発が、日本の各自動車メーカーで加速している。全固体電池は、現在のＥＶで主流となっているリチウムイオン電池よりも航続距離が長く、充電時間を大幅に短縮できるとされる。

全固体電池の開発は日本勢が先行しており、各社は量産化に向けてしのぎを削っている。例えばトヨタ自動車は2027～28年にも実用化し、ＥＶに搭載する方針を示している。

12 脱炭素社会への道のり

TOPICS

▶ 原発の建て替えを進め、運転期間も延長

▶ 脱炭素化に向けた民間投資を拡大へ

▶ 火力「縮小」も一定程度は必要 理由は？

◾ 原発を「最大限活用」へ

❶グリーントランスフォーメーション（ＧＸ）

英語で環境に優しいことを意味する「Green」と、変化を意味する「Transformation」（Ｘと表記）を組み合わせた造語。脱炭素社会の実現に向けた経済社会システムの変革や活動を指す。

❷次世代原発

既存原発よりも安全で効率よく発電できる原発。主に▽革新軽水炉▽出力30万㌔㍗以下の小型軽水炉▽高速炉▽高温ガス炉▽核融合炉──の５炉型を指す。

❸エネルギー基本計画

日本で必要なエネルギーを今後どのように確保するのか、政府の中長期的な方針を示している。原則として３年ごとに見直されており、2024年は改定の年に当たる（前回の改定は2021年）。

世界共通の課題である気候変動問題への対応や、ロシアによるウクライナ侵攻で揺らいだエネルギーの安定供給体制の再構築（☞56㌻）が急がれる中、政府は2023年２月、脱炭素社会への移行を進めるための「**グリーントランスフォーメーション（ＧＸ）**❶実現に向けた基本方針」を閣議決定した。ＧＸを通じて、温室効果ガス（☞134㌻）の排出削減▽エネルギーの安定供給▽経済成長──を同時に実現することが目的だ。

基本方針には、今後の原子力発電所について、安全を最優先に最大限活用する方針が明記され、廃炉が決まった原発を**次世代原発**❷に建て替えること（リプレース）や、原発の運転期間（☞53㌻）の延長を認める内容が盛り込まれた。

東京電力福島第１原発事故（2011年、☞99㌻）後、政府は原発について「依存度を可能な限り下げる」との方針を掲げ、「原発の新設・増設やリプレースは想定していない」との立場を取ってきた。一方で、原発は発電時に二酸化炭素（ＣＯ₂）を出さないほか、天候に左右されずに安定的に発電できる「ベースロード電源」にも位置づけられている。ウクライナ侵攻を機に、原油など化石燃料の供給が世界的に不安定になる中、政府は「脱炭素社会」と「化石燃料に依存しない形で電力を安定供給すること」の両方を実現するには、原発が不可欠だと判断した。

POINT

2050年に温室効果ガス「実質ゼロ」

政府は、2050年までに温室効果ガスの排出量を実質ゼロにする「カーボンニュートラル」の実現を掲げている（☞101㌻）。その前段として、2030年度に温室効果ガスを2013年度比46％削減することを目指す。この達成に向け、「**エネルギー基本計画**❸」（2021年閣議決定）では、太陽光や風力といった**再生可能エネルギー**（再エネ）の拡大に「最優先」で取り組むと初めて明記され、「主力電源化を徹底」することが盛り込まれた。

2030年度に目指す**電源構成**（総発電量に占める各電源の割合、☞右のグラフ）は、再エネを現在（2021年度）の約20％から36～38％まで引き上げる。火力（石油、石炭、天然ガス）は現在の約73％から41％へと引き下げるが、今後も主要な電源として位置づけられている。

▼日本の電源構成の推移

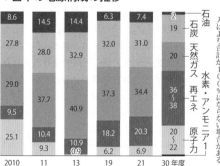

※経済産業省の資料を基に作成。単位は％。四捨五入により合計が100％にならない場合がある

60年超の運転を可能に

政府のGX基本方針に基づき、二つの法律が2023年5月に成立した。一つ目は、原発の運転期間の延長を可能とすることなどを盛り込んだ「GX脱炭素電源法❶」だ。

福島第1原発事故後、原発の運転期間は「原則40年」で「**原子力規制委員会❷**」が認めれば、1回に限り最長20年延長できる」と法律で定められた。しかし、このままでは政府がカーボンニュートラルを目指す2050年に運転可能な原発は、現在の36基（建設中を含む）から23基に減ることになる。そこで、ルールの大枠は維持したうえで、安全審査などに伴う停止期間を運転期間から除くこととした（2025年6月施行、☞右上の図）。60年を超えた運転を実質的に可能にすることで、既存の原発を最大限活用して脱炭素化を図る考えだ。ただし、60年を超えて運転している例は現状、世界に一つもない。

「排出量取引」本格化へ

二つ目は、脱炭素に向けた民間投資を拡大するための新法「GX推進法」だ。例えば、新たな国債として「GX経済移行債」を2023年度から10年間（計20兆円）発行して、脱炭素化のための資金を調達することが盛り込まれた。政府が投資家から資金を集め、一定条件を満たした再エネや次世代エネルギー（水素など）事業に投資することで、企業の設備投資や技術開発を刺激する狙いがある。

このほか、CO_2に値段を付け、排出量に応じて企業に負担を求める「**カーボンプライシング（CP）**」の本格化も明記した。

CPの方法としては例えば、「**排出量取引**」がある。各企業にCO_2排出量の上限（排出枠）を割り当て、排出量が上限を超えた企業は他社から排出枠を買う（排出量が上限未満の企業は、上限を超えた企業に排出枠を売る）仕組みだ（☞右の図）。既に有志企業による排出量取引市場「GXリーグ」のテスト運用が2022年から始まっており、政府はこれを段階的に発展させていく計画だ。CO_2排出量が多い企業ほど負担が増える仕組みを導入することで、脱炭素を進める狙いがある。

経済

▼原発の運転期間のルール

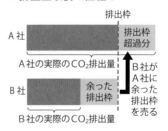

現状 最長60年　原則40年　最長20年延長

変更後（2025年6月〜） 40年　X年　20年　X年

停止期間（X年）分を上乗せし、60年を超えた運転が実質可能に

❶GX脱炭素電源法

電気事業法、原子炉等規制法など五つの既存法を束ねたもの。このうち「原子力の憲法」とも呼ばれる原子力基本法では、原発を活用して脱炭素社会の実現や電力の安定供給に貢献することを、初めて「国の責務」と位置づけた。

❷原子力規制委員会

原発などの安全性を保つための規制を担う機関で、2012年に発足した。環境省のもとに置かれた国の役所の一つだが、独自の人事権や予算を持ち、独立性が高い。

福島の事故を教訓に、原発の立地や運転の要件を盛り込んだ「**新規制基準**」を定めた。国内の原発は、規制委が「新規制基準に適合している」と認めない限り、再稼働できない決まりだ。

▼排出量取引の仕組み

A社　排出枠　排出枠超過分
A社の実際のCO_2排出量

B社　余った排出枠
B社の実際のCO_2排出量
B社がA社に余った排出枠を売る

論点 | **原発の「最大限活用」に賛成？ 反対？**

●賛成だ	●反対だ
・原発は発電時にCO_2を出さず、再エネと比べて安定的に発電できる。積極的に活用すべきだ。	・原発には事故の危険性がある。再エネなどで電力を安定供給できる体制を構築すべきだ。
・できるだけ早く使用をやめる必要がある化石燃料の代替として、原発を活用するのは適切だ。	・福島第1原発事故後に堅持してきた政府方針を、国民的な議論もなしに変更したのは問題だ。
・次世代原発の開発を推進することによって、原子力分野の技術力の向上や人材育成につながる。	・「核のごみ」（☞55㌻）の最終処分場が決まらないまま、原発活用へと方針転換したのは無責任だ。

日本に火力発電は不可欠？

日本では現状、電力の７割以上が火力発電（石油、石炭、天然ガス）で賄われている。東京電力福島第１原子力発電所事故（2011年、☞99㌻）前は、電力の30％前後を原子力発電で賄っていたが、事故後に全ての原発が止まったため、火力発電を増やすことで不足分を補った。福島の事故後、太陽光や風力など**再生可能エネルギー（再エネ）**による発電割合は年々高まっているが、なお火力頼みの状況が続いている（☞52㌻のグラフ）。

◆ 欧米を中心に「脱石炭」の流れ

一方、世界では脱炭素社会の実現に向けて、火力発電をできる限り使わないようにする取り組みが進んでいる。特に「石炭」は、火力発電の中でも最も多く二酸化炭素（CO_2）を出すため、欧米の国々を中心に石炭火力を廃止する動きが加速している。

◆ 日本は「石炭使い続ける」

こうした「脱石炭」の流れの中で、日本はCO_2の排出量が多い「旧式」の石炭火力発電所の大半を、2030年度までに休廃止することを決めたが、今後も一定量の石炭火力を使い続ける方針だ。

再エネの「主力電源化」（☞52㌻の「POINT」）には時間がかかり、原子力による発電量も急には増えない中、必要な電力を家庭や企業に安定して供給するには火力発電が不可欠との考えだ。中でも石炭は、原油など他の資源と比べると安価で、中東など特定の地域に偏らずさまざまな国から調達できるほか、天候などを問わず安定的に発電できる「**ベースロード電源**」の一つであることから完全にゼロにはできない、としている。

一定量の石炭火力を使い続ける代わりに、政府は燃焼時にCO_2を出さない「アンモニア」「水素」を、石炭や天然ガスに混ぜて燃やすこと（混焼）などによって、火力発電所から出るCO_2をゼロにする「**ゼロエミッション火力**」を推進するとし、研究開発を進めている。

CO_2の回収・再利用を推進

日本は、どうしても排出が避けられないCO_2を回収し、高い圧力をかけて地中に封じ込める「**CCS**」（CO_2の回収・貯留）と呼ばれる新技術の研究開発も進めている。

また、回収したCO_2を炭素資源ととらえ、再利用する「**カーボンリサイクル**」も注目を集める。回収したCO_2をコンクリートや化学品などさまざまな製品や燃料に再利用し、CO_2の排出を抑える新技術だ。政府はカーボンリサイクル製品の普及開始目標を2040年ごろとし、取り組みを加速させている。

POINT

再エネの普及に立ちはだかる壁

脱炭素社会の実現に向けて、再エネによる発電を増やすことは急務だが、すぐに増やすのは難しいという事情もある。

例えば「風力」は、低周波音や騒音の問題があるため、設置には周辺環境への配慮が必要だ。このため政府は、海上に設置する「**洋上風力**」の導入を進める考えだが、平地に設置する場合と比べて費用も時間もかかるため、急には増やせないのが現状だ。

「太陽光」は比較的設置しやすいが、発電機を設置できる場所が限られている。日本は国土に占める平地の割合が34％と、再エネの普及が進むドイツの半分程度しかないためだ。こうした事情を踏まえ、山林を切り開いて斜面に大規模な太陽光パネルを設置する例も増えている。

一方、東京都が2022年、新築戸建て住宅への太陽光パネルの設置を義務づける全国初の条例を制定するなど、一般家庭の協力を得て再エネの普及を後押しする動きもある。

▲山を削って造られた大規模太陽光発電所（メガソーラー）＝福岡県飯塚市で2022年

土砂崩れや景観悪化への懸念から、既に250以上の地方自治体で太陽光発電所の建設を規制する条例が制定されているんだって。

実現遠い「核燃料サイクル」

日本は「**核燃料サイクル**」を原子力政策の基本方針としている。核燃料サイクルは、原発で使い終えた燃料（**使用済み核燃料**）から再利用可能なプルトニウムやウランを取り出して（再処理）、「混合酸化物（MOX）燃料」に加工し、再び原発の燃料として使う——というもの。しかし、機能していないのが現状だ。

核燃料サイクルは、高速炉を中心とするサイクルと、MOX燃料を一般の原発で使うプルサーマル発電によるサイクル——の2種類がある（☞**下の図**）。いずれのサイクルでも要となるのが青森県六ケ所村に建設中の再処理工場だが、1993年に着工後、トラブル続きで完成時期の延期が繰り返され、いまだに完成していない。このため、現在の再処理はフラ

ンスに依存している。しかし、国内には再処理されていない使用済み核燃料が大量に保管されており、再処理工場の稼働が急務だ。

再処理の後に残る「**核のごみ❶**」を処分する場所（最終処分場）も決まっていない。発電で消費した以上のプルトニウムを生み出す「**高速増殖炉**」の開発も続けてきたが、代表例の「もんじゅ」（福井県敦賀市）はほとんど運転実績を上げられないまま、2016年に廃炉が決まった。

> 使用済み核燃料が再処理されるまでの間、一時的に保管する「**中間貯蔵施設**」を巡り、中国電力と関西電力は2023年8月、山口県上関町に共同で建設する意向を発表したよ。上関町も建設するかどうかを判断するための調査を受け入れていて、実際に建設されれば国内では2カ所目になるんだって。

❶核のごみ……原発で使い終えた核燃料から再利用できるプルトニウムなどを取り出した後、残った燃えかすをガラスで固めたもの。正式名称は「**高レベル放射性廃棄物**」。放射線の強さが安全なレベルに下がるまで10万年以上かかるとされるため、政府は地下300㍍よりも深い地層に埋めて最終処分する計画だ。しかし、肝心の処分場が決まらないため、核のごみは増え続けている。

▼日本の核燃料サイクル政策のイメージ

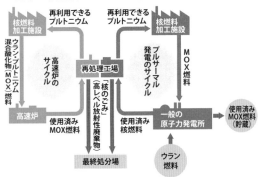

再エネ「賦課金」が家計を圧迫

政府は2012年から、再エネの普及を後押しすることを目的に「**固定価格買い取り制度（FIT）**」を導入している。FITは、家庭や企業が再エネを使って発電した電気を一定期間、電力会社が決まった価格（固定価格）で買い取る仕組みだ。しかし、買い取りにかかった費用の一部は「賦課金」として電気料金に上乗せされるため、消費者の支払い負担が増している。

政府は、消費者の負担軽減のため電力会社が買い取る価格を段階的に引き下げてきた。しかしその分、発電事業者の利益が減っており、再エネの更なる普及の足かせとなっている面もある。

POINT

「核のごみ」処分場選びの行方は？

核のごみの最終処分場を巡り、北海道の寿都町と神恵内村が2020年に候補地調査の第1段階である「文献調査」を国内で初めて受け入れると表明してから3年超がたった。

最終処分法は、2年程度の文献調査の後、「概要調査」「精密調査」と、3段階の選定手続きを進めると定める。調査を次の段階に進めるには候補地の首長らの意見を聞く必要があるが、北海道知事は反対の立場で、難航が見込まれる。

2023年には長崎県対馬市で文献調査の受け入れの動きが表面化したが、住民の合意形成が不十分だとして見送られた。政府は2023年4月、最終処分に関する基本方針を8年ぶりに改定し、「政府の責任」として処分場の選定に積極的に関与する姿勢を示したが、道のりは不透明なままだ。

◎ 少額投資非課税制度（NISA）の新旧比較

	従来のNISA（～2023年）		拡充・恒久化 新しいNISA（2024年～）	
	つみたて NISA	一般NISA	つみたて 投資枠	成長 投資枠
併用	不可		可	
年間 投資額	40万円	120万円	120万円	240万円
非課税 保有限度額	最大 800万円	最大 600万円	1800万円 うち1200万円	
非課税 保有期間	20年間	5年間	無期限	
対象商品	一定の基準を 満たした投資 信託	上場株式や 投資信託など	従来の つみたてNISA と同じ	上場株式や 投資信託など （一部除外）

岸田文雄内閣が掲げる「貯蓄から投資へ」を促す拡充策の一つとして、NISAの新制度が2024年1月から始まった。通常、株式や投資信託への投資で得られた利益や配当（金融所得）には約20％の税金がかかるが、NISA口座（非課税口座）内で、毎年一定金額の範囲内で購入した場合、これらの金融商品から得られる利益が非課税になる。

新NISAでは、年間投資額の上限が引き上げられたほか、投資期間（非課税保有期間）が無期限化された。

◎ 日米欧によるロシアへの主な経済制裁

◆金融

・プーチン大統領ら政府関係者や個人、企業、銀行（中央銀行を含む）の資産を凍結
・ロシアの主要銀行を、国際的な金融決済ネットワーク「国際銀行間通信協会（SWIFT＝スイフト）」から排除

◆貿易

・原油や石炭の即時または段階的禁輸
・半導体など重要物資の輸出禁止
・貿易上の優遇措置「最恵国待遇（☞46ﾍﾟ）」を撤回し、関税を引き上げ

◎ 主な国のエネルギー自給率と
ロシア産エネルギーへの依存度

	エネルギー 自給率 （％）	ロシアへの依存度 （ウクライナ侵攻前、％）		
		石油	石炭	天然ガス
日本	13	4	11	9
イタリア	23	11	56	31
ドイツ	35	34	48	43
フランス	54	0	29	27
英国	61	11	36	5
米国	104	1	0	0
カナダ	186	0	0	0

※「エネルギー白書2023」を基に作成。エネルギー自給率は各国とも2021年時点。ロシアへの依存度は、2020年（日本のみ2021年）の輸入量におけるロシア比率。赤字は依存度が高いことを指す

◎ 岸田文雄内閣の経済政策「新しい資本主義」を
実現するための四つの重点分野

◆人

成長産業への労働移動を促す「リスキリング」（働く人が業務に役立つ技能や知識を学び直すこと）支援など

◆科学技術・イノベーション

人工知能（AI）などの国家戦略策定、半導体など科学技術投資の拡充など

◆スタートアップ（新興企業、☞137ﾍﾟ）

投資額の増加（2027年度に10兆円規模へ）など

◆グリーン（脱炭素）、デジタル

地方のデジタル化の推進など

◎ 消費者物価指数と実質賃金の伸び率の推移

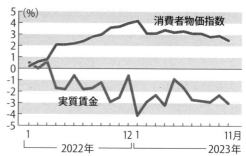

※数値はいずれも前年同月比。消費者物価指数は生鮮食品を除く総合。「実質賃金」（2023年11月分は速報値）は、労働者が実際に受け取った給料（名目賃金）から、物価変動の影響を差し引いたもの

ロシアによるウクライナ侵攻（☞106ﾍﾟ）によって、エネルギー資源の供給が世界的に不安定になっている。エネルギー資源大国であるロシアに対して、日米欧などが**経済制裁**（☞134ﾍﾟ）として石炭の輸入禁止や、原油・天然ガスの段階的な禁輸を行っているためだ。

世界は脱炭素社会に向けた取り組みを進めてきたが、侵攻後、各国は自国の資源の安定調達を優先する「**エネルギー安全保障**」政策にかじを切った。「環境先進国」の欧州各国も、依存してきたロシア産天然ガスからの脱却を迫られ、石炭火力発電の活用を余儀なくされている。

日本にとっても対岸の火事ではない。日本の**エネルギー自給率**（☞下の吹き出し）はわずか13％（2021年）で、エネルギー資源の大半を輸入に頼っている状況だ。加えて、必要な電力の7割以上を火力発電で賄っており、化石燃料の調達が滞れば電力の安定供給が揺らぎかねない。

「エネルギー自給率」とは、石炭や太陽光など、自然界に存在する「1次エネルギー」を国内だけでどれだけ賄えているかを示す割合のことだよ。日本は他の国と比べてとても低いから、自給率を高める取り組みや体制の構築も急務なんだ。

◎インド太平洋経済枠組み（ＩＰＥＦ）を巡る構図

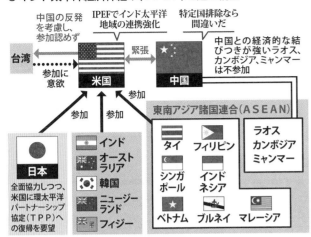

※2023年末時点で、カナダが新規参加の意向を示している

◎農林水産物・食品の輸出額の推移

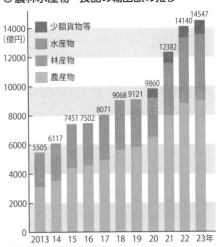

※農林水産省の資料を基に作成。
2020年以降は「少額貨物等」の額を含む

経済

◎自動運転の各レベル（左）とレベル４の移動サービスのイメージ（右）

レベル	内容	運転主体
5	完全な自動運転	システム
4	あらかじめ設定した場所や環境でシステムが全て操作	システム
3	あらかじめ設定した場所や環境でシステムが操作。緊急時は人が対応	システム
2	ブレーキ・アクセルとハンドル操作の両方をシステムが支援	人
1	ブレーキ・アクセルかハンドル操作のどちらかをシステムが支援	人
0	人が全てを操作	人

自動運転の技術は1～5の5段階に分かれている。レベル2までの運転主体は人で、システムは運転を支援する装置という位置づけだが、レベル3になると人とシステムが混在して対応。レベル4からは運転主体が全てシステムとなり、人（運転者）がいなくても走行できる。

改正道路交通法の施行（2023年4月）によって、自動運転「レベル4」対応車の公道走行が可能となった。ただし、走行可能な場所は限られており、どこでも自由に走れるわけではない。まずは、過疎地におけるバスなどでレベル4の実用化を進める方針で、監視拠点にいる担当者が運行状況を遠隔で監視する仕組みを取る。

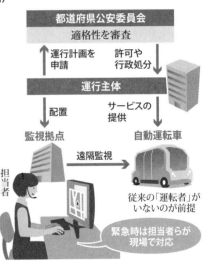

石炭と液化天然ガスはさまざまな地域から調達できているけれど、原油は9割以上を中東地域から調達しているね。

◎日本の化石燃料の輸入先（2022年）

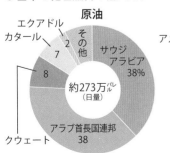

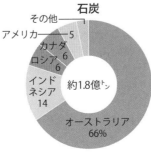

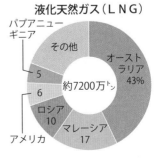

※財務省「貿易統計」、経済産業省「石油統計」を基に作成。1バレル＝約159リットル

13 加速する人口減少

TOPICS

▶「2070年には8700万人」推計人口

▶出生率1.26 過去最低に並ぶ

▶「首位交代」中国からインドに

3 すべての人に健康と福祉を

▣「2056年に1億人割れ」

　国立社会保障・人口問題研究所（社人研）は2023年、将来推計人口❶を発表した。2020年に1億2615万人だった総人口（外国人を含む）は、2070年には8700万人になるとしている。現在より約3割減る計算だ。

　2017年発表の前回推計と比べると、2053年としていた「1億人割れ」の時期は2056年となり、人口減少のペースがわずかに鈍化する。要因は「平均寿命（☞下の囲み）」と「外国人」だ。2070年の平均寿命は男性85.89歳、女性91.94歳と、現在より4歳程度延びると想定した。外国人は、国勢調査の前年（2019年）までに入国超過数が急増したことを反映した。2070年には総人口の10人に1人が外国人となる計算だ。

　2070年の出生数は50万人、**合計特殊出生率**❷は1.36と推計する。ただし、日本人に限るとそれぞれ45万人、1.29で、外国人が数値を押し上げると見込む。新型コロナウイルスの感染拡大前のような入国超過が2040年まで続くのを前提にしているが、外国人労働者の就労政策や日本の国際競争力などの動向次第で変わる可能性もある。

　また、65歳以上の高齢者人口は2043年に3953万人でピークを迎え、その後は減少する。ただ、2020年に28.6％だった高齢化率は上昇し続け、2070年は38.7％と予測する。一方、15～64歳の**生産年齢人口**は、同期間に59.5％から52.1％へ低下。こうした変化は、社会保障制度には重い負担となる（☞61㌻のイメージ図）。

❶将来推計人口

　社会保障政策の基礎データで、5年ごとの国勢調査を基に推計が発表される。2023年発表分は2020年国勢調査を基に、50年後（2070年）までの人口の推移を算出している。出生率や死亡率については複数のパターンを想定しており、このテキストでは基本的に、最も可能性が高いケース（中位推計）を取り上げる。

❷合計特殊出生率

　1人の女性が15～49歳の間に産む子どもの数に相当する数値。一般的には、その年の15～49歳の女性の出生率（出生数を女性の人口で割った値）を年齢別にそれぞれ計算して全て足し、その和を上記の数値とみなす。また、ある時点の人口を維持するのに必要な合計特殊出生率の水準を「**人口置換水準**」といい、日本は近年、およそ2.07で推移している。

▼日本の総人口と高齢化率の推移

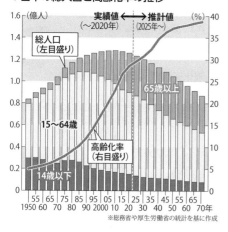

※総務省や厚生労働省の統計を基に作成

WORD

平均寿命

　その年に生まれた0歳児が、平均して何歳まで生きられるかを推測した数値。日本人は2022年、男性81.05歳、女性87.09歳で、2年連続で前年より短くなった。新型コロナの流行が影響したとみられる。国別では男性4位（前年は3位）、女性1位（同1位）だった。

▶平均寿命が上位の国

男性	（歳）
①スイス	81.60
②スウェーデン	81.34
③オーストラリア	81.30
④日本	81.05
⑤ノルウェー	80.92

女性	（歳）
①日本	87.09
②韓国	86.60
③スペイン	85.83
④オーストラリア	85.41
⑤スイス	85.40

※厚生労働省の資料（2023年）を基に作成

■ 総人口 12年連続で減少

　総務省「人口推計」によると、2022年10月１日時点で、外国人を含む総人口は１億2495万人だった。12年連続で減少した。このうち日本人は１億2203万人。前年より75万人減り、減少幅は過去最大を更新した。一方、外国人は前年より19万人増え、２年ぶりの増加となった。新型コロナ対策の入国規制が緩和されたのが主因だ。

　総人口を年代別にみると（☞右のグラフ）、14歳以下の割合は過去最低を、65歳以上の割合は過去最高を、それぞれ更新した。

■ 出生数は初の80万人割れ

　厚生労働省「人口動態統計」（対象は国内の日本人のみ）によると、2022年の出生数は77万人だった。前年より４万人減り、統計を取り始めた1899年以降、初めて80万人を割り込んだ。合計特殊出生率は1.26で、2005年と並ぶ過去最低を記録、７年連続で低下した。

　また、死亡数は157万人で、死亡数が出生数を上回る**自然減❶**は80万人だった。自然減は16年連続で、減少幅は過去最大を更新した。

■ 「2030年代までがラストチャンス」

　少子化は食い止められるどころか加速している現状があり❷、政府は危機感を強める。年金をはじめとする社会保障制度の持続可能性を揺るがしたり（☞61㌻）、国内市場の縮小によって経済活動に負の影響を及ぼしたりする恐れがあるからだ。政府は「2030年代に入るまでの６、７年が少子化傾向を反転できるかどうかのラストチャンス」と強調し、「異次元の少子化対策」を打ち出している（☞62㌻）。

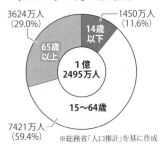

▼日本の総人口と年代別の構成（2022年10月１日時点）

3624万人（29.0%）　65歳以上
1450万人（11.6%）　14歳以下
１億2495万人
7421万人（59.4%）　15〜64歳
※総務省「人口推計」を基に作成

❶これに対し、出国者数が入国者数を上回ることを「**社会減**」という。

❷出生数は1999年以降はずっと120万人を下回る。「100万人割れ」は17年後の2016年で、「80万人割れ」はわずか６年後だった。

論点　**合計特殊出生率に政府が数値目標　賛成？　反対？**

　政府は「少子化社会対策大綱」（2020年閣議決定）で、合計特殊出生率を1.8に引き上げる目標を掲げた。この数字は、今の若い世代が欲しい数の子どもを産み育てることができた場合の「希望出生率」だとしている。ただ、数値目標を定めることに対しては賛否がある。

●賛成だ
・少子化対策を長期にわたって計画的に進めるためには、数値目標が必要だ。
・わかりやすい目標を設定することで、少子化対策の必要性を国民に理解してもらいやすくなる。

●反対だ
・結婚や出産は個人の自由意思に基づいてなされるものだ。数値目標を定めるべきではない。
・数値目標は、戦時中、国を強くするために打ち出した「産めよ増やせよ」を連想させる。

PLUS

少子化対策　海外の動向は

　少子化は先進国に共通する課題だ。欧州の主要国では1970年代以降、合計特殊出生率が2.0を下回るようになった。しかし、フランスやスウェーデンなどでは、1990年代から2000年代にかけて改善がみられた。これらの国の少子化対策は、現金給付といった経済的支援だけでなく、保育の充実といった仕事と育児の「両立支援」にシフトしてきた特徴がある。2020年の合計特殊出生率は、フランス1.83、スウェーデン1.67で、日本（1.33）より高かった（社人研「人口統計資料集」）。

　長らく人口世界一だった中国（☞61㌻）も少子化に悩む。中国は1979年、１組の夫婦につき子どもは１人までとする「**一人っ子政策**」を導入し、罰金や強制的な人工妊娠中絶で出生数を抑えてきた。しかし、少子高齢化による経済成長の停滞などが懸念されることから、2016年に政策を転換。２人目の出産を認めた。それでも出生数が増えたのは2016年だけだった。2021年には３人目の出産を容認したものの、高い教育費などを背景に、少子化が減速する見通しは立っていない。

暮らし

戦後日本の人口動態

◆ 2度のベビーブームから人口減少へ

　日本は終戦直後、第1次ベビーブームを迎え、出生数は年260万人を超えた。この時期（一般には1947〜49年）に生まれた人たちは「団塊の世代」と呼ばれる。それから出生数は100万人台後半で推移した。1970年代前半には団塊の世代が子どもをもうける時期にさしかかり、第2次ベビーブームを迎えた。出産する女性の数とともに出生数も増えたためで、1971〜74年には年200万人を上回った。この年代に生まれた人たちは「団塊ジュニア世代」と呼ばれる。

　人口は1967年に1億人を突破。出生数が死亡数を上回る**自然増**が続いた。医療技術・衛生環境の向上によって平均寿命は大幅に延び、1950年に男性58.0歳、女性61.5歳だったのが、今や世界トップクラスになった（☞58ページ）。これに伴い、高齢化率も上昇。1970年に7％を超えると、1994年に14％超、2007年に21％超となり、欧米の主要国と比べても桁外れの速さで高齢化が進んだ（☞74ページ）。

　一方、合計特殊出生率は低下している。第1次ベビーブームのころは4.0を超えていたが、1970年代半ば以降は人口置換水準を下回り、人口の維持が難しくなった。1989年には1.57と戦後最低を更新し、社会に衝撃が走った（1.57ショック）。2000年代には死亡数が出生数を上回るようになり、2007年以降は一貫して**自然減**に。このため人口は2008年の1億2808万人をピークに減っている。

▼出生数と合計特殊出生率の推移

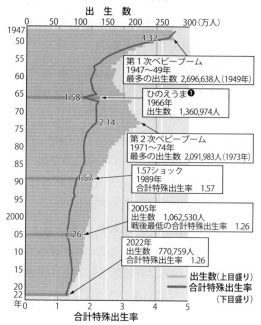

※厚生労働省「人口動態統計」を基に作成。1947〜72年は沖縄県を含まない

❶ひのえうま（丙午）……60年に1度の干支で「この年に生まれる女性は気性が激しい」との迷信により出生数が激減した。

◆ 未婚化・晩婚化で少子化に

　日本における少子化の主な原因は「未婚化・晩婚化（☞74ページ）」と「有配偶出生率の低下（夫婦1組当たりの子どもの数が減ること）」だといわれる。

　具体的には▽価値観が多様化して「必ずしも結婚する必要はない」と考える人が増えている▽働く女性が増えるのに伴い、初婚年齢が上昇している▽仕事と育児の両立が難しいと考えて、出産を諦める——といったことが、複雑に絡み合っているとされる。

　仕事と育児の両立に関していえば、性別役割分業意識や労働環境の問題が挙げられる。「男は仕事、女は家庭」といった旧来の考え方が社会に根強く残っている。男性に長時間労働を求めがちな「企業社会」の風土もあり、たとえ男性自身に意欲があったとしても、男性の育児への参加がなかなか進まない。結果として子育ての負担が女性に集中し、出産に二の足を踏む——と分析されている。

　加えて、雇用環境が不安定だったり、子育て費用が多額だったりすることによる、経済面での将来不安が根強いことも、大きな障壁として指摘される。

　そもそも少子化が進むことは早くから予想されていた。にもかかわらず対策はなかなか取られなかった。「産めよ増やせよ」という戦時中の国策への批判から、政治家や官僚が長らく人口を増やす政策に及び腰になっていたことも一因とされる。

少子高齢化がもたらすもの

少子高齢化、そして人口減少は、社会にどのような影響を及ぼすのだろうか。

高齢化が進めば、年金、医療、介護などの社会保障制度を主に利用する高齢者は増える。一方、少子化が長期にわたれば、生産年齢人口（☞58㌻）は減る。つまり、財源となる税金と社会保険料を支払って制度を支える現役世代1人当たりの負担が、重くなっ

65歳以上人口
15～64歳人口 9.8人
1970年 胴上げ型

15～64歳人口 2.1人
2020年 騎馬戦型

15～64歳人口 1.3人（推計）
2070年 肩車型

ていく（☞左下のイメージ図）。日本は既に、こうした事態に直面しつつあり、「2025年問題」「2040年問題」として懸念されている（☞下の「POINT」）。

社会保障制度が揺らげば、若い世代は将来への不安や世代間の不公平感を抱くことになる。その結果、結婚、出産への意欲を失えば、人口減少はますます加速する。

影響は社会保障の分野にとどまらない。生産年齢人口が減ると、国全体の経済力が弱まったり、地方が衰退したりすることにもつながる。それらは貧困層の拡大を招きかねない。生活保護受給者が増加し、社会保障費はさらに膨張することになる。

暮らし

出生率　一時は回復したが…

合計特殊出生率は2005年に戦後最低となる1.26を記録した後、しばらくは上昇し続けた。ただし、これは少子化に歯止めがかかったことを意味しているわけではない。

この頃は団塊ジュニア世代の女性が30代にさしかかり、相次いで出産するようになった時期と重なる。晩婚化・晩産化の影響で一時的に押し上げられたに過ぎない、との見方が大勢だ。実際、合計特殊出生率は2015年にかけて1.45まで上がったのに、出生数は2005年の約106万人から2015年には約101万人に減った。その後、団塊ジュニア世代の女性が40代になると、合計特殊出生率は再び下降局面に入った。

長年の少子化によって、将来の「母親世代」の人口は減り、少子化の悪循環は続くと見込まれる。

POINT
迫る「2025年」「2040年」

2025年には、団塊の世代が全員75歳以上の後期高齢者になる。現役世代の負担が一層増し、社会保障制度が揺らぐと懸念される（2025年問題）。

さらにその先、2040年ごろには、団塊ジュニア世代が全員65歳以上になり、高齢者人口がピークを迎える（2040年問題）。団塊ジュニア世代はバブル経済崩壊後の「就職氷河期」に直面し、長年無職や待遇の低い非正規雇用の状態だった人も多い。この世代が高齢で働けなくなれば、十分に年金を得られず、生活保護受給者が大幅に増えることも予想される。

PLUS
インドが人口世界一　中国抜く

国連の推計によると、インドの人口は2023年、中国を抜いて世界最多になった。インドで乳幼児死亡率が大きく下がる一方、中国では「一人っ子政策」（☞59㌻）廃止後も少子化に歯止めがかかっていないためだ。

インドの人口は、2023年は14億2860万人で、その後も増え続けて2050年には16億6800万人になると見込まれる。一方、中国は、2023年は14億2570万人だった。既に人口減少社会に突入しており、2050年は13億1700万人と予測される。

また、世界の人口は2022年に80億人に達したとみられる。2080年代に104億人とピークに達し、その後

人口が多い国	2023年			2050年	
	1位	インド	14億2860万人	1位	インド
	2位	中国	14億2570万人	2位	中国
	3位	米国	3億4000万人	3位	米国／ナイジェリア
	⋮				
	12位	日本	1億2330万人	17位	日本

※国連の資料を基に作成

は2100年まで横ばいが続くと推計される。

人口増加の大部分を占めるのは途上国だ。衛生環境や栄養状態の改善で、乳幼児死亡率が下がっていることが背景にある。唯一の例外は米国だ。2050年の人口は3億7500万人と予測される。国・地域別人口ではインド、中国に次ぐ3位で、先進国で唯一、上位10位以内に入る。多くの移民が流入することで人口規模が維持される見通しだ。

TOPICS

▶ 「全世代型」へ 子育て支援に力点

▶ 年金給付の目減り 歯止めなるか

▶ 106万円、130万円…「年収の壁」対策は

▣ 「異次元の少子化対策」実行へ

岸田文雄内閣は目玉政策「**異次元の少子化対策**」実現に向け、年最大3.6兆円を充てる「**加速化プラン**」を2024年度からスタートする（☞左の表、74㌻）。財源確保のため、公的な医療・介護の保険制度の見直しによる歳出削減などとあわせて「支援金制度」をスタートする考えだ。支援金は、2026年度から段階的に、公的医療保険に上乗せして徴収する。国民1人当たり月500円程度になる見込みで、政府は「全世代・全経済主体が子育て世帯を支える、新しい分かち合い・連帯の仕組み」と位置づける。一方で国民の負担が増えないよう、高齢化の進行に伴って増えていく社会保険料を抑えるという。

こうした構想の背景にあるのが「**全世代型社会保障❶**」を構築する方針だ。このため、経済力のある高齢者を中心に相応の負担を求める「**応能負担**」を現在より進めていく方針で、自己負担の引き上げを検討する。例えば、75歳以上の医療費の窓口負担引き上げ▽介護保険のサービス利用者の自己負担割合（☞65㌻）の引き上げ▽長期入院などで医療費が高額になった場合に、患者の所得に応じて自己負担分の一定額を払い戻す「高額療養費制度」の見直し──などが候補に挙がりそうだ。

▼加速化プランの主な内容

- ■児童手当の拡充
- ■妊娠・出産家庭への10万円給付
- ■扶養する子が3人以上の家庭で大学授業料無償化（2025年度から）
- ■年収の壁（☞63㌻）に対応
- ■子の出生後の最大28日間、育児休業給付を手取りの10割相当へ引き上げ（2025年度から）
- ■育児時短を取りやすいよう時短勤務時の賃金の10%を給付（2025年度から）
- ■自営業・フリーランスの育児期間の国民年金保険料免除（2026年度から）

❶全世代型社会保障

全ての世代に恩恵があり、全ての世代が負担能力に応じて支え合う制度のこと。給付は高齢者、負担は現役世代に偏りがちだった従来の制度からの転換を目指す。消費増税分の一部を社会保障に充てる「税と社会保障の一体改革」（☞137㌻）の中で打ち出された。

PLUS

「生存権」を保障する生活保護制度

日本国憲法25条は「すべて国民は、健康で文化的な最低限度の生活を営む権利を有する」と定めている。「**生存権**」と呼ばれ、これを制度化したのが生活保護だ。経済的に最低限の暮らしが維持できない人は、地方自治体の福祉窓口で申請し、認められれば生活費、医療費、住宅費などが公費（国が4分の3、市町村が4分の1を負担）から支給される。

受給者は2023年9月時点で約165万世帯（約202万人）。バブル経済崩壊後の1990年代半ばから増え始め、ここ30年で2.5倍以上になっている（☞74㌻のグラフ）。高齢者だけの世帯の増加が顕著で、全体の過半数を占めている。低年金や無年金による困窮が背景にあるとみられる。

受給額は、物価や平均賃金を反映して5年に1度見直される。2013〜15年の改定で平均6.5%、最大10%減額した国の判断を巡っては、受給者が減額処分の取り消しを求めて全国で提訴。2023年11月、名古屋高等裁判所が処分を取り消したうえで初めて国に賠償を命じた。司法判断は割れており、各地で裁判が続く。

▲「勝訴」の旗を出す受給者側弁護団ら＝名古屋市で2023年11月

年金改革　高齢者も「担い手」

2025年の次期年金制度改正に向け、年金財政の見直しに向けた議論が続いている❶。社会保障を支える現役世代が減る中で少子化には歯止めがかからず、給付水準の目減りに歯止めをかけられるかが鍵となる。

検討内容の一つは、国民年金の保険料納付期間を5年延長することだ。現在の納付期間は、20歳から60歳になるまでの40年間。これを65歳になるまでの45年間に延長すれば、将来受け取る年金が増える。5年間で保険料の負担は計約100万円増えると試算されている（☞右の図）。

厚生年金（☞64ｼﾞ）については、パートなど非正規雇用の労働者の加入要件の緩和を進めてきた。国民年金の上乗せ部分である厚生年金を受け取る人を増やし、老後の困窮を防ぐためだ。パートらを加入させる義務があるのは従業員数「501人以上」の企業に限られていたが、2022年に「101人以上」になり、2024年10月からは「51人以上」に引き下げられる。

また、高齢者の就労を促進する狙いで2022年から「在職定時改定❷」が導入された。

▼国民年金の保険料納付期間延長のイメージ

	20歳		60歳	65歳
現行	40年間（保険料総額816万円）			
延長	45年間（保険料総額918万円）			65歳未満

※保険料は上限額（月1万7000円）で計算。実際の保険料は物価や賃金に応じて変わる

5年間で約100万円の負担

POINT

「働き損」生む？　「年収の壁」

企業などに勤める配偶者らに扶養されている人（パートや専業主婦）は、自らが社会保険料を納めなくても公的医療保険を使うことや国民年金を受け取ることができる。ただし、勤めに出て収入が一定額を超えると、社会保険料を納める必要がある。保険料を差し引くと手取り収入が減ってしまうのが「**年収の壁**」だ❸。金額は勤め先の企業規模によって異なり、従業員100人以下（2024年10月以降は50人以下）なら130万円、それを上回るなら106万円（月収で8万8000円）。

社会保険料を納めれば、将来の年金額が増えるメリットもあるが、当面の収入を優先して「壁」の手前に収まるよう勤務時間を調整するパートらは500万人を超えるとの調査もある。女性の社会進出の阻害要因になるといわれるほか、最低賃金などの上昇で働ける時間は短くなり、人手不足を助長するとも指摘される。

政府は問題解消に向け、2023年10月から「支援強化パッケージ」の運用を始めた。106万円の壁については、一定の賃上げなどに取り組む企業に、最長3年間まで助成金を支給する。130万円の壁については、事業主が一時的な増収だと証明すれば連続2年まで扶養されている状態とみなす。

問題の根本には、「夫は外で働き、妻は家庭を守る」という性別役割分業や、複雑な年金制度の仕組み（☞64ｼﾞ）があり、制度改革を求める声もある。

❶ 2024年には、最新の人口や経済の状況を考慮して長期的な年金財政収支の見通しを立てる「財政検証」が行われる。公的年金財政の「定期健康診断」に当たるもので5年に1度行われ、「診断結果」は制度改正に反映される。

❷**在職定時改定**
厚生年金を受け取りながら働く65～69歳の年金受給額を、毎年改定する仕組み。以前は65歳でいったん受給額が決まり、それ以降納めた保険料は退職時か70歳からまとめて年金額に反映されていた。導入により、例えば月20万円の賃金で1年働き続けた場合、翌年から年金が月1100円程度上乗せされるようになった。

❸「年収の壁」にはほかにも、住民税の課税対象になる約100万円▽所得税課税対象の103万円▽配偶者の特別控除が減り始める150万円——があるが、納税額は保険料より影響が少なく、所得控除が減っても世帯収入は減らない。

▼年収の壁への対応の一例

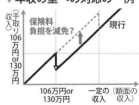

※厚生労働省の年金部会の資料を基に作成

論点　「年収の壁」支援強化に賛成？反対？

●**賛成だ**
・「働き損」がなければもっと働きたいと思っている女性らは多い。収入が増えれば個人消費の増加など日本経済への好影響も期待できる。
・企業にとって人手不足の解消につながる。

●**反対だ**
・年収の壁を意識するのは扶養されている主婦らだ。独身者など自ら生計を立て社会保険料などを納めている人との公平性に疑問を感じる。
・弥縫（びほう）策ではなく抜本的な制度改革を行うべきだ。

どう変わってきた？　社会保険①

◆ 年金…給付額は保険料収入に応じて

　日本の公的年金制度は、20歳になると全国民に国民年金への加入を義務づける**国民皆年金**が特徴で、1961年に始まった。

　国民年金は原則として、毎月定額（1万7000円程度）の保険料を20歳から60歳になるまで納め、65歳から亡くなるまで月6万8000円程度（40年間納めた場合の満額）を受け取る仕組みだ。

　さらに、会社員や公務員らは**厚生年金**に加入し、厚生年金の仕組みを通じて国民年金に加入する形をとる。厚生年金は標準報酬月額の18.3％に当たる保険料（本人と勤め先企業が半分ずつ負担）を納めれば、基礎年金（厚生年金のうち、国民年金に当たる部分）に加え、所得に応じた年金を受け取ることができる。

▼公的年金制度の仕組み

　今の年金制度の骨格は、2004年の年金改革で決まった。それまでは「一定の年金額を支給するには保険料がいくら必要か」という観点から保険料を引き上げていた。しかし、保険料を負担する若い世代の不安に応え、2017年度以降は保険料を引き上げず、保険料収入の範囲内で支払う仕組みに改めた。

POINT

受給開始　繰り上げる？　繰り下げる？

▼受給開始時期で変わる年金

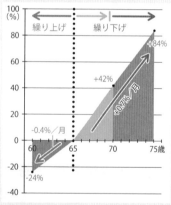

　年金を受け取り始める時期は65歳が基本だが、早めたり、遅らせたりすることができる。65歳より前に受け取り始めることを「繰り上げ受給」、後に受け取り始めることを「繰り下げ受給」といい、いずれも月単位で選べる。1カ月につき、繰り上げで受給額は0.4％減り、繰り下げで0.7％増える。受け取り始めると受給額の基本は生涯変わらず、平均寿命で受給総額はほぼ同額となる。

　受け取り開始時期の選択肢は、従来の「60〜70歳」から、2022年に「60〜75歳」に広がった。70歳で受給を始めると、毎月の受給額は「65歳で受給開始」するより42％増額、75歳開始なら84％増額となる計算だ（☞上のグラフ）。

---

② 2級 Check

物価と連動「マクロ経済スライド」

　2024年度の公的年金の支給額は前年度比2.7％の引き上げで、2年連続の増額となった。しかし、過去3年間の賃金上昇率が3.1％だったのに対し、支給額の伸び率は本来よりも0.4％分抑制され、実質は目減りした。年金額の伸びを抑える**「マクロ経済スライド」**が適用されたからだ。

　年金は、物価や賃金の増減に連動して毎年度、支給額を改定するルールになっている。マクロ経済スライドは、支給額の伸びを物価や賃金の上昇幅より低く抑える仕組みだ。少子高齢化で制度の担い手が減る一方、高齢者への給付は伸び続けることから、2004年に導入された。

　だが、この仕組みはデフレーション（デフレ、☞34㌻の「WORD」）で物価や賃金が下落すると適用されず、適用しなかった引き下げ分は、翌年度以降に繰り越される。仕組みは導入されたものの、長くデフレが続いて、適用が見送られることが多かった。

　今回は物価上昇局面を迎え（☞32㌻）、2023年度に続いて2年連続の適用となった。年金財政を健全化し、将来世代の給付水準の低下を抑えるためには、今後も適用が見込まれる。

どう変わってきた？　社会保険②

◆ 医療…国保運営が都道府県に

　日本の公的医療保険制度は、何らかの公的保険への加入を全国民に義務づけている。これを**国民皆保険**といい、国民皆年金と同じ1961年に始まった。医療機関や薬局で健康保険証またはマイナ保険証を提示すると、医療費の自己負担分は1〜3割で済む。

　加入する保険は年齢や職業で異なる（☞右の図）。原則として75歳以上の人は後期高齢者医療制度に入る。75歳未満の人は▽健康保険組合（主に大企業勤務の人）▽全国健康保険協会（協会けんぽ＝主に中小企業勤務の人）▽共済組合（公務員）▽国民健康保険（国保＝自営業者など）──に分かれる。

　国保は元々、自営業者向けの制度だった。しかし、近年は無職や低賃金の加入者が増えている。財政基

▼公的医療保険制度の仕組み

盤を強化するため、2018年度から市町村単位を原則とする運営から都道府県中心に切り替えた。

　現役世代の負担を減らすため、後期高齢者医療制度では2022年10月から、一定の所得がある人の医療費の窓口負担が1割から2割へと引き上げられ、所得に応じて1〜3割負担となった。2024年度からは保険料も段階的に引き上げられる。

◆ 介護…20年間で保険料が倍増

　介護保険制度は2000年度に導入された。介護を家族だけが負うのではなく「社会全体で高齢者を支える」という考え方に基づいている。40歳以上は加入が義務で、保険料を納める。65歳以上は年金から差し引かれる。

　介護が必要だと市町村に認定された65歳以上の人は、ヘルパーに身の回りの世話をしてもらうなどのサービスを受けられる。介護の必要度を表す要介護度（必要度が最も低い「要支援1」から、最高の「要介護5」まで7段階）ごとに、利用上限額が決まっている。

　サービスを利用する高齢者の数は増えており、加入者の負担が増している。現在の保険料は、制度開始当初の約2倍だ。サービス利用者の自己負担も原則は1割だが、所得の多い一部の人は2割または3割負担となるよう段階的に改められてきた。

PLUS

増え続ける社会保障給付費

　社会保障給付費は、主に税金と社会保険料で賄った社会保障関係（年金、医療、介護、子育て支援など）の総費用。自己負担分や民間保険料は含まない。社会の高齢化で増え続け、2021年度は総額で約139兆円、国民1人当たり110万5500円に上る。このうち40%の約56兆円が年金に使われている。

　2018年の推計によると、2040年度には190兆円程度にまで膨らむ。2040年代に高齢者人口がピークを迎えるため、特に医療と介護が大きく伸びる。

　一方、年金は金額こそ大きいものの、全体に占める割合は39%程度。マクロ経済スライド（☞64ﾟ）が効いて、給付水準が抑えられる見通しだ。

▼社会保障給付費の推移と見通し

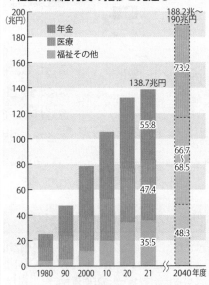

※国立社会保障・人口問題研究所「社会保障費用統計」を基に作成

暮らし

変化する日本の働き方

▶ 最低賃金 政府目標を達成

▶ フリーランスに保護新法

▶ 男女の格差を解消するには

□ 「最低賃金」平均 初の1000円超え

❶最低賃金

企業が労働者に支払わなくてはならない最低限の賃金。最低賃金未満で人を雇うことは、正規雇用か非正規雇用かを問わず最低賃金法で禁じられている。

最低賃金は時給で示され、都道府県ごとに異なる。見直しは年1回、厚生労働相の諮問機関である中央最低賃金審議会が引き上げの目安額を示し、各都道府県の審議会の議論を経て決定する。

最低賃金❶が2023年度、初めて全国平均（加重平均）で1000円を突破した。前年度比43円アップの1004円で、引き上げ幅も過去最高だった。全国で最も高いのは東京都の1113円で、最低は岩手県の893円。**デフレーション**（デフレ、☞34ﾍﾟ）脱却のため、「賃上げ」を強く求めていた政府の意向が反映された形となった。

政府は1000円の早期実現を目標としてきた。新型コロナウイルスの影響が大きかった2020年度を除いて年3％程度の上昇が続き、2023年度は4.5％の伸びになった。地方を中心に24県が国の審議会の目安額を上回る引き上げを決めたことも一因で、深刻な人口流出を背景に、賃上げで若者をつなぎ留めたい思惑がうかがえる。ただし、物価高が続く中で、それでも物価の伸びには追いつかないのが現状だ（☞56ﾍﾟ）。

時給1000円を超えたとはいえ、フルタイムで働いても年収は200万円程度となる計算で十分とは言えない。岸田文雄首相は「2030年代半ばまでに1500円」を目標に掲げる。

一方で、賃金を支払う企業側も原材料費のコスト高に苦しむ。特に中小企業は人件費をひねり出す余裕がなく、賃上げが倒産などの悪影響につながることも懸念される。企業の生産性を向上させ、経営環境を改善するための支援が、行政などに求められている。

▼最低賃金の全国平均の推移

（円）
1000 ── 1004
950
900 ── 902
850
798
800
750
730
700
668
650
600
2005　　10　　15　　20　23年度
※厚生労働省の資料を基に作成

最低賃金の大幅アップを訴える人々＝厚生労働省前で2022年

論点　最低賃金 今後も大幅に引き上げるべきか、否か？

●大幅に引き上げるべきだ

・物価の高騰が続き、家計は圧迫されてきた。収入が実質的には目減りしている状況では経済の好循環も起こり得ない。

・英国やドイツの最低賃金と比べれば、まだまだ見劣りする。

●慎重に進めるべきだ

・中小企業には対応する体力がないところも多い。賃上げが企業倒産や従業員のリストラの増加につながれば、結局のところ労働者にとってはマイナスだ。

・雇える人数が限られるため、正社員の負担が増えたり、正社員の給与底上げに手が回らなくなったりする。

「フリーランス」に保護の動き

会社などの組織に雇われない「**フリーランス**」という働き方が広がっている。自分の好きな時間や場所を選んで働くことが可能で、従業員を雇わずに働く自営業者や「一人社長」を指す。「**ギグワーカー**[1]」も含まれる。内閣官房の調査（2020年）の推計によると、日本の労働者人口の１割弱の約462万人に上り、増加傾向にあるとされる。本業とするのは約214万人で、残りは副業にしているとみられる。

▼フリーランスの実態

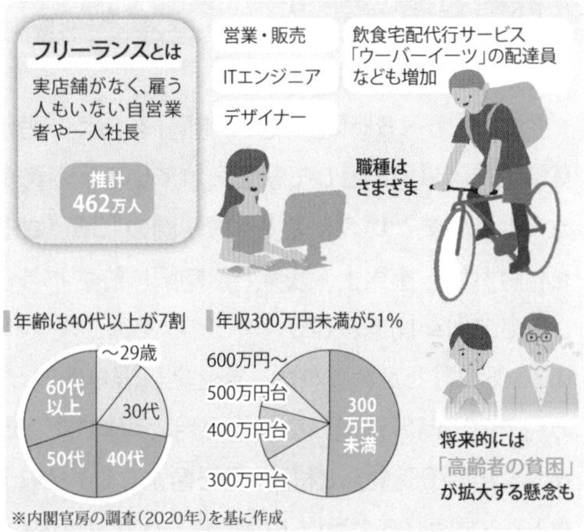

フリーランスとは
実店舗がなく、雇う人もいない自営業者や一人社長
推計 462万人
営業・販売
ITエンジニア
デザイナー
飲食宅配代行サービス「ウーバーイーツ」の配達員なども増加
職種はさまざま
年齢は40代以上が7割
〜29歳
30代
40代
50代
60代以上
年収300万円未満が51%
600万円〜
500万円台
400万円台
300万円台
300万円未満
将来的には「高齢者の貧困」が拡大する懸念も

※内閣官房の調査（2020年）を基に作成

フリーランスは、業務委託契約を結ぶ「事業主」の扱いで、法律上「労働者」とみなされないため、最低賃金や残業規制などの公的なセーフティーネットの対象外だ。労働災害も原則適用外とされてきた。国民健康保険や国民年金にも自ら加入し、保険料を全額納める必要がある。実態としては取引先の指揮監督下にあるのに、労働者としての権利が守られていないという指摘がある。さらに、企業の仕事を請け負うフリーランスには、契約内容や報酬の支払いを巡るトラブルも珍しくなく、立場の弱さに起因する課題も多い。

2023年にはインターネット通販大手「アマゾンジャパン」の商品配達中にけがをした個人ドライバーの男性が、労働基準監督署から労災認定を受けた。フリーランスといっても、アマゾンのアプリで配達先や労働時間が管理されていた実態から、労働者に当たると認定されたものだ。

■保護新法が成立

こうした問題の解決に向け、フリーランス保護のための新法[2]が2023年４月に成立した（2024年秋ごろまでに施行）。また、企業から業務委託を受けるフリーランスは原則全員、労災保険に加入できるよう、政府は制度を改める方針だ。ただ、それでも社会保障における格差などは残るため、更なるルール作り が求められる。

❶ギグワーカー
自転車などで店から料理を宅配する「ウーバーイーツ」の配達員など、単発・短時間の仕事を請け負う働き手。

❷「フリーランス・事業者間取引適正化等法」といい、フリーランスと業務委託契約を結ぶ事業者に以下を義務づける。
- 報酬や納期などの取引条件を書面やメールで明示
- 仕事の成果物を受け取ってから60日以内の報酬支払い
- 成果物の受け取り拒否、返品、一方的な報酬減額などの禁止
- 募集情報の的確表示
- 育児や介護の申し出への配慮
- ハラスメントの相談体制の整備
- 契約解除の事前予告

PLUS

残業規制で懸念される「2024年問題」

「働き方改革」（☞68㌻）に伴う残業時間の上限規制が、これまで適用されていなかったトラック・バスの運転手や、医師、建設業従事者などにも2024年４月から導入される。

トラック業界では、労働時間が短くなる分、運転手１人当たりの輸送能力が低下し、物流に影響が出ることが懸念されている（**物流の2024年問題**、☞51㌻の「PLUS」）。また日本バス協会は、2024年度必要な運転手の数に対し２万人超が不足すると試算しており、バス路線の廃止や値上げの動きが全国に拡大中だ。

医療分野では、救急医などは特例で年1860時間が上限となる（2035年度まで）ものの、医師不足による救急患者の受け入れや夜間・休日診療体制などへの影響が懸念される。

建設業界では、2025年開催の「大阪・関西国際博覧会（万博）」の会場建設の遅れを受け、上限規制を万博の工事従事者に適用しないよう求める声も上がる。

だが、例えばトラック運転手は、長時間労働との関連が強いとされる脳・心疾患の労災認定が突出して多いとの指摘もあり、働き方改革は待ったなしだ。

働き方改革関連法のポイント

◆ 残業に上限 罰則も新設

　企業が「1日8時間」「週40時間」を超えて労働者を働かせることは、労働基準法により原則として禁じられている。この労働時間規制を超えて働かせることを残業という。従来は労使間の「**36（さぶろく）協定❶**」に「特別条項」を付ければ、事実上、残業が無制限に許される仕組みだった。

　働き方改革関連法（2018年成立）では、残業時間の上限が「原則月45時間、年360時間」と定められた。繁忙期に限り例外が認められるが、それでも「1カ月で100時間未満、2〜6カ月の平均で80時間以内」（休日労働を含む）かつ「年720時間」（休日労働を含まない）が上限となった❷。違反した企業などへの罰則（6カ月以下の懲役または30万円以下の罰金）も設けられた。

　ただ、「月100時間未満」は過労死ライン（月100時間）すれすれで、年間の上限も休日労働を含むと960時間になるとの指摘もある。過労死・過労自殺に追い込まれた人の遺族からは「被害の防止につながらない」との批判もある。

◆ 「勤務間インターバル」導入進まず

　終業から次の始業まで一定の休息時間を設ける仕組み「**勤務間インターバル**」は、企業の努力義務として関連法に盛り込まれている。働く人の生活・睡眠時間を確保し、過労死などを防ぐのが狙いだ。2021年に見直された労災認定の基準には、新たに「勤務間インターバルが短い勤務」が追加された。欧州連合（EU）では、最低でも連続11時間の休息時間を確保するよう、加盟国に義務づけている。

　厚生労働省によると、導入企業の割合（2023年）は6.0％にとどまっている。政府は2025年までに15％以上とする目標を掲げている。

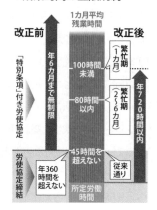

▼残業時間の上限規制

❶ **36協定**……労働時間規制を超えて働かせる場合、企業側が労働組合などと結ぶ協定のこと。労働基準法36条に基づくため、こう呼ばれる。

❷ 2024年4月から規制が適用される運転手、医師、建設業従事者の上限は別途定められている。例えば運転手は年960時間（休日労働を含まない）となる。勤務医は勤務間インターバルの確保などが義務、または努力義務となる。

◆ 「不合理な差」認めず 企業に説明義務

　同じ仕事には同じ賃金が支払われるべきだという考え方を「**同一労働同一賃金**」という。国際労働機関（ILO）憲章の前文にもうたわれている国際的な原則だ。ただ、日本では非正規雇用が増加する中で（☞75㌻）、正規雇用との不合理な待遇差が問題になっていた。この解消を図るための方策が、関連法に盛り込まれた❸。

　正社員と非正規労働者の待遇に差が生じる場合は、客観性・具体性のある合理的な理由が必要となる。「将来の役割への期待が違う」といった主観的・抽象的なものでは不十分だ。非正規労働者から求められたら説明するよう、企業に義務づけられた。

❸関連法を受けて、厚生労働省は具体的なルールを示したガイドライン（指針、☞右の表は主な内容）を策定。各種手当や福利厚生では待遇差を認めない一方、基本給や賞与では容認した。待遇を「同一」とする際に「労使の合意なく、正社員の待遇を下げることは望ましくない」とも明記した。

▼正社員と非正規労働者の待遇差に関する指針（主なもの）

違いを認めない	各種手当	役職手当、作業手当、皆勤手当、時間外手当、深夜・休日手当
		通勤手当、出張旅費、食事手当、地域手当
	福利厚生	休憩室・更衣室・転勤者用社宅の利用
		慶弔休暇・病気休職の理由
違いを認める	基本給	経験や能力に応じて支給する
		異動・転勤がある正社員を高くする
	賞与	業績への貢献度に応じて支給する場合、貢献度の違いに応じて差をつける

男女の格差を縮めるために

◆ 女性管理職は1割未満

採用や昇進などで男女差を設けることは、1997年成立の改正男女雇用機会均等法で禁じられた。しかし2022年時点でも、男性を100とした場合の女性の平均賃金は75.7（厚生労働省統計）にとどまり、国際的に見ても下位にある。管理職（課長相当職以上）に占める女性の割合もわずか9.8%だ（帝国データバンク2023年調査）。

背景には、女性に家事・育児負担が偏っていることや、正社員に長時間労働を求めがちな慣習がある。

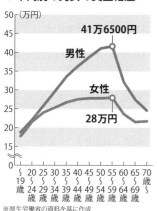

▼ 年代別の男女の賃金格差

41万6500円 男性
28万円 女性

※厚生労働省の資料を基に作成

出産や育児、さらに介護も担うことが多い女性は、仕事との両立が難しく、結果的に評価が低くなりやすい。そのため賃金が高い管理職が増える年代になるほど格差は広がる（☞左のグラフ）。

また、非正規雇用の割合は、男性が約2割なのに対し、女性は5割を超える。両立のハードルから、正社員より概して賃金が低い非正規雇用を選ばざるを得ない人もいる。特に、育児が落ち着いて40代で再び仕事に就いても、パートや派遣のような非正規雇用以外の選択肢は少ないという現実がある。これが収入にも影響する。働き方と同時に、社会全体の男女の役割分担の意識を変えることが課題だ。

こうした男女格差是正に向け、企業による男女間の賃金差の開示が始まった。従業員301人以上の企業に2022年度分から義務づけられた。また、政府は女性の管理職を「2020年代の可能な限り早期」に30%にする目標を掲げる。

◆ 男性も育休取りやすく

1991年に法制化された育児休業（☞133㌻）制度だが、女性の取得率が80%なのに対して男性は17%（☞75㌻）と大きな差がある。取得期間も、男性は過半数が2週間未満で、女性への育児負担の偏りが解消されていない。

そこで、生後8週間以内に限定した「産後パパ育休」（男性版産休）が2022年に導入され、育休期間の分割も可能にするなど、男性が取りやすいように制度が変更された。政府は、父母とも育休を取得した場合に育休給付金の給付率を最長4週間引き上げ、手取り収入が減らない制度も準備する。

暮らし

厳しい女性の雇用環境

【2級Check】

男女の働く環境の違いは、就業率や正規雇用率の年代別のグラフにも明確に表れている。男性はいずれも、20代で急激に上昇した後、60歳以降に下降するまで下がらない「台形」を描く。

一方、女性の就業率は、20代前半に上がった後、いったん下がり、40代にかけて再び上がる。結婚・出産や育児で離職し、子育てが一段落して再び働き始めるためで、グラフの形から「M字カーブ」と呼ばれる。近年は、育休制度や保育所の整備が進んだことで解消に向かっている（☞75㌻）。

▼ 正規雇用率と「L字カーブ」

男性
女性

※総務省「労働力調査」（2022年）を基に作成。雇用者（役員を除く）に占める「正規の職員・従業員」の割合。

また、女性の正規雇用率は、20代後半まで急上昇するが、その後は下がる一方で戻らない（☞上のグラフ）。「L」を寝かせたような形であることから「L字カーブ」と呼ばれる。出産後に女性の所得が下がるのは世界的な傾向で、男女格差の問題の一つとして「母の罰」という呼び方もされる。ただ欧米と比べ、日本は落ち込みが大きく、回復の幅も小さい。労働人口が減っていく中、硬直化した雇用システムを見直し、女性の活躍の場を増やすことが急がれる。

16 豊かな消費を守る

TOPICS

- 「ステルスマーケティング」を規制
- 通信販売の「送料無料」どう思う？
- 消費者を支える法律と機関

10 人や国の不平等をなくそう
12 つくる責任 つかう責任
14 海の豊かさを守ろう

口コミ装う「ステマ」を規制

広告であることを明かさず、口コミを装って商品の宣伝をする「**ステルスマーケティング（ステマ）**」について、消費者庁は2023年10月、**景品表示法（景表法）**❶に基づく規制を始めた。消費者が広告だと分かれば抱くはずの警戒心を薄め、商品選択に影響を与えることから、ステマは景表法で禁じる「不当表示」に当たるとして規制する（☞**左下の図**）。

ステルスは「隠密」の意味の英語。ステマは、広告主である企業が芸能人やインフルエンサーにお金を支払うなどして、ＳＮＳ（ネット交流サービス）やブログに口コミを投稿してもらうケースが代表的だ。ＴｉｋＴｏｋ（ティックトック）、インスタグラムなどＳＮＳの利用者が急速に拡大する中、企業などの依頼を受けたステマが横行し、野放しになってきた。欧米では先行して規制されてきた。

新たな規制では、企業が対価を支払ったり投稿内容に関与したりして依頼している場合、投稿者は「広告」「プロモーション」などと明示する必要がある。ネットだけでなく、新聞や雑誌、テレビなども対象となる。違反した場合、消費者庁が再発防止を求める措置命令を出し、広告を依頼した企業名を公表する。一方で、投稿したインフルエンサーなどは規制の対象外だ。

❶景品表示法（景表法）
消費者がより良い商品やサービスを選べるよう、商品を実際より良く見せかける表示（不当表示）を禁止したり、景品類の最高額を制限したりする法律。

▼ステマの判断基準とは

1 広告などの明示があるか
このダイエットサプリメントは飲みやすくておすすめ★効果が出るのが楽しみ～！
広告であることを隠して口コミを装っている
規制対象
○○企業様から、サンプルを頂きました。飲んでみます！#広告#PR
広告であることを明確に表記している
規制対象外
2 広告主が依頼した第三者の表示内容に関与しているか
金銭が発生している例も
広告主
依頼
インフルエンサー
商品紹介と★5など良い評価をブログに書いてください
規制対象
広告主
依頼
インフルエンサー
このサンプルを無償提供します。口コミは自由です
規制対象外

てまえどり

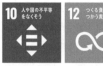

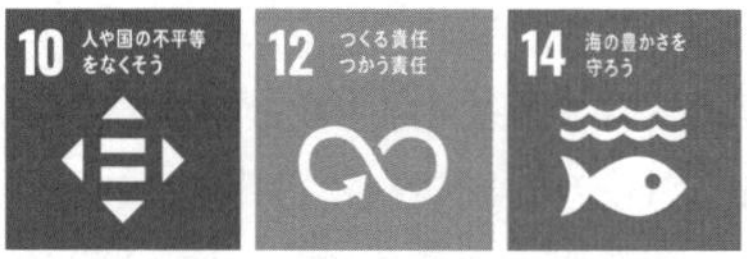

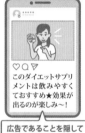

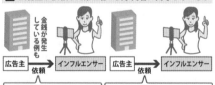

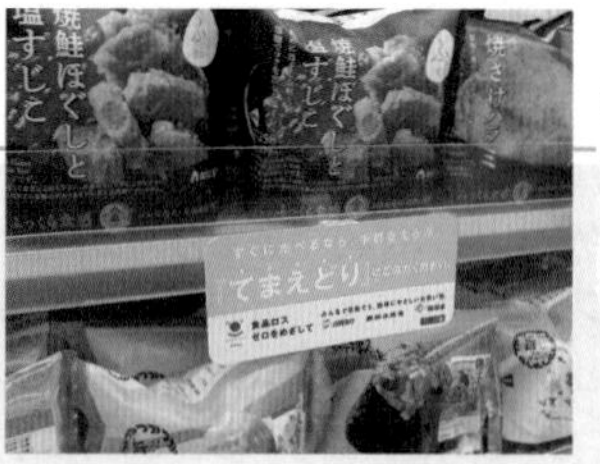

◀「てまえどり」を呼びかける商品棚＝セブン&アイ・ホールディングス提供

PLUS

エシカル消費 身近に

商品やサービスを買う時、地球環境や人権などに配慮したものを積極的に選ぶ消費スタイルを「**エシカル消費**」という（エシカルは英語で「倫理的な」の意味）。近年、社会問題を解決する手法として注目されている。

コンビニエンスストアなどで商品棚の手前にある、消費期限が近い食品を買う「てまえどり」は、**食品ロス（フードロス）**を減らすエシカル消費の例だ。途上国で作られたものを適正な値段で取引する「**フェアトレード**」、持続可能な漁業によってとられた水産物であることを示す「ＭＳＣ認証」などのラベルは、商品を選ぶ目安になる。労働者の人権を守って生産された素材を取り入れたり、動物愛護の観点から人工の毛皮を使ったりする「エシカルファッション」も人気を集める。

18、19歳の契約トラブル懸念

成人年齢（成年年齢）の引き下げ❶により、新たに成人となった18、19歳の人たちが悪質業者の標的になりやすいことが懸念されている。

民法上、未成年者が契約行為（例えばクレジットカードを作ったり、ローン契約を結んだりすること）をするには、法定代理人（親など）の同意が必要だ。同意を得ずに未成年者が単独で結んだ契約は、原則取り消せる（**未成年者取り消し権**）。未成年者は知識や経験が浅く、判断能力が未熟だとして保護されているのだ。18、19歳は、この未成年者取り消し権が認められなくなった。このため、悪質業者に狙われて契約トラブルに巻き込まれないよう、若者を念頭に置いた法改正もなされた❷。

国民生活センターによると、全国の消費生活センターなどに寄せられた18、19歳の消費者トラブルの相談件数は、成人年齢の引き下げ前後で大きな変化はない（☞右下のグラフ）。とはいえ、社会問題化している悪質なホストクラブの商法でも、18、19歳の女性が債務契約を無効にできずトラブルに巻き込まれる例も指摘されており、対策の検討が必要だ。

論点　「送料無料」表示 法律で規制すべきか、否か？

「物流の2024年問題」（☞51ᵖ）への対応策の一つとして、貨物の運賃を適正化し、トラック運転手の賃金水準を向上させることが挙げられている。消費者庁はインターネット通販などの「送料無料」表示の法規制を検討したが、導入を見送り、ネット通販事業者に対して自主的な表示見直しを促すにとどめた（2023年12月）。

●法規制すべきだ

・「輸送にはお金がかからない」との誤解が生じかねない。法規制によって消費者が物流コストを正しく認識できるようにすべきだ。

・自主的な取り組みに委ねると、対応にばらつきが出て混乱する。法規制によって適切な表示に統一すべきだ。

●自主規制で対応すべきだ

・「送料無料」表示が原因で適正な運賃が受け取れていない、との合理的根拠はない。法規制によって問題解決につながるのか疑問だ。

・送料についてどのように表示するのかは、「経済活動の自由」の一部であり、法規制すべきではない。

賢く、安全な選択のために　原産地・アレルギー表示

国内で製造される全ての加工食品には、原材料の原産地表示が義務づけられている。以前は、加工度が低く品質が原材料に影響されやすい干物などに限られていたが、食品の重量に占める割合が最も高い原材料について、原産国名の表示が2022年度から完全義務化された。原産地を知りたい消費者の参考になる。

こうした食品表示基準はたびたび改正されている。例えば遺伝子組み換え食品について、組み換え作物の紛れ込みを許容せず、原則「不検出」の場合のみ「組み換えでない」と表示できるようになった（2023年）。単なる「無添加」との表示も、何を添加していないのかが明確でないとして、2024年4月以降は原則禁止となる。

食物アレルギーの原因となる食材（特定原材料）は、命に関わる場合もあるため2001年に表示が義務づけられた。2023年に「クルミ」を加えて、8品目❸となった。

❶成人年齢（成年年齢）の引き下げ
　改正民法が 2022 年 4 月に施行され、「20 歳で成人」と 1876 年の太政官布告で定められて以来約 140 年ぶりに成人年齢が変わり、18 歳となった。2015 年成立の改正公職選挙法で選挙権年齢が 18 歳に引き下げられたことと合わせて「大人」の線引きが変わった。ただし、飲酒、喫煙、公営ギャンブル（競馬など）は引き続き 20 歳未満禁止となっている。

❷改正消費者契約法の成立（2018 年）により、不安商法などが追加された（☞73ᵖ）。また、2022 年にはアダルトビデオ（AV）出演契約に未成年者取り消し権を使えないことが懸念されたのをきっかけに、全ての年齢の人を対象にした「AV出演被害防止・救済法」が成立し、施行された。

▼18・19歳の消費者トラブル相談件数

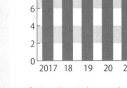

（千件）

| 2017 | 18 | 19 | 20 | 21 | 22年度 |

❸卵、乳、小麦、そば、落花生、エビ、カニ、クルミ。

▼原材料の原産地表示の例

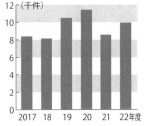

原則
■ 重量割合1位の原材料の原産国名を、重量順に表示

名　称	ロースハム
原材料名	豚ロース肉（**米国、カナダ**）、還元水あめ、……

認める例外表示
■ 仕入れ先が頻繁に変わる場合、可能性のある複数国を「または」で表示

名　称	ロースハム
原材料名	豚ロース肉（**米国または** **カナダまたはその他**）、還元水あめ、……

※豚ロース肉の産地は〇年の使用実績順

■ 3カ国以上を「輸入」とまとめて表示
■ 果汁などの中間加工原材料は「〇〇製造」と製造国を表示

暮らし

消費者問題と政策の歩み

消費者問題は〝社会の映し鏡〟とも言える。背景に、その時々の社会が抱える課題が存在するという側面も多分にある。政府は各種問題にその都度対策を講じるなどして、消費者政策を段階的に拡充してきた。

1950〜60年代

欠陥商品による消費者被害（森永ヒ素ミルク中毒事件＝1955年発生、サリドマイド事件＝1962年販売停止、カネミ油症事件＝1968年発覚＝など）や不当表示の問題（にせ牛缶事件＝1960年発覚＝など）が生じた。高度経済成長期を迎え、大量生産・大量消費の社会が形成される過程のひずみとして、こうした問題が噴出した。割賦販売法（1961年成立）や、にせ牛缶事件を契機とした景品表示法（1962年成立）、消費者保護基本法（1968年成立）といった、消費者関連の法整備が進んだのもこの頃だ。ケネディ米大統領が「消費者の四つの権利❶」を提唱する（1962年）など、消費者保護の機運が高まっていったことも背景にある。

1970年代

商品自体の問題に加え、販売や契約を巡るトラブルが顕在化するようになった。この時期には強引な訪問販売や、ねずみ講（無限連鎖講）、マルチ商法❷が社会問題化。政府は訪問販売法（1976年成立）や無限連鎖講防止法（1978年成立）などで対応し、改正割賦販売法（1972年成立）や訪問販売法にクーリングオフ制度（☞75㌻）も規定した。1970年には国民生活センターも設置された。

1980年代

消費者金融による多重債務や、預託商法（☞139㌻）、原野商法といった、金融サービスにまつわる問題が多発した。クレジットカードが普及したことや、バブル経済を追い風に資産運用が身近になったことなどが背景にある。

1990年代

消費者が事業者（メーカーや販売者）に対して不利な立場に置かれがちなことを念頭に置いた法律が整備された。カラーテレビの発煙・発火事故などを背景とした製造物責任法（ＰＬ法❸、1994年成立）などだ。その後、2000年には消費者契約法（☞73㌻）も成立した。

2000年代

牛海綿状脳症（ＢＳＥ）にかかっている牛が国内で初めて確認された「ＢＳＥ問題」（2001年）、中国製冷凍ギョーザ中毒事件（2007〜08年）など、食の安全・安心を揺るがす事態が相次いだ。社会の情報化（インターネット、パソコン、携帯電話の普及など）に伴い、ネット通販など電子商取引に関連したトラブルも生じるようになった。消費者の「保護」を重視してきた消費者政策のあり方が問い直され、「権利の尊重」と「自立支援」に軸足が置かれるようになった。消費者保護基本法が消費者基本法に改められ（2004年成立）、2009年には消費者庁が設置された（☞73㌻）。

2010年代〜

高齢社会化を背景に、高齢者の老後資金が狙われる悪質商法や詐欺的手法が続発。ジャパンライフなどによる預託商法が社会問題となった。

❶（ケネディ米大統領の）**消費者の四つの権利**……安全への権利▽知らされる権利▽選択する権利▽意見を聞かれる権利──の四つ。❷**マルチ商法**……連鎖販売取引とも言う。口コミで商品を販売する方法で、商品の購入や会員の勧誘といった実績に応じて報酬が還元される。システム自体は合法だが、事実と異なる説明や目的を告げない勧誘など、違法行為が行われやすい。❸**製造物責任法（ＰＬ法）**……製品の欠陥によって身体・財産に損害を与えた製造者は、過失の有無に関係なく賠償責任を負うと定めている（無過失責任）。被害者側は製品の欠陥さえ立証すればよい。

消費者を支える法律と機関

◆ 消費者基本法

消費者の「権利の尊重」と「自立支援」を消費者政策の基本理念と位置づける。「保護」を重視していた消費者保護基本法（1968年成立）を改正する形で2004年に成立した。

◆ 消費者契約法

消費者が事業者と結んだ契約について▽不当な勧誘による契約は取り消せる▽不当な契約条項は無効となる——などと定めた法律。消費者は、情報や交渉力の面で事業者よりも不利な立場にある場合が多いことを勘案して制定された。2000年の成立以降、改正が重ねられ、2018年改正では不当な勧誘行為として▽不安商法（就職、体形などの不安をあおる）▽デート商法（恋愛感情を利用する）▽霊感商法（霊感を告げて不安をあおる）——など5項目を追加。世界平和統一家庭連合（旧統一教会）の問題を巡る2023年施行の改正法では、霊感商法の契約取り消し権の時効が延長された。

◆ 特定商取引法（特商法）

消費者トラブルが起きやすい7種類の取引を対象に、事業者の不当な勧誘行為などを規制する法律。クーリングオフ制度（☞75ジー）も定めている。2000年改正で名称が「訪問販売法」から改められ、以後も改正が重ねられてきた。2022年施行の改正法では、クーリングオフが書面だけでなくメールなどの電磁的記録でも可能になったほか、定期購入などを巡るトラブル対策も強化された。

> **POINT**
>
> ### 寄付の勧誘にも法規制
>
> 旧統一教会を巡ってはかつて、「先祖の供養をしないと病気は治らない」などと不安をあおって、高価なつぼや印鑑を買わせる「霊感商法」が批判され、消費者契約法の規制対象となった（☞左の項目）。
>
> しかし、この法律は被害者が物を買っていないと適用できない。不安をあおって高額な寄付などをさせられた場合に対応するため、悪質な寄付勧誘行為を罰則付きで禁じる「不当寄付勧誘防止法」が2022年に成立した。宗教法人の勧誘行為に対する、初の法規制だ。
>
> 法人などが違反し、消費者庁の措置命令に従わない場合、懲役や罰金などの罰則がある。禁止されている勧誘を受けて寄付をした本人が、寄付の取り消しを請求できる規定も設けた。扶養されている子どもや配偶者も、返還を請求できる。

▶消費者政策に関わる主な機関

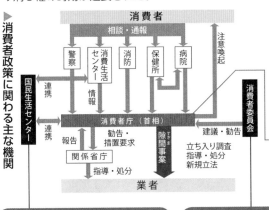

◆ 国民生活センター

1970年に特殊法人として設置され、現在は消費者庁が所管する独立行政法人。国や全国の消費生活センターと協力し、消費者行政と国民の間の橋渡しをしている。消費者からの苦情・相談への対応や、商品テストの実施などが主な業務だ。

◆ 消費者委員会

内閣府にある審議会で、消費者庁と同じ2009年に設置された。消費者行政に関するテーマを調べ、消費者庁を含む各省庁に法改正を求めるなど、消費者行政全般の監視役を務める。

◆ 消費者庁

消費者行政の「司令塔」。それまで複数の省庁にまたがっていた消費者行政の役割を集約し、2009年に設置された。守備範囲は商取引、表示など幅広い。他省庁の調査や指導、処分をチェックし、消費者担当相が勧告する権限を持つ。庁内に置かれた有識者会議「消費者安全調査委員会（消費者事故調）」は、消費生活上の生命、身体にかかわる事故の原因究明を担当。2020年には地方創生（☞29ジー）の一環として、常設の地方拠点が徳島県に置かれた。

暮らし

◎ 人口ピラミッドの変化（予測を含む）

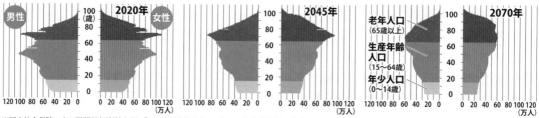

※国立社会保障・人口問題研究所（社人研）「日本の将来推計人口」（2023年発表）を基に作成。2045、70年は推計値

◎ 50歳時未婚率の推移

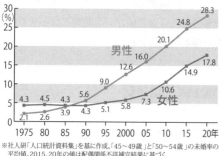

※社人研「人口統計資料集」を基に作成。「45〜49歳」と「50〜54歳」の未婚率の平均値。2015、20年の値は配偶関係不詳補完結果に基づく

左のグラフは未婚化、左下のグラフは晩婚化・晩産化が、日本で進んできたことを示している。
「50歳時未婚率」は以前は「生涯未婚率」といわれていたが、「50歳以降は結婚できないのか」との指摘を受け、2019年に政府が呼称を変えた。

◎ 初婚年齢、第1子出産時の母の年齢（ともに平均）の推移

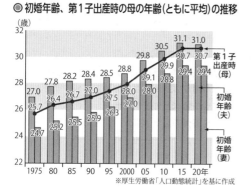

※厚生労働省「人口動態統計」を基に作成

◎ 少子化対策の「加速化プラン」の主な内容

児童手当の拡充	1兆5246億円	所得制限は撤廃、対象を高校生に拡大、第3子以降の支給額は月3万円に倍増
保育士の配置基準の改善・処遇改善	1兆6617億円	保育士1人が見る4〜5歳児の人数を減らせるよう、運営費の加算措置を創設。人件費の引き上げ
出産・子育て応援交付金	624億円	妊娠時と出産時に計10万円相当を支給
放課後児童クラブの職員配置の改善	2074億円	常勤の放課後児童支援員を2人以上配置した場合の補助を創設
児童扶養手当の拡充	1493億円	満額受給できる年収を190万円未満、一部受給は385万円未満に緩和。第3子以降の加算増額

※金額は、2024年度当初予算案における、加速化プランの主な施策全体の予算規模

◎ 主な国の高齢化の進行
（一部に予測を含む）

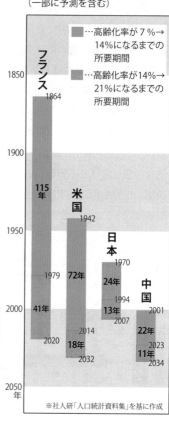

■…高齢化率が7％→14％になるまでの所要期間
■…高齢化率が14％→21％になるまでの所要期間

※社人研「人口統計資料集」を基に作成

世界保健機関（WHO）などは、高齢化率が7％を超えると「高齢化社会」、14％超で「高齢社会」、21％超で「超高齢社会」と定義する。日本は急速に高齢化が進んでいる。

◎ 生活保護受給世帯とその内訳の推移

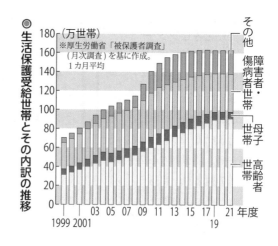

※厚生労働省「被保護者調査」（月次調査）を基に作成。1カ月平均

その他／傷病障害者・世帯／母子世帯／高齢者世帯

◉ 女性の労働力率（年齢階級別）

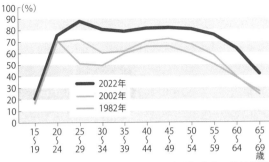

※総務省「労働力調査」を基に作成。70歳以上は省略

凡例: 2022年／2002年／1982年

出産や子育てを理由に離職する女性が減ってきている。「M字カーブ」と呼ばれる折れ線グラフの形は、次第に「台形」に変化してきた。

◉ 育児休業取得率の推移

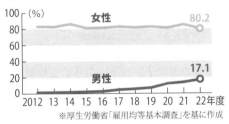

女性　80.2
男性　17.1

※厚生労働省「雇用均等基本調査」を基に作成

◉ 特定商取引法に基づくクーリングオフ制度

	クーリングオフの期間	さらに…
❶訪問販売 キャッチセールス、アポイントメントセールスを含む	8日間	不要なものを大量に売りつける「過量販売」の契約は、1年間無条件に解除できる
❷電話勧誘販売	8日間	
❸通信販売	×	
❹特定継続的役務提供 長期に及ぶ高額な契約。エステ▽語学教室▽家庭教師▽学習塾▽結婚相手紹介サービス▽パソコン教室▽美容医療——の7種類が対象	8日間	将来にわたって自由に中途解約できる
❺連鎖販売取引（マルチ商法） 販売員として勧誘した人に、さらに次の販売員を勧誘させる形で、販売組織を広げていく取引	20日間	
❻業務提供誘引販売取引 「仕事を提供する」と勧誘し、その仕事に必要だとして、商品を買わせる取引	20日間	
❼訪問購入（押し買い）	8日間	

◉ 正規・非正規雇用の人数と非正規比率の移り変わり

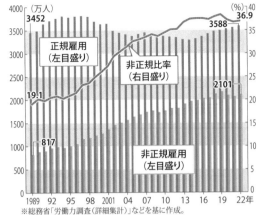

3452
3588
19.1
817
2101
36.9

正規雇用（左目盛り）
非正規比率（右目盛り）
非正規雇用（左目盛り）

※総務省「労働力調査（詳細集計）」などを基に作成。
※2001年までは各年2月の値、2002年以降は各年の平均値。2011年の値は推計（東日本大震災の影響により、岩手、宮城、福島の3県で調査の実施が一時困難になったため）

雇用による働き方には正規雇用（正社員）と非正規雇用（パート、アルバイトなど）の2種類がある。正規雇用は企業が決めた年齢（定年）まで働き続ける。一方、非正規雇用は、比較的短期間（3カ月、半年など）の契約をその都度企業と結んで働く。
バブル経済の崩壊後、企業は人件費の安い非正規雇用で多く雇うようになった。労働者派遣法の適用対象となる業務が段階的に広がったことも作用して、非正規雇用は2000万人を超え、非正規比率も4割近くに上るようになった。

◉「ジョブ型雇用」と「メンバーシップ型雇用」

ジョブ型（欧米式）		メンバーシップ型（日本式）
仕事に着目	基本理念	人に着目
職務記述書で決定。専門的、限定的で明確	職務内容	配属組織と現場判断で決定。総合的であいまい
中途採用	主な採用手法	新卒一括採用
業務の成果に応じる。定期昇給なし。同業他社の同じ職種と等しい水準	報酬	勤続年数や役職などで決定。同じ業界でも会社によって格差
原則として転勤や異動がない	職場	会社の事情により転勤や異動がある
自発的な学習	教育・育成	会社の負担による研修
高い（転職や解雇がある前提）	流動性	低い（長期継続的な勤務を想定）
職務内容に基づき、結果や成果物で評価	評価	上司との面談などで、成果や勤務態度などを総合的に評価

法律上の権利と義務が生じる約束を「契約」という。一度成立した契約は、原則として取り消すことはできない。
ただし、いくつかの例外がある。民法が未成年者取り消し権（☞71㌻）を定めているほか、クーリングオフが認められる場合がある。特定の契約に限り、一定期間内であれば消費者が解除（解約）できる制度で、支払ったお金は返却され、解約料もかからない。特定商取引法（☞73㌻）では、通信販売を除く6種類の取引について規定されている。

暮らし

17 子どもと教育のいま

TOPICS

▶ 増え続ける不登校・いじめ 原因は

▶ こども家庭庁発足1年の取り組みは

▶ 未来を見据えた新しい教育

■ 不登校・いじめ過去最多

❶不登校

文部科学省では、年間30日以上学校を欠席した児童・生徒を理由別に調査している。「不登校」の児童・生徒とは、何らかの心理的、情緒的、身体的あるいは社会的要因・背景により、登校しない、あるいはしたくともできない状況にある子どもを指す。「病気」や「経済的理由」、「新型コロナウイルスの感染回避」のために欠席した子どもは除く。

❷いじめ防止対策推進法

2011年に大津市の男子中学生がいじめを苦に自殺した問題を受けて2013年に成立・施行された。いじめを「児童・生徒が心身の苦痛を感じているもの」と定義し、被害者家族への調査結果の適切な情報提供▽学校内にいじめ防止組織を常設▽重大な被害がある場合は警察に通報すること――などを定めた。

2022年度に**不登校❶**とされた小中学生は29万9048人で、過去最多を更新した。特に、2020年度からの2年間で10万人以上増えた。

背景にあるのは、新型コロナウイルスの影響だ。マスクの着用や感染予防対策によって交友関係を築きにくかった状況や、相次いだ休校や学級閉鎖による生活リズムの乱れなどが影響したとみられる。

不登校の子どものうち、4割は養護教諭やスクールカウンセラー、学校外の機関で相談や指導を受けていなかった。子どもが安心して相談でき、一人一人に寄り添った支援体制が求められている（☞下の囲み）。

小中学校、高校、特別支援学校で認知された**いじめ**の件数も、68万1948件で過去最多を更新した。**いじめ防止対策推進法❷**の制定後、積極的に認知する動きが強まっていることに加え、新型コロナによる行動制限が緩和され、子どもたちの交流が戻ってきたことも背景にある。いじめで心身に重大な影響があったり、不登校になったりする「重大事態」の件数も過去最多で、対策が求められている。

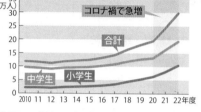

▼不登校の小中学生数の推移

※文部科学省の資料を基に作成

（コロナ禍で急増、合計、中学生、小学生）

論点 民間教育を義務教育と認めるべきか、否か？

不登校の児童・生徒への国や地方自治体の支援を明記した教育機会確保法（2017年施行）では、フリースクールなど学校以外での多様な学びの重要性を認めている。これは、日本国憲法26条が掲げる「教育の機会均等」の権利に基づくものだ。だが、こうした民間教育は現在、義務教育と認められていない。

●認めるべきだ

・不登校の児童・生徒の教育機会を確保するうえで、既に重要な役割を果たすようになっている。

・子どもの多様性を尊重し、多様な選択肢から自分に合った学び方を選べるようにすべきだ。

・民間教育への公的支援が充実すれば、家庭の経済的負担が軽減される。

●認めるべきではない

・不登校を助長することになる。学校教育を受けないと、将来の進路に不利益を被る恐れもある。

・施設や家庭によって学習の内容や質にばらつきが大きく、経済的負担も大きい。

・義務教育化で行政の監督・指導が強まると、「自由度」が下がって民間の良さや特徴が損なわれる。

▪ 子どもに最善の社会目指し

子ども政策の「司令塔」の役割を期待されるこども家庭庁❶が発足してから、2024年4月で1年となる。この間の成果としては「こども未来戦略方針」をとりまとめたことが挙げられる。児童手当の拡充や育児休業給付の引き上げ、大学進学などの給付型奨学金の対象者拡大などが盛り込まれた（☞62㌻）。また、親への支援策だけではなく、児童虐待や貧困対策など、子どもの生活改善につながる施策も盛り込まれた。

子ども目線で大きく変わったのは、子どもの意見を政策に反映させる取り組みだ。こども家庭庁では「こども若者★いけんぷらす」と銘打ち、小学1年生から20代まで、政策に意見を寄せるメンバーを募っている。政府の基本的な施策をまとめた「こども大綱」にも、子どもの発案として体罰防止やひきこもり支援などが盛り込まれた。

性犯罪歴のある人を子どもに関わる仕事に就かせないようにする「日本版ＤＢＳ（☞78㌻）」や、親の仕事の有無によらず子どもを保育所などに預けられる「こども誰でも通園制度」などの新規の政策立案にも取り組んでいる。今後、さらなる取り組みを生み出せるかが注目される。

▪ 離婚後の共同親権 導入を検討

父母の離婚後の子どもの養育について、政府の法制審議会（法相の諮問機関）では3年近く議論が重ねられてきた。

離婚後は父母のどちらか一方だけが子どもの親権❷を得る（単独親権）日本では、親権を失った親との間で関係が疎遠になったり、養育費が支払われなかったりすることが指摘されてきた。一方の親がもう一方の親の同意を得ないまま子どもを連れて別居してしまい、残された親が養育に関わることが難しくなるケースもあるという。

こうした事情を背景に2024年1月、父母双方が親権者となる「共同親権」を選択可能とする❸ことを含む民法改正の要綱案がまとまった（☞右の表）。一方で、家庭内暴力（ＤＶ）や児童虐待などがある場合、親権を口実に離婚後も被害が続くとの懸念から、強く反対する意見もある。要綱案では、ＤＶや虐待の恐れがある場合は、家庭裁判所が父母どちらかの単独親権を定めることとした。今後は国会で審議される予定だ。

重要なのは、離婚後の養育の在り方が「子どもにとって最善」となることだ。こうした視点に立った議論や、制度の形が求められている。

▼こども家庭庁のイメージ

❶こども家庭庁

虐待対応は厚生労働省、貧困対策は内閣府などと分かれてきた課題をまとめて担い、縦割り行政の打破を図る。一方で、「幼保一元化（☞139㌻）」や、義務教育の文部科学省からの移管は見送られた。

❷親権

親が未成年の子どもの世話や財産の管理、生活場所や進学先の決定などに関わる権利。民法は、子どもの利益のために権利を有し、義務を負うと定める。婚姻中は父母が共同で親権を行使するが、民法では父母どちらか一方を親権者に定めないと離婚できない（2024年1月末時点）。なお、親権の有無によらず、子どもの扶養義務は父母両方に課される。

❸法務省の調査（2020年公表）では、主要7カ国（Ｇ7）を含む24カ国で単独親権しか認めないのはインドとトルコのみ。それ以外は共同親権も認めていた。

▼要綱案のポイント

親権	・離婚時の協議で、父母が共同親権か単独親権を選択。合意できなければ家裁が判断する ・共同親権でも急迫の事情があれば、一方の親だけで親権を行使できる
養育費	・養育費に、他の債権に優先して支払わせる仕組みを整備 ・父母の取り決めがなくとも、支払い義務のある親に一定額を請求できる仕組みを創設
面会交流	・離婚調停中などでも家裁が早期の親子交流を促す仕組みを新設

日本が直面する課題

◆ 子どもの貧困

日本の「**子どもの貧困率**」（子ども全体に占める相対的貧困率❶）は2000年以降13〜16％台で推移し、主要7カ国（G7）の中で高水準だったが、2021年時点では11.5％に低下した。ただ、ひとり親世帯（大人が1人で、子どもがいる世帯）の貧困率は44.5％に上っている（☞右のグラフ）。日本の母子世帯は、母親の就業率が高いのに貧困状態にある割合が極めて高いことが特徴だ。

2014年には**子どもの貧困対策推進法**が施行され、地方自治体での行動計画の策定が進んだ。低所得世帯の子どもを対象とした給付型奨学金など国の支援も拡充されている。しかし、貧困をなくすためには低所得世帯の収入をさらに引き上げる策などを通じて、継続した支援が求められる。

❶**相対的貧困率**……大まかに言うと、全国民の年間の手取り収入を少ないほうから並べた時、中央の金額の半分（貧困線）より少ない人の割合。例えば、2021年の手取り収入の中央値は254万円のため、127万円に満たない人の割合を指す。

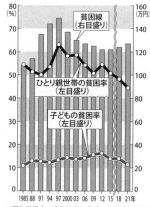

▼**子どもの貧困率と貧困線の推移**

※厚生労働省の資料を基に作成。2018年からは可処分所得の新基準を基にしている

◆ ヤングケアラー

大人が担うような家族のケア・介護を日常的に行っている子ども「**ヤングケアラー**」への支援は、ここ数年で注目されるようになった。核家族化で家族内のケアの担い手が足りなくなっていることなどが、問題の背景にある。家族の世話や家事などで疲れ、勉強ができないことや精神的に不安定になることなどが心配される。国の調査（2022年）では、ケアを担う子どもが「家族の世話をするのは当然だ」と考え、本人も周囲も負担の重さに気づいていない実態が明らかになった。政府はヤングケアラーの支援を法的に定める方針で、2024年の通常国会で関連法案を提出する予定だ。

◆ 増える児童虐待

児童虐待防止法は、児童虐待を(1)殴るなどの「身体的虐待」(2)子どもへの性的行為などの「性的虐待」(3)食事を与えない、不潔にするなどの「ネグレクト」(4)言葉による脅しや、子どもの前で家族に暴力を振るう（面前DV＝ドメスティックバイオレンス）などの「心理的虐待」——に分類している。

全国の児童相談所が2022年度に対応した児童虐待相談件数（☞104ダ）は約22万件で、統計開始から32年連続で過去最多を更新した。

PLUS

子どもの性被害を防ぐための取り組みは

◆男児・男性の性被害 ようやく日の目

これまで社会で認識の薄かった男児・男性の性被害。旧ジャニーズ事務所の元社長（故人）による性加害問題をきっかけに広く知られるようになった。

犯罪統計（2022年）によると、性犯罪（強制性交等、強制わいせつ）の男性被害者は269人。注目すべきは年齢の低さだ。12歳以下が約半数、20歳未満を含めると76％に上る。被害を訴えるのが難しく、周囲からも気づかれにくいことは想像に難くない。さらに、男性は性被害者とみなされにくい風潮もある。

政府は問題を受け2023年、男性向け相談電話を一時的に開設。また、全都道府県に置かれた性暴力被害者のワンストップ支援センターは男性にも対応している。

◆犯罪歴を照会する「日本版DBS」構想

子どもを性犯罪から守る新たな仕組み「**日本版DBS**」の導入が検討されている。学校や保育所などが職員を採用する際に、性犯罪歴のある人を仕事に就かせないようにするもので、英国の仕組みを参考にする。

構想では、学校や保育所には、性犯罪歴の有無を照会することを義務づける▽塾やスポーツクラブなどの民間事業者には、任意の認定制度を設ける▽性犯罪歴だけでなく、痴漢や盗撮などの条例違反も照会できるようにする——方針で、政府は2024年の法案提出を目指す。一方、犯罪歴などをさかのぼって照会できる期間については、「できるだけ長くするべきだ」との意見も踏まえ、検討されている。

日本の教育のいま

　生成ＡＩ（人工知能）の登場（☞88ㇷ゚）をはじめ、**情報通信技術（ＩＣＴ、☞136ㇷ゚）**の進化やグローバル化によって、これからの世の中はますます複雑で予測不可能な時代を迎える。現在の学習指導要領が目指すのは、こうした時代を生きる児童・生徒の「思考力、判断力、表現力」の育成だ。そのためには、教員が基本的な知識などを教える授業だけでなく、グループワークやディスカッションなどを通して、児童・生徒が主体的に学習に取り組む教育も必要だ。こうした教育に合わせて、さまざまな取り組みが行われている。

◆ 進む学校のＩＣＴ化

　課題の調べ学習に加え、視聴覚にも効果的なＩＣＴを利用した学習環境を整えるべく、学校のＩＣＴ化は急速に進んでいる。小中学生に１人１台ずつタブレットなどの端末を配布する「ＧＩＧＡスクール構想」は、2022年度までにほぼ全ての自治体で完了。ＩＣＴ端末はノートや鉛筆と並ぶ「マストアイテム」になりつつある。

　2024年度からはデジタル教科書が本格導入される。発音の確認がしやすいなどの利点を生かして、小中学校の英語で先行的に導入される。その後は算数・数学でも導入される見込みだ。なお、当面は紙の教科書と併用される。

◆ 変わる大学と入試

　それまでの大学入試センター試験に代わって2021年に始まった**大学入学共通テスト**は、社会生活や日常生活から課題を発見して解決方法を考えたり、資料やデータを基に考察したりする問題が出題される傾向がある。2025年からは教科に「情報」が加わり、6教科30科目から7教科21科目になる。多くの国立大学が「情報」を必須科目としている。

　一方、少子化の進展で、2023年度の入学者が定員割れした私立大学は初めて5割を超えた。短期大学や地方の小規模大学では募集停止・閉校に追い込まれるところも出ており、国の対策が急がれる。

多い残業、少ないリケジョ

　日本で理系分野の学位を取得した学生の割合は35％で、他の先進国よりも低い。特に理工系学部に入学する女子学生の割合は7％で、経済協力開発機構（ＯＥＣＤ）加盟国平均（15％）の半分程度だ。女子学生を増やそうと給付型奨学金の対象を拡大したり入学者選抜に「女子枠」を設けたりする大学もある。

　子どもの学びを支える教員の労働環境改善も課題だ。国が示す残業時間の上限（月45時間）を超える教諭は小学校で6割、中学校で8割近くに及ぶ（2022年度）。こうした厳しい労働環境が敬遠され、一時期は10倍を超えた教員採用試験倍率は、過去最低の3.4倍に落ち込んだ（2023年度採用）。公教育の質の担保には、教員の労働環境改善も欠かせない。

PLUS

広がる特別支援教育

　障害のある子どもらが対象の「**特別支援教育**」を受ける児童・生徒が増えている。特別支援教育には、特別支援学校▽小中学校内に設置される「特別支援学級」▽普通学級に在籍しながら一部の授業は特別の指導を受ける「通級指導教室」──がある。保護者が専門的で個別的な支援を求める傾向が強まったほか、「**発達障害（☞138ㇷ゚）**」への理解が進み、特別支援学級や通級指導教室を中心に急速にニーズが増している。

　一方で、障害のある子どもを障害のない子どもと分けて教育することは、国連の障害者権利条約で原則となっている「**インクルーシブ教育（☞133ㇷ゚）**」に逆行するという指摘もある。障害のある子どもが特別支援教育ではなく地域の普通学級で学ぶことを希望しても、受け入れ態勢が整っていないことなどを理由に断られることもある。反対に、態勢がニーズに追い付かず、特別支援教育を受けられないケースも報告される。

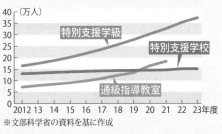

▼特別支援教育を受ける子どもの数の推移

（万人）
特別支援学級
特別支援学校
通級指導教室
2012 13 14 15 16 17 18 19 20 21 22 23年度
※文部科学省の資料を基に作成

18 共生社会への道のりは

TOPICS

▶ 広がるか 性的少数者の権利保護

▶ 男女平等 実現遠く

▶ 外国人の人権 取り組みと課題

▼同性婚訴訟の地裁判決

同性婚訴訟・5地裁の判断	憲法24条1項（婚姻の自由）	憲法24条2項（個人の尊厳に立脚した立法）	憲法の下の14条（法の下の平等）
札幌地裁（2021年3月）	合憲	合憲	違憲
大阪地裁（2022年6月）	合憲	合憲	合憲
東京地裁（2022年11月）	合憲	違憲状態	合憲
名古屋地裁（2023年5月）	合憲	違憲	違憲
福岡地裁（2023年6月）	合憲	違憲状態	合憲

※「違憲状態」はパートナーと家族になることができないのは憲法に違反した状態だが、具体的な制度構築は国会の裁量だとの判断を指す。「違憲状態」との判断は、1票の格差訴訟（☞11㌻）以外ではまれだ

❶パートナーシップ制度

戸籍上性別が同じカップルを、パートナーとして公的に認める制度。2023年末時点で300以上の自治体が導入している。交付される証明書を提示すると、生命保険の保険金受け取りや、病院の入院の付き添いなどがしやすくなるが、法的拘束力はない。

❷性的指向と性自認

性的指向は恋愛感情がどの性に向かうか、性自認は自分の性をどう認識するかということ。恋愛感情が異性に向き、かつ身体的特徴と性自認が一致する人が「多数派」とされる。

■ 国に法整備促す 同性婚地裁判決

同性同士の結婚を認めていない現在の婚姻制度は日本国憲法に違反する——同性カップルらが2019年、このように全国5地方裁判所に一斉に訴えた裁判が進行している。2023年には5地裁の判決が出そろい、多くが「違憲」または「違憲状態」だと結論付けた（☞左の表）。

同性カップルは、結婚した夫婦のように家族としての公的な承認を受けることができず、財産相続や税制優遇などが認められない。各地裁の判決は、こうした現状を問題視した。法の下の平等を定めた憲法14条や、個人の尊厳に基づいた家族法の制定を求める憲法24条2項に違反するとして、「違憲」や「違憲状態」と判断した。合憲判決も含め、全てが国会に法整備の検討を促す内容だった。

法的な結婚とは別に**パートナーシップ制度❶**を導入して同性カップルらの権利保障を進める地方自治体もあるが、この制度だけでは不利益は解消されない。同性婚などの性的少数者の権利保護に賛成する割合は若年層を中心に高まる（☞81㌻のグラフ）半面、「同性婚を認めると伝統的な家族制度が揺らぐ」などの意見もあり、立法に向けた議論は進んでいない。原告側の提訴の狙いは賠償自体ではなく、「違憲」の司法判断を勝ち取って国会を動かすことにある。国が立法に動かなければ訴訟は最高裁判所まで続く公算が大きい。

■「理解増進法」が成立

一方、ＬＧＢＴＱなど性的少数者への理解を進めることを目的とする**ＬＧＢＴ理解増進法**は2023年、議員立法で成立した。「**性的指向❷**及びジェンダーアイデンティティー（**性自認❷**）を理由とする不当な差別はあってはならない」との理念を掲げ、国や自治体に性の多様性について国民の理解を進める施策を策定する努力義務を課している。

ただ、当事者団体が求めた「差別禁止法」とはならず、罰則もない。保守派の要望で「全ての国民が安心して生活することができるよう、留意する」と多数派に配慮する文言も入るなど、内容面には批判もある。

■ 性的少数者の人権重視　最高裁

　戸籍上の性別を変えるために**性同一性障害特例法❶**が定めた要件が違憲かどうかが争われた裁判で、最高裁大法廷❷は2023年10月、「生殖機能をなくすこと」という要件は、個人の尊重を定めた憲法13条に反し無効だとする決定を出した。国会は法改正を迫られることになった。

　この要件を満たすには通常、精巣や卵巣などを取る性別適合手術が必要となる。したがって、健康上などの理由で手術を受けられない人や望まない人は性別変更ができない。最高裁（小法廷）は2019年、この要件について合憲と判断している。だが今回、トランスジェンダー女性（戸籍上は男性で、女性として生活する人）が手術なしでの性別変更を求めたのに対し、最高裁は「手術を受けるか、性別変更を断念するか、過酷な二者択一を迫っている」と指摘した。

　性的少数者やその状況については、社会の理解が広まりつつある（☞右下のグラフ）。最高裁はこうした現実も踏まえ、判例を変更した。

職場環境　対応求める

　トランスジェンダー女性の経済産業省職員が、職場の女性トイレの利用を不当に制限されたとして処遇改善を求めた訴訟で、最高裁は2023年7月、経産省の利用制限を認めない判決を言い渡した。女性は健康上の理由で性別適合手術を受けていないが、女性ホルモンの投与を受けており、他の職員とトラブルが起こることは想定しがたいと指摘した。原告の女性トイレ利用に明確に異を唱える職員が確認されていなかったことも踏まえ、「他職員への配慮が過度に重視され、女性の不利益が不当に軽視されている」と判断した。官民を問わず、性的少数者が働きやすい環境を整備するよう警鐘を鳴らす判決となった。

❶性同一性障害特例法

　戸籍上の性別変更を可能にした法律。2004年施行。複数の医師から性同一性障害と診断されたうえで(1)18歳以上(2)現在結婚していない(3)未成年の子がいない(4)生殖機能がない(5)変更後の性別の性器に似た外見を備える——の5要件を全て満たすことが求められる。

　今回の裁判では(4)(5)について違憲かどうかが争われたが、(5)について最高裁は判断を示さず、審理を高等裁判所に差し戻した。このため、申立人の性別変更が認められるかは結論が持ち越され、性別変更に手術が必要となるケースは当面残るとみられる。

❷最高裁大法廷

　15人の最高裁裁判官全員が参加する**大法廷**は、憲法判断や判例変更、重要な法律解釈が含まれるものなどに限って審査する。

◆日本で性的マイノリティーの人権が守られていると思いますか。

守られていると思う		わからない
15%	思わない65%	20%

◆男性同士、女性同士が結婚する「同性婚」を法的に認めることに賛成ですか。

賛成54%	反対26%	わからない20%

※毎日新聞世論調査（2023年2月実施）。携帯電話のショートメッセージサービス機能と、固定電話を組み合わせて実施。有効回答数計1026件

PLUS

外国人を巡る制度を改正

◆改正入管法成立

　外国人の送還や収容のルールを定める「出入国管理及び難民認定法（**入管法**）」の改正案が2023年、成立した。国外退去を命じられても帰国を拒む外国人の長期収容（☞83ｻ゙ー）を解消するのが狙いだ。

　改正前の法律では、難民認定申請中の外国人は事情を問わず強制送還を停止させる規定があった。政府は、退去を命じられた外国人が難民申請を繰り返して滞在延長に利用しているとしてこれを問題視。改正法では、難民申請を原則2回までに制限し、3回目以降は申請中でも送還可能とする。一方で、こうした外国人を送還まで国（出入国在留管理庁）の施設（入管施設）に原則収容する規定を改め、収容せずに送還手続きを進める「監理措置」を導入。また、ウクライナのような紛争地から逃れてきた外国人を難民条約上の難民に準じて保護する制度が新設された。

　難民申請中も送還できる規定を巡っては、日本の難民認定が極めて厳しい中で（☞83ｻ゙ー）申請者を本国に送り返すと、本当に保護が必要な人を迫害の危機にさらしかねないとして国連機関などは見直しを求めている。

◆技能実習制度　廃止へ

　途上国の外国人が日本で働きながら農業や建設などの技能を学ぶ**外国人技能実習制度**。日本の技術を海外に伝える「国際貢献」を目的に掲げるが、実態は低賃金、長時間の単純労働に利用され、暴行などの問題が後を絶たなかった。しかも職場を変える「転籍」が認められていないため、2022年には9006人が失踪した。

　制度の人権侵害については長く批判があり、国は2024年中に制度を廃止し、人材確保を目的とした新たな制度の創設を目指している（☞128ｻ゙ー）。

障害者の権利保障

国際連合 (国連) の障害者権利条約 (2006年採択) は「障害者が障害のない人と同じように権利を実質的に保障されるためには、社会がその環境を整えなくてはならない」という考えに基づく。日本は2011年に**障害者基本法**を改正して障害者への差別禁止を定め、2013年に差別解消策を具体化するための**障害者差別解消法**を成立させるなど、国内法を整備したうえで、2014年に条約を批准した。

権利保障のポイントとなるのが**合理的配慮**だ。条約の考えに基づく環境整備に不可欠で、例えば、車いす利用者のために段差にスロープを設ける、聴覚障害者と筆談で意思疎通を図る、などが当てはまる。

障害者差別解消法は、合理的配慮についてこれまで、国や地方自治体に提供を義務づけていた。改正法 (2021年成立) により、2024年4月からは民間事業者にも義務づけられる。個人事業主やボランティアグループも対象だ。

障害の状況は人それぞれで、何がその人に合った配慮なのかは一律には決められない。また、合理的配慮は過重な負担になることまで義務づけているわけではない。このため、提供には障害者からの申し出と、事業者との対話が欠かせない。改正法は、双方の相談を受ける体制強化を国などに求めている。

男女格差の解消は

スイスのシンクタンク「世界経済フォーラム」が世界各国の男女平等度を評価する「ジェンダーギャップ指数」で、日本は146カ国中125位だった (2023年発表)。日本は国会議員の女性比率などに基づく政治分野が138位、女性管理職比率などに基づく経済分野が123位と際立って低い。

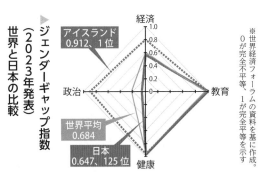

▶ジェンダーギャップ指数
（2023年発表）
世界と日本の比較

アイスランド 0.912、1位
世界平均 0.684
日本 0.647、125位

※世界経済フォーラムの資料を基に作成。0が完全不平等、1が完全平等を示す

◆ 夫婦別姓 変わらぬ現状

民法などで**夫婦同姓**を定める日本では、9割以上の女性が名字を夫の姓に変更するとされる。結婚に伴って姓を変えることの弊害を主に女性がこうむることは人権問題だとの見方もある。

最高裁判所は2015年、夫婦同姓規定について、「家族の呼称として姓を一つに定めることには合理

性がある」「女性が感じる不利益は、旧姓の通称使用の拡大で一定程度緩和される」として合憲判断を示した。2021年にも「その後の社会状況や国民意識の変化を踏まえても、判断を変更すべきものとは認められない」として再び合憲とした。

同時に最高裁は、姓のあり方に関して国会の対応を求めた。公明党や野党の多くは**選択的夫婦別姓制度**の導入に賛成で、自民党の対応が鍵を握る。法制審議会 (法相の諮問機関) は四半世紀以上前の1996年に選択的夫婦別姓制度の導入を答申している。立法論議の活性化が求められている。

論点　選択的夫婦別姓に賛成？ 反対？

●**賛成だ**
・夫婦同姓が良い人は今まで通り同姓にすればよく、別姓という選択肢が増えるだけだ。
・夫婦が別姓の場合、子どもの姓を心配する声もあるが、別姓が一般的な国で弊害は指摘されていない。

●**反対だ**
・別姓を選ぶと父親か母親のどちらかは子どもと姓が違うことになり、家族の一体感が損なわれる。
・旧姓が使える場面が増えているので、戸籍を変えなくても実質的な不利益は少なくなっている。

日本の人権問題

◆ ヘイトスピーチ解消に向けて

　特定の人種や民族などに対する暴力や差別をあおったり、おとしめたりする発言や表現を「**ヘイトスピーチ**」という。日本では、在日韓国・朝鮮人に向けて「出て行け」などと連呼する街頭活動が問題となり、最高裁が在日朝鮮人へのヘイトスピーチを人種差別だと認めた例もある（2014年）。

　「適法に居住する日本以外の国・地域の出身者やその子孫」を保護対象とするヘイトスピーチ解消法は、2016年に施行された。国に差別的言動の解消に取り組む責務を、地方自治体に努力義務を課す。ただ、日本国憲法が保障する表現の自由との兼ね合いから、ヘイトスピーチ自体を禁止する規定や罰則はない。川崎市では2020年、全国で初めてヘイトスピーチに刑事罰を定めた人権条例が施行された。

　近年はインターネット上での差別的な投稿や発言が後を絶たず、自治体レベルでの取り組みには限界がある。国による規制を求める声も上がっている。

◆ 先住民族アイヌ

▲アイヌ民族の伝統儀式の様子＝北海道函館市で2020年

　アイヌは北海道を中心に暮らしてきた先住民族だ。独自の豊かな文化を持つ。しかし、明治時代以降、政府が推進した開拓によって住む土地を追われ、アイヌ語の制限や文化・風俗の否定などの同化政策にさらされ、差別を受けてきた。

　アイヌ差別の根源とされた「北海道旧土人保護法」（1899年制定）は、約1世紀後のアイヌ文化振興法の施行（1997年）でようやく廃止された。2008年には国が先住民族と認め、**アイヌ施策推進法**（2019年施行）で法律にも「先住民族」と明記された。同法には文化振興のほか、産業や観光、地域の振興も盛り込まれた。しかし、アイヌが求める「先住権❶」は保障されておらず、伝統や文化の継承も危機的な状況が続いている。

◆ 少ない難民認定

　日本の難民認定を巡っては、難民の受け入れ数が少なすぎるとの批判がある。

　日本も加盟する**難民条約**は、人種や宗教、国籍、政治的意見などを理由に母国で迫害を受ける恐れがある人を難民としている。国連難民高等弁務官事務所は、内戦から逃れた人も対象とする。一方、日本は母国の政府などから個別に狙われている人を難民だとする独自の解釈をしているとされ、認定のハードルが高い。国連の委員会は国際基準に沿った対応をするよう勧告している。

　2022年には3772人が難民認定を申請、202人が難民と認められた。認定者は過去に例を見ないほどの多さだったが❷、他の主要7カ国（G7）と比べると圧倒的な少なさだ。また、審査手続きが不透明で、申請者にとって公平ではないとの指摘もある。

　在留資格のない外国人への対応についても課題が指摘される。失業などで在留資格を失ったり、難民認定を受けられなかったりして退去を命じられた外国人は原則、送還前に一時的に国（出入国在留管理庁）の収容施設（入管施設）に入っていた。しかし、日本に生活基盤がある、母国では身の危険があるなどの理由で帰国できない人の収容期限には定めがなく、複数年にわたる**長期収容**が常態化していた。収容先では職員による暴行事件や、収容された外国人が適切な医療を受けられず死亡する事件も相次いだ。

　出入国管理及び難民認定法（入管法）の改正（☞81ジ）の背景には、こうした問題がある。

❶**先住権**……先住民族が伝統的に所有・使用してきた土地、魚や森などの資源に対する権利や、政治的な自治権のこと。
❷ただし、2022年はアフガニスタンでイスラム主義組織タリバンが復権したことに伴い、現地の日本大使館で勤務していたアフガニスタン人職員らが多く含まれているという。

社会・環境

19 司法と人権保障

TOPICS

▶ 「袴田事件」再審始まる

▶ 刑法改正 性犯罪が厳罰化

▶ 刑事司法のあるべき姿は

▪ 再審請求 長期化なぜ

❶再審

確定した判決に重大な誤りがあった時などに、裁判をやり直す手続き。刑事、民事裁判それぞれで定められている。刑事裁判では、新証拠が見つかって有罪判決への疑いが生じた場合などに限って開かれる。無罪判決に対して検察が再審を求めることはできない。

❷袴田事件

静岡県で1966年、みそ製造会社の役員一家4人が殺害された事件。従業員だった袴田さんは強盗殺人などの容疑で逮捕され、過酷な取り調べの末に「自白」。裁判では無罪を主張したが、1980年に最高裁判所で死刑判決が確定した。その後、静岡地方裁判所が2014年、「袴田さん以外の人物による犯行の可能性がある」などと判断して再審開始を決定し、袴田さんは48年ぶりに釈放された。ただ、袴田さんは長期にわたる拘束の影響で精神が不安定になり、意思疎通が難しい状態にある。

刑事司法に誤りがあってはならない。万が一、無実の人が身体を拘束されたり、刑罰を科されたりすれば、それは重大な人権侵害だ。防ぐための仕組みはいくつも導入されており、**再審❶**制度もその一つだ。

再審を巡っては2023年、「袴田事件❷」で大きな動きがあった。袴田巖さん＝写真＝に死刑を言い渡した確定審で採用された証拠について、再審請求を審理していた東京高等裁判所は「捜査機関による捏造の可能性が極めて高い」と判断。再審開始の決定が3月に確定した。同年10月に再審公判が始まり、2024年夏以降に判決が言い渡されるとみられる。

袴田事件では、死刑確定から再審開始確定までに43年がかかった。死刑囚が再審無罪となった事件は過去に4例あるが、いずれも無罪判決までに約20～30年を要し、長期化する傾向がみられる。

その一因として、再審開始決定に対する検察の不服申し立てを認めている点がある。外国には検察による不服申し立てを認めない例があり、こうした制度を日本も導入すべきだ、との意見もある。また、再審の可否を判断するのに重要な、証拠開示に関する規定が法律で定められていないことも問題視されている。証拠を持つ検察だけでなく、裁判所も開示に消極的だ、とも指摘される。

無罪になった人への償いは？

警察・検察に逮捕されて身柄を拘束されたり、有罪判決を受けて刑務所に服役したりした人が、後に無罪になった場合、自由を奪われたことで生じた損害への補償を国に求めることができる。日本国憲法40条や**刑事補償法**に基づく制度で、拘束などが適法だったか違法だったかは問わない。最近では2020年、化学機械製造会社の社長ら3人が、生物兵器に転用可能な装置を不正輸出した容疑で逮捕、起訴され、翌2021年の初公判直前に起訴が取り消された事例で、社長らに補

償が支払われた。うち1人は勾留中に胃がんと診断され、勾留停止後に死亡したため、遺族に支払われた。

これとは別に、刑事手続きに違法な点があった場合は、**国家賠償法**に基づく損害賠償請求訴訟を起こすことができる。被害者が捜査機関などの責任を追及する目的で提訴するケースが多いが、訴えが認められるハードルは高い。先述の例では2023年、東京地裁が捜査の違法性を認め、社長らに1億円超の賠償を支払うよう国と東京都に命じた（双方が控訴）。

◼ 「同意のない性的行為は犯罪」

性犯罪の規定を見直した改正刑法が2023年7月、施行された。性的行為に際して相手の意思を確認する「**性的同意**」の重要性が明確化された。

性犯罪は相手に同意がない場合に成立する。従来の処罰規定もこうした発想に基づいて制度設計され、「暴行・脅迫を加える」や「身体的・心理的に抵抗するのが著しく難しい状態に乗じる」といった成立要件が設けられていた。しかし、この要件が抽象的なため捜査や公判の現場で判断がばらつき、処罰されるべき行為が処罰されていない、との批判があった。

被害者らは「同意がないこと」のみを要件にするよう求めていた。ただ、判断材料を性的行為時の被害者の内心に頼らざるを得ず、処罰範囲が際限なく広がる、との懸念も指摘された。

そこで改正法では、犯罪が成立し得る加害者の行為や被害者の状態を列挙し（☞**右下の表**）、行為時の状況や両者の関係性も踏まえて、被害者の同意の有無を見極めることにした。罪名も「**不同意性交等罪**」に改めた。

性犯罪を巡っては、2017年にも刑法が改正され、厳罰化された経緯がある。この時は▽罪名を「強姦罪（ごうかん）」から「強制性交等罪」に改め、女性に限っていた被害者の性別を問わなくする▽被害者による告訴を不要（非親告罪）にする▽法定刑の下限を引き上げる▽18歳未満の子に対する親などの性的行為を処罰する──といった内容が盛り込まれたものの、犯罪の成立要件見直しには至らなかった。

▲性暴力事件で無罪判決が相次いだことを受けて2019年以降、抗議や法改正を訴える「フラワーデモ」が各地に広がった＝長野県で2019年

▼性犯罪成立要件の見直し

改正前	改正後
加害者の手段	**加害者の手段、被害者の状態**
■相手の抵抗を著しく困難にさせる暴行・脅迫を加える	❶暴行・脅迫　❷心身の障害 ❸アルコール、薬物の摂取 ❹睡眠、意識不明瞭 ❺不同意のいとまがない ❻恐怖、驚愕（きょうがく） ❼虐待に起因する心理的反応 ❽経済的、社会的関係上の地位に基づく影響力による不利益の憂慮
被害者の状態	＋
■心神喪失（正常な判断能力を失っている状態） ■抗拒不能（身体的・心理的に抵抗するのが著しく困難な状態）	**被害者の意思** 同意しない意思を形成、表明、全うすることが困難

PLUS

保釈中の被告にＧＰＳ 国外逃亡防止目的で

保釈中の被告に、国外逃亡を防止する目的で全地球測位システム（ＧＰＳ）端末を装着できるようにする制度の導入が決まった。被告が飛行場や港湾施設などに立ち入ると、ＧＰＳが検知し裁判所を通じて検察官らに連絡される仕組み。2023年に改正された刑事訴訟法に盛り込まれた（2028年までに施行）。

保釈率は近年、上昇傾向にある。日本の刑事司法には以前から、事件を否認する被告らを長期間拘束する「人質司法」との批判があった。裁判所もかつては「証拠隠滅の恐れがある」と保釈をなかなか認めない傾向にあった。しかし、裁判員制度の導入などを機に、身柄拘束の必要性を吟味する姿勢が強まり、保釈をより認めるようになった。

ただ、保釈中の被告の逃亡が相次ぎ、日産自動車前会長のゴーン被告（会社法違反などで起訴）が中東レバノンへ逃亡するケースも起きた。従来のように保釈保証金を担保とするだけでは限界があると認識され、今般の新制度導入に至った。

違憲審査 国会や内閣をチェック

　裁判所の重要な役割の一つが、国会や内閣のチェックだ。具体的には、法律や行政機関の命令などが日本国憲法に反していないかどうかを判断する権限（**違憲審査権**）がある。「憲法は国の最高法規であり、これに違反する法律などは無効だ」（憲法98条）という原理に基づく。3審制のもと、最終的に判断する権限は最高裁判所にある。このため最高裁は「憲法の番人」とも呼ばれる❶。

　最高裁が法律の規定を違憲と判断したのは、これまでに12例（2023年末時点、☞104ﾍﾟ）。近年では▽生殖機能をなくす手術を戸籍上の性別変更の条件とする性同一性障害特例法の規定（☞81ﾍﾟ）▽最高裁裁判官の国民審査❷について、在外邦人の投票規定がない国民審査法──などの例がある。国民審査については2022年、公務員の選定・罷免権を保障した憲法15条に違反すると判断し、これを受けて国民審査法が改正された。

❶日本では、個々の裁判の中で具体的な紛争を解決するのに必要な範囲内に限って、違憲審査がなされる（**付随的違憲審査制**）。米国なども同様だ。これに対して、ドイツなどでは特別な裁判所（憲法裁判所）が、具体的な事件から離れて抽象的に「合憲か違憲か」を判断する（**抽象的違憲審査制**）。日本でも「憲法を改正し、憲法裁判所を設けるべきだ」との主張がある（☞17ﾍﾟ）。

❷**最高裁裁判官の国民審査**……最高裁裁判官（15人）が適任かどうかを国民が直接、投票によって審査する制度。憲法79条に基づく。各裁判官は任命後初の衆議院議員総選挙に合わせて審査を受ける。国内の有権者の場合、裁判官の氏名が印刷された投票用紙を受け取り、辞めさせたい裁判官に「×」をつける。「×」が有効票の半数を超えた裁判官は罷免されるが、これまでに罷免された例はない。

国民の司法参加

◆ 裁判員制度

　くじで選ばれた18歳以上の有権者が、地方裁判所の重大事件（殺人など）を審理する。原則として「裁判官3人、裁判員6人」が1組となって、「被告は有罪か無罪か」「有罪の場合、どの程度の量刑（刑の種類と重さ）が適切か」を決める。

　2009年の導入から15年ほどがたち、経験者からは「よい経験だった」などと肯定的な声が聞かれる半面、課題もある。その一つが辞退率の高さだ。近年は60％台で高止まりし、2022年は67.4％だった。候補者になると辞退できないのが原則だが、70歳以上の人や学生、重い病気やけが、親族の介護や育児などを理由に辞退が認められる。また、裁判員は非公開の評議で見聞きしたことを漏らしてはならない。この守秘義務は生涯ついてまわり、違反すれば刑罰が科される点が重い負担になっているとの指摘もある。

◆ 検察審査会制度

　くじで選ばれた18歳以上の有権者（11人）が、検察官の不起訴処分の適否を審査する。1948年に始まり、検察審査会は全国の地裁（支部を含む）に置かれている。

　2009年には**強制起訴**制度が導入された。検察官が不起訴処分にした容疑者について、審査会が「起訴相当」と議決した後、検察官が再び不起訴にしても、「起訴すべきだ」と再度判断（起訴議決）すれば必ず起訴される。起訴と犯罪の立証は検察官役の指定弁護士が担当する。「強制起訴により公開の法廷で審理される点に意義がある」との意見がある一方、強制起訴された被告が無罪となる例も相次いでいる。

▲裁判員候補者名簿に登録された人に送られる書類。裁判員は名簿の中から事件ごとにくじで選ばれる

▼強制起訴までの流れ

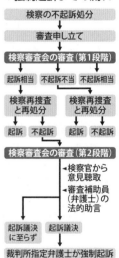

```
検察の不起訴処分
　　↓
審査申し立て
　　↓
検察審査会の審査（第1段階）
起訴相当／不起訴不当／不起訴相当

検察再捜査と再処分　　検察再捜査と再処分
起訴／不起訴　　　　　起訴／不起訴
　　↓
検察審査会の審査（第2段階）
◀検察官から意見聴取
◀審査補助員（弁護士）の法的助言

起訴議決に至らず　　起訴議決
　　　　　　　　　　　↓
裁判所指定弁護士が強制起訴
```

※公判でも指定弁護士が検察官役を務める

少年法　18、19歳は扱い厳しく

少年法は、罪を犯すなどした少年（20歳未満の男女）を対象に、健全な育成や更生を目指す法律だ。少年は未成熟で立ち直る可能性が高いため、刑罰よりも保護処分（保護観察や少年院送致）による支援を重視している。

警察・検察は、罪を犯した疑いのある少年を全員、家庭裁判所に送る（**全件送致主義**）。家裁は少年の生い立ちや事件の背景などを調べ、多くの場合は少年審判によって保護処分とする。刑罰を科すべきだと判断すれば検察官に送り返し（**逆送**）、刑事裁判にかける。16歳以上の少年が故意に人を死亡させた事件（殺人など）を起こした場合は、原則として逆送する。

2022年には改正少年法が施行された❶。これにより、18、19歳の少年は**特定少年**と位置づけられ、18歳未満よりも厳しく扱われることになった。主な変更点は▽**原則逆送の対象事件が拡大**され、放火や強盗なども加わった▽起訴時点で**実名報道が解禁**されるようになった（☞下の「論点」）──の2点だ。

▼ 少年事件の主な流れ

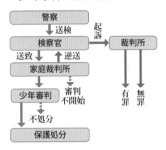

❶少年法改正の背景には、選挙権年齢や成人年齢の引き下げなどがある。

社会・環境

論点　18、19歳の実名報道に賛成？ 反対？

●賛成だ
・公開の法廷で裁判を受けるのだから、実名報道を規制する意味がない。
・18、19歳は民法上、成人だ。それ相応の責任を負うべきなので、18歳未満と区別するのは妥当だ。

●反対だ
・少年は立ち直った後、再び社会の一員として暮らしていく。実名が報じられると、その障害になる。
・民法上は成人だとしても、少年法の対象年齢である限りは、少年法の理念に沿った扱いをすべきだ。

PLUS

取り調べの課題　解消いかに

日本の刑事司法は長らく「自白偏重」「密室での取り調べが『冤罪の温床』になっている」などと問題視されてきた。2010年には大阪地方検察庁特別捜査部による証拠改ざん事件（厚生労働省元局長の無罪が確定）が発覚し、批判が高まった。

そこで刑事司法改革の柱として、取り調べの「**全面可視化**」が警察・検察に義務づけられた（2019年）。裁判員裁判の対象事件と、検察の独自捜査事件を対象に、取り調べの一部始終を録音・録画する。容疑者が暴行や脅迫を受けることなく自分の意思で供述したか（自白の任意性）を、法廷などでチェックできるようにする狙いがある。

可視化に先立つ2018年には**司法取引**（合意制度）が始まった。容疑者や被告が他人の犯罪を明らかにすると、その見返りに検察官が起訴を見送ったり求刑を軽くしたりできる。対象は贈収賄や詐欺など。「可視化の義務づけで、取り調べによる事件解明が困難になる」との懸念を踏まえて導入された。

ただ、課題も指摘される。例えば可視化について、対象は刑事事件全体の3％程度にとどまり、逮捕や勾留を伴わない任意捜査の段階も対象外だ。日本弁護士連合会などは「全事件を対象にすべきだ」と主張している。欧米では多くの国で採用されている「取り調べへの弁護士の立ち会い」も、日本では法制化されていない。

▶ 司法取引のイメージ

組織の上層部などの犯罪を明らかに

協議・合意

弁護士　容疑者・被告など　検察

不起訴や求刑の軽減など

組織犯罪の上層部など

捜査・摘発

20 情報社会に生きる

TOPICS

▶ 規制どこまで ＡＩ活用の行方

▶ プライバシー保護求められるネット広告

▶ ＡＩが作る「ディープフェイク」の脅威

■ チャットＧＰＴが世界を席巻

ここ数年で、**人工知能**（ＡＩ、☞90㌻）に関するニュースを見聞きする機会が格段に増えた。とりわけ、**生成ＡＩ**が世界を席巻している。

生成ＡＩは、大量のデータ（文章や画像）を読み込んで学習し、それを基に人間の指示を受けて文章や画像を出力する。火付け役となったのが、米新興企業・オープンＡＩが2022年11月に公開した**チャットＧＰＴ**だ。文字を入力すると、人間のような自然な受け答えができる。業務の効率化などが期待できるとして、企業や地方自治体などで活用する動きが広がる。一方、「事実と異なる答えを示す場合がある」「個人情報が漏えいする恐れがある」といった問題点も指摘される。

ＡＩに対しては国・地域によって、規制強化を重視する立場と、活用を推進する立場がある。

規制強化で先行するのが欧州連合（ＥＵ）だ。ＥＵは2023年12月、世界初となる包括的なＡＩ規制法の最終案を決めた。ＡＩの利用をリスクごとに分類し、それに応じて企業や開発者にルールを課す❶。2026年にも導入される見通しだ。

米国では2023年10月、バイデン大統領がＡＩ規制に関する初の大統領令に署名した❷。ＡＩ開発をリードする米国はもともと規制に慎重だったが、化学兵器開発などへの悪用を防ぎつつ、民生分野での活用を後押しする狙いから、ＥＵよりは緩い規制をかけることにした。

一方、日本は活用に積極的な立場で、強制力のある規制には踏み込まず、開発・活用に向けたガイドライン（指針）の策定にとどめる方針だ。従来は省庁別だった指針を統合して作り直す。2023年末に指針案を発表し❸、2024年3月までの正式決定を目指している。

また、国際ルールとしては主要7カ国（Ｇ7）が2023年、生成ＡＩでは世界初となる包括ルールをまとめた❹。

▼チャットＧＰＴの仕組みと使用イメージ

GPTは「単語を予測」

回答

今日 の 天気 は

GPT

晴れ	曇り	雨
40%	30	20

明るい	暗い
10	5

マッチ度が高いのは…

次にくる単語を高精度で予測。まるで人間と会話しているように、自然な文章を作成する

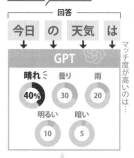

③ おいしい卵焼きの作り方を教えてくれるかな

もちろんです！おいしい卵焼きの作り方は以下の通りです

【材料】
卵　2個
砂糖　小さじ1
しょうゆ　小さじ1/2
みりん　小さじ1/2
水　大さじ2
油　適量

【作り方】
1.ボウルに卵を割り……

レシピも教えちゃうよ！

GPT

❶例えば、最も厳しい「許容できないリスク」に分類した事柄へのＡＩの利用は禁止とする。交通違反などの行動データをＡＩで分析し、市民を「スコアリング（格付け）」することや、人間の行動を操作するようなＡＩシステムを作ることなどが該当する。

❷開発企業に対して重要情報を政府に事前に通知するよう義務づける一方、保健や気候変動分野などでの活用への助成を拡大する、といった内容が盛り込まれた。

❸「人間中心」「安全性」「透明性」など10の原則を掲げ、プライバシー保護や偽情報対策などを事業者に求める内容だ。

❹日本が主導した枠組み「**広島ＡＩプロセス**」の下で議論を重ねた。

▪ 曲がり角のネット広告

インターネットはいまや、日常生活に不可欠なほど普及している。ネット広告の存在感もますます高まり、日本ではネットの広告費が「マスコミ4媒体」（新聞、テレビ、雑誌、ラジオ）の合計額を上回っている。

ネット広告では従来、**ターゲティング**(追跡型)**広告**が広く利用されてきた。年齢や性別などからネット利用者の興味や好みを分析し、それぞれに応じた広告を表示するものだ。多くの場合、利用者の閲覧履歴などを追う**クッキー❶**を使う。しかし近年、サイトの閲覧状況というパーソナルなデータを第三者が追跡できることに対して、個人情報保護の観点から問題視する声が高まり、**サードパーティークッキー**（３Ｃ）を規制する流れが世界的にできつつある（☞下の「２級Check」）。

▼クッキーの仕組み

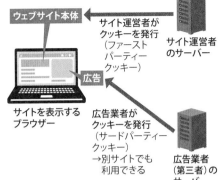

ウェブサイト本体

サイトを表示するブラウザー

サイト運営者がクッキーを発行（ファーストパーティークッキー）

サイト運営者のサーバー

広告

広告業者がクッキーを発行（サードパーティークッキー）→別サイトでも利用できる

広告業者（第三者）のサーバー

❶クッキー（Cookie）

ネット利用者がウェブサイトを訪問すると、サーバーから利用者のブラウザーに発行されるデータ。以前入力したＩＤやパスワードが自動的に表示されたり、ネット通販サイトで購入した商品の記録が残っていたりするのは、クッキーがあるためだ。

クッキーはサイトの運営者だけでなく、そこに広告を掲載する広告業者などの第三者も発行できる。前者の「ファーストパーティークッキー」に対して、後者は「サードパーティークッキー」と呼ばれる。

クッキー規制　対応迫られるＩＴ大手

クッキー規制の端緒になったのがＥＵだ。2018年施行の一般データ保護規則（ＧＤＰＲ、☞133ページ）で、クッキーが個人情報とみなされ、事業者が使う場合にはサイト利用者の同意を事前に得るよう義務づけられた。日本でも2023年6月施行の改正電気通信事業法で規制された。ただし内容はＧＤＰＲよりも緩く、事業者が利用者情報を第三者に送信する際、その旨を通知または公表するよう義務づけるにとどまった。

規制のあおりで、米ＩＴ大手は対応を迫られている。アップルは2020年、「iPhone（アイフォーン）」の標準ブラウザー「Safari（サファリ）」で、３Ｃの使用を禁止。グーグルも2024年末までに廃止する方針で、ターゲティング広告の配信が困難になる可能性がある。特に打撃を受けているのが、利用者の個人情報を収集し、ターゲティング広告を事業の柱とするメタ（フェイスブックなどを運営）だ。さらにＥＵのデータ保護当局は2023年11月、メタに対して、ターゲティング広告自体を禁止すると発表した。

論点　**ＡＩによる著作物の学習　規制すべきか？　自由を認めるべきか？**

生成ＡＩに対する懸念には、**著作権**の問題もある。生成ＡＩが出力したものが、学習する際に読み込んだデータに似ている場合があり、元の文章や画像の作者の著作権を侵害する可能性が指摘されている。米国では、クリエーターや新聞社が訴訟を起こした例もある。

国内では、ＡＩに学習させる目的で著作物を利用することは原則、著作権者の許諾なしにできると著作権法で定められている。政府は著作権侵害に当たる例を明示して、野放図な学習に歯止めをかける方針だが、イノベーション（技術革新）の促進を重視する立場もある。

● **無断で学習しないよう規制すべきだ**

・著作物はクリエーターが多大な時間や労力をかけて作り出した作品だ。利用するなら著作権者の許諾を得て、正当な対価を支払うべきで、「フリーライド（ただ乗り）」は許されない。

・生成ＡＩによって著作権者の利益が不当に侵害されれば、クリエーターを志す人が減りかねない。文化芸術を発展させるためにも、一定の規制が必要だ。

● **規制せず自由な利用を認めるべきだ**

・「アイデア出し」などで生成ＡＩを創作活動に取り入れるクリエーターもいる。うまく使えば文化芸術の発展に資する可能性を秘めており、規制をかける必要はない。

・既存の作品を参考に新たなものを生み出す営みは、人間が昔からやってきたことだ。生成ＡＩはそのための道具であって、規制をかけることは創作活動自体を制限することにつながり、不適切だ。

ＡＩの過去・現在・未来

現在、そして今後の情報社会において重要な役割を果たす技術の一つが**人工知能（ＡＩ）**だ。厳密な定義はないが、「人間のような認識や判断、知的な作業をコンピューターにさせる技術」という意味で使われることが多い。

ＡＩの研究は20世紀半ばからなされ、しばしばブームも起きたが、実用化は進まなかった。性能が飛躍的に向上したのは、2010年代に入ってからだ。大量のデータを読み込んでコンピューター自らが共通するパターンを見つけ出し、理解を深めていく**深層学習（ディープラーニング）**と呼ばれる技術が貢献している。例えば何十種類もの動物の写真を大量にインプットすると、自力で試行錯誤を繰り返し、動物を種類ごとに区別できるようになる。

ＡＩは、その機能や役割によって「特化型」と「汎用型」に分けられる。現在実用化されているＡＩは基本的に特化型で、将棋、自動運転、天気予報など、それぞれの得意分野では人間顔負けの能力を発揮するが、それ以外のことはできない。これに対して、人間のようにあらゆる作業をこなし、学習・経験したことのない状況にも自律的に対応するのが**汎用ＡＩ**だ。米オープンＡＩやグーグルなど各社が実現に向けて開発を競っている。

ＡＩは今後、ますます社会に浸透していくと見込まれる。私たちは**右の表**のような課題を意識しながら、ＡＩとの付き合い方を考える必要がある❶。

❶ＡＩを巡っては、**シンギュラリティー**の到来を巡る議論もある。ＡＩが人間の知能を超える「技術的特異点」のことで、2045年ごろに達するとの見方もある。

▼ＡＩ開発の歴史

1950～60年代（第1次ブーム）
迷路やパズルを解く → コンピューターの性能に限界

80年代（第2次ブーム）
ルール化した専門家の知識に基づき判断する → 明文化できないルールには対応不可

2000年代以降（第3次ブーム）
膨大なデータから規則性や特徴を自ら学ぶ → 画像や音声を認識する精度が高まる

▼ＡＩに関する論点・課題

公平性	学習データに偏りがあると、導き出す結論にも偏りが生じる
透明性	結論を導く過程が複雑過ぎて、人間に理解・説明できない
プライバシー侵害	顔認証技術を搭載した防犯カメラを通して市民を常時監視する▽健康情報や犯罪歴によって個人をスコアリングする（☞88ジ❶）▽生成ＡＩに入力した個人情報が、赤の他人に対して出力される──などの形でプライバシーが脅かされる
偽情報の拡散	ディープフェイク（☞下の囲み）が生成され、政治や社会の動向に影響を与えかねない
犯罪への悪用	システムの脆弱性の解析や、マルウエア（悪意のあるソフト）の作成など、サイバー攻撃に用いられる
兵器開発	人間の判断を介さずに攻撃する自律型致死兵器システム（ＬＡＷＳ、☞136ジ）が開発される

PLUS

偽情報を見抜くために

インターネット上にある情報は玉石混交だ。最近は**ディープフェイク**❷も新たな課題として指摘されている。

真偽を見抜くには、情報に接した際に▽誰がいつ発信したのか（公的機関か個人か／新しいか古いか）▽発信者が直接見聞きしたことか、人づてで得た情報か──などに留意する必要がある。報道機関や民間団体による**ファクトチェック**❸の結果を参照するのも有効だ。

誤った情報は往々にして、事実よりも刺激的で興味関心を引きやすく、（悪意の有無にかかわらず）人から人へ拡散される。「知らぬ間に偽情報の拡散に加担していた」ということのないよう、情報を共有・拡散する前に立ち止まる慎重さが求められる。

❷**ディープフェイク**……ＡＩで作られた、本物と見分けがつきにくい偽の動画・音声や、その技術のこと。政治家の偽動画（本人は発言していないのに、あたかもその人が言ったかのように見せかけている動画）が拡散した例が報告されている。
❸**ファクトチェック**……世の中に出回っている情報が事実かどうか客観的に検証する活動。

Fact Check　正確
Fact Check　ミスリード
Fact Check　不正確
Fact Check　誤り

▲毎日新聞がファクトチェック記事につけている判定のイラストの例

情報社会と人権

ネットやＡＩが支える情報社会では、多種多様な人権が議論の俎上に載っている。既存の人権の概念が広がったり、新たな権利が主張されたりしている。

◆ 表現の自由

ネットでは誰もが、いつでもどこでも、自分の意見を全世界に発信できる。情報発信者としての地位をマスメディアがほぼ独占してきた伝統的な言論空間と比べれば、ネットではより先鋭的に、**表現の自由**が実現されているとも考えられる。

その半面、ネットでは**誹謗中傷**が後を絶たない。ＳＮＳ（ネット交流サービス）に中傷のコメントが殺到し、苦しんだ末に亡くなる例もある。

政府は対策として▽中傷被害者が裁判手続きを通して匿名投稿者を特定する際に、従来よりも簡単な手続きでできるようにする（改正プロバイダー責任制限法に基づき2022年に制度変更、☞104㌻）▽人の社会的評価を公然と損なう行為に対する「侮辱罪」の法定刑を引き上げて厳罰化する（改正刑法が2022年に施行）──などの措置を取っている。

誹謗中傷が許されないのは無論だが、表現の自由が過度に制約されていないかにも留意する必要がある。両者の調和をどう図るかが、私たちの社会の課題だと言える。

◆ プライバシー権

プライバシー権は従来、「私生活をみだりに公開されない権利」と理解されてきた。しかし近年は、「自分に関する情報の扱いを自ら決める権利」（**自己情報コントロール権**）とみなす考え方が広がりつつある。

変化の背景にあるのが**ビッグデータ**の活用だ。ネット利用者の属性（年齢や性別など）や、閲覧履歴などの行動記録といった、膨大な量の情報を指す。収集・分析してターゲティング広告（☞89㌻）の出稿などマーケティングに利用することで、企業は巨額の利益を得ている。こうした情報が利用者自身の関知しないところで流通していることが問題視され、プライバシー権の概念がより広く捉え直されるようになってきた。

◆ 忘れられる権利

情報がひとたびネットに載ると、瞬く間に世界中に拡散し、完全に消し去ることは極めて困難だ。犯罪歴や、何気なく投稿した「悪ふざけ」の動画など、その人にとって不都合な情報も残り続け、就職などの妨げになり得る。こうしたさまは消すことができない入れ墨（タトゥー）になぞらえて**デジタルタトゥー**と呼ばれる。

そこで近年、検索サイトなどに残る個人情報の削除などを求める「**忘れられる権利**」が主張されるようになってきた。欧州連合（ＥＵ）では法的権利として認められている一方、日本では明確な権利として裁判で認められた例はない。

社会・環境

POINT

中傷を増幅するネット空間の特質

ネットで中傷投稿をする人は、自身と考えの違う人を全否定し、自分なりの「正義」を唱えるケースが目立つとされる。なぜだろうか。

一般に、ＳＮＳ上の交流では考えの似た人々が集まりやすい。このため世の中は自分と同じ意見ばかりだ、自分こそが正義だという錯覚が強まりかねない。**エコーチェンバー**と呼ばれる現象だ。一方、ネットの検索サイトでは利用者の閲覧履歴などを基に好まれそうな情報が優先表示される。このため自分好みの情報ばかりに囲まれ、異質な情報から遮断される。**フィルターバブル**という現象で、エコーチェンバーに拍車をかける要因とされる。

▼フィルターバブルのイメージ

●●反対
●●ちがう
●●やめて

●Aさん ●●そう思う
●Bさん ●●賛成!!
●Cさん ●●いいね!

みんな●●に賛成なのね

21 いのちと科学を考える

◼ 節目迎えた新型コロナ対策

▲400年近い歴史を持つ伝統行事「長崎くんち」。コロナ禍で中止になり、4年ぶりの催しは大勢の観客でにぎわった＝長崎市で2023年

❶ワクチン接種は2024年4月から、重症化リスクが高い人（65歳以上の高齢者など）を対象に、原則として費用を一部自己負担とする「定期接種」になる。定期接種の対象外の人は、全額自己負担となる「任意接種」で受けられる。

世界中で多くの死者、感染者を出し、社会や経済にも甚大な影響を及ぼした**新型コロナウイルス感染症**（☞136㌻）。流行開始から3年あまりがたった2023年5月、国内の新型コロナ対策は大きな節目を迎えた。感染症法上の分類が、厳しい感染対策ができる「2類相当」から、季節性インフルエンザと同じ「**5類**」に変更された。ワクチン接種が進み、重症化率や死亡率が流行初期と比べて大幅に下がったことが主な要因だ。

5類への移行によって、例えば**緊急事態宣言**を出せなくなり、私権制限を伴う措置（感染者の隔離や外出自粛要請、飲食店への休業要請など）をとれなくなった。また、感染状況を把握・公表する方法も「**全数把握**」（報告があった全ての感染者数を毎日発表）から「**定点把握**」（全国約5000の医療機関から情報を集めて週1回発表し、増減の傾向をみる）に改められた。さらに、無料だった医療費は自己負担が生じるようになり、ワクチン接種費用も有料化が決まった❶。

ただ、ウイルスは**変異**を重ね、感染者は出続けている。高齢者や持病のある人にとっては重症化のリスクが高く、後遺症に苦しむ人もいる。今後、新たな感染症が流行する可能性もある。新型コロナ対応では、希望者が検査や治療を受けられないなどの課題に直面した。次の**パンデミック**（世界的大流行）に備えて、教訓を生かすことが求められる。

POINT

ワクチン 迅速開発のカギはmRNA

新型コロナワクチンの多くは**メッセンジャー（m）RNAワクチン**というタイプだ。mRNAという遺伝物質を利用し、開発期間の短さが特徴の一つだ。

生ワクチンや不活化ワクチンといった従来のタイプ（☞94㌻）は「開発に10年程度かかる」とも言われる。これに対してmRNAワクチンは、ウイルスの**ゲノム**（全遺伝情報）が解読されていれば人工的に作ることが比較的容易で、素早い実用化が期待できる。mRNAを医薬品として活用するための基礎研究が進んでいたこともあり、新型コロナワクチンは、ウイルスが確認されてから1年ほどで実用化された。ウイルスが変異しても、ゲノムが解読できていれば対応できる。

mRNAは体内に入ると、拒絶反応を引き起こす。それを解決する研究に貢献した米国の研究者2人は、2023年のノーベル生理学・医学賞を受賞した。

▼mRNAワクチンの仕組み

ワクチン　接種

❶体内でスパイクたんぱく質が作り出される

❷免疫細胞はこれを異物と認識し、抗体を作る

スパイクたんぱく質の設計図となる
メッセンジャーRNA（mRNA）
※ワクチンでは人工的に合成

新型コロナウイルス
RNA
スパイクたんぱく質

■ 新薬承認 アルツハイマー病

認知症（☞右下の囲み）の原因の６〜７割を占める**アルツハイマー病**。脳に有害なたんぱく質がたまることで、神経細胞の死滅などを引き起こすとされる。アルツハイマー病の新しい治療薬の製造・販売が2023年９月、国内で初めて承認された。同年12月からは公的医療保険の適用対象となった。

承認されたのは、日米の製薬会社が共同開発した「レカネマブ（商品名レケンビ）」だ。有害なたんぱく質の一種「アミロイドベータ（Aβ）」に直接働きかけて取り除く。病気の進行を遅らせる効果が期待されるが、壊れた神経細胞は修復できないので根治薬ではない。また、製薬会社の臨床試験（治験）では、投与した患者の一部で脳の小さな出血やむくみなどの副作用が確認された。

投与の対象は、Aβの蓄積が確認されているアルツハイマー病患者のうち、認知症の症状が軽度の人と、その予備軍である軽度認知障害（MCI）の人だ。既に症状が進行した患者は対象から外れる。高額医薬品であるため、使われ方次第では医療保険財政を圧迫する可能性もある。

▼ **アミロイドベータ蓄積とアルツハイマー病発症の関係**

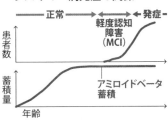

▼ **レカネマブの作用の仕組み**

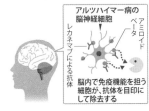

アルツハイマー病の脳神経細胞／アミロイドベータ／レカネマブによる抗体／脳内で免疫機能を担う細胞が、抗体を目印にして除去する

❶認知症を巡ってはさまざまな課題が指摘されている。

例えば、認知症の恐れがある人が関わる交通事故が相次いでおり、高齢ドライバーに対する認知機能検査が強化された。運転免許の自主返納制度も導入されているが、返納後の移動手段の確保策も合わせて求められる。

また、発症すると財産管理が難しくなり、本人名義の銀行口座からの預金引き出しが、本人や家族であってもできなくなる場合もある。資産を家族に委ねる「家族信託」や、本人に代わって家族などが法律行為をする「成年後見制度」の利用促進がポイントとなる。

患者の介護を家族で抱え込むケースもあり、本人や家族が地域から孤立しないような方策が必要だ。

WORD

認知症

正確には病気の名前ではなく、何らかの原因で脳の神経細胞が壊れ、認知機能（記憶や判断などの脳の働き）が低下して日常生活に支障をきたす状態を指す。アルツハイマー病を原因とするもののほか、血管性認知症やレビー小体型認知症などがある（☞104㌻）。患者数は高齢化とともに増えており、2020年には高齢者の６人に１人にあたる約600万人に達したと推計される。2025年には約700万人に増えると予測されている。

2023年６月には**認知症基本法**が成立した。認知症の当事者や家族の意見を反映して政策を充実させ、本人が尊厳を保って希望を持ちながら暮らせる社会の実現を目指す狙いがある❶。

PLUS

がん「予防」と「共生」を目指す

日本人の死因で最も多いのは**がん**で、1981年から１位だ。４人に１人ががんで亡くなり、２人に１人が生涯のうちにかかる「国民病」と言える。原因はさまざまだが、主に生活習慣や感染症が挙げられる。

例えば、日本人のがん死亡の２〜３割は喫煙が原因とされる。たばこの煙には発がん物質などが含まれ、非喫煙者も煙にさらされる（**受動喫煙**）だけで健康に悪影響がある。このため対策として「飲食店や職場では原則屋内禁煙」などと健康増進法で定められている。

政府はがん対策の基本方針として「がん対策推進基本計画」を策定している。2023年３月にまとめた第４期計画では「誰一人取り残さない」を全体目標に、予防や治療の充実のほか、就労支援を含む「がんとの共生」を掲げている。

がんは早期の発見、治療で死亡率が下げられる。このため定期的な**検診**が予防に有効だ。日本では、主要ながん検診の受診率が50％程度にとどまっており、第４期計画には60％に引き上げる目標が盛り込まれた。

▼ **日本人の死因の割合**

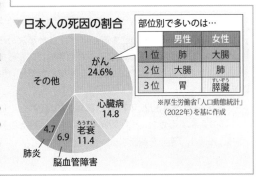

がん 24.6%／心臓病 14.8／老衰 11.4／脳血管障害 6.9／肺炎 4.7／その他

部位別で多いのは…

	男性	女性
1位	肺	大腸
2位	大腸	肺
3位	胃	膵臓

※厚生労働省「人口動態統計」（2022年）を基に作成

ワクチン　感染症対策の中核

　一般的な医薬品は、病気になった後で患者に投与し、治療する。これに対して、病気にかかる前に接種して、細菌やウイルスに抵抗できる免疫をあらかじめつけておくための医薬品が**ワクチン**だ。18世紀末に英国の医師・ジェンナーが天然痘予防の手法を生み出したのが先駆けとされ、現代の感染症対策の中核を担う。

　ワクチンを接種すると、**抗体**（病原体と結合し、体内から除去するよう働くたんぱく質）が体内に増え、感染や重症化を防ぐ免疫がつく。ある集団の中で一定割合の人が免疫を持つと、他の人にうつしにくくなる効果（集団免疫、☞104ジ）も期待される。

　ワクチンの種類には、ウイルスなどを培養して毒性を弱めた「生ワクチン」、無毒化した「不活化ワクチン」などがある。近年はウイルスのたんぱく質の遺伝情報を利用するタイプも登場しており、新型コロナワクチンで実用化された「メッセンジャー（m）RNAワクチン」（☞92ジ）もその一種だ。

◆ 国内の予防接種は「努力義務」

　国内では結核、麻疹（はしか）、子宮頸がんなど特定の疾患のワクチンが、予防接種法で「**定期接種**」の対象に指定されており、大半は無料で接種が受けられる。かつては接種を受ける義務が国民に課せられていたが、副反応による健康被害が社会問題化し、1994年から努力義務に緩和された。健康被害には国が医療費などを補償する救済制度がある。

　それ以外のワクチンは「任意接種」の扱いで、海外渡航時に国が接種を勧めているものもある。

PLUS

ゲノム編集技術　貧血治療に

　狙った遺伝子を正確に改変できる**ゲノム編集**（☞105ジ）の応用が、さまざまな分野で進んでいる。農林水産物の品種改良では、数世代にわたり交配や繁殖を繰り返す従来の手法に比べ、短期間での開発が可能になった。偶然性に頼る遺伝子組み換えより精度も高い。国内では2021年以降、血圧の上昇を抑える成分を多く含むようにしたトマトなどが流通している。

　医療への応用は倫理的な問題から、慎重に進められている。ヒトの受精卵にゲノム編集を施せば、親が好む外見や能力を持つ「デザイナーベビー」の誕生につながりかねない。国内でも、遺伝子改変した受精卵を母胎に戻すことは認められていない。

　初めて医療で実用化されたのは、重い貧血症患者に対する治療法だ。赤血球のもとになる細胞を患者から採取し、ゲノム編集技術で遺伝子改変する治療法が2023年、英国と米国で相次いで承認された。

論点　緊急避妊薬の市販化に賛成？　反対？

　望まない妊娠を防ぐため、性交後に服用する**緊急避妊薬**（アフターピル）。医師の処方箋なしで薬局で購入できる「市販化」を求める声が高まっている。

　緊急避妊薬を性交後72時間以内に服用すると、妊娠を高い確率で回避できる。国内では原則、医師の診察を受けて処方箋で購入しなければならない。市販化について、産婦人科医らでつくる団体などは慎重姿勢をとってきた。一方、欧米では薬局で購入できるのが一般的だ。「いつ妊娠・出産するかは女性自身が決められるべきだ」との考え方（☞95ジ）が世界的に広がっていることも背景に、国内での市販化を望む意見は以前からあった。

　厚生労働省は2023年11月、試験的な販売を全国145の薬局で始めた。試験販売を行う中で課題を整理し、市販化の是非を判断する。

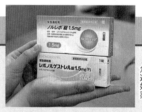

国内で承認されている2種類の緊急避妊薬

●賛成だ

・休日や夜間に対応していない医療機関も多い。必要なときになるべく早く服用できるようにすべきだ。

・医療機関の受診は心理的なハードルが高い。望まない妊娠の恐れは誰にでも生じ得るので、アクセスしやすい仕組みを整える必要がある。

●反対だ

・性暴力の被害を受けた女性が加害男性に服用を強いられるなど、悪用される懸念もある。

・完全に避妊できるわけではなく、副作用が生じる場合もある。服用後は医師による経過観察が必要だが、市販化すれば十分なケアができない。

キーワードで考える「いのち」

◆ 不妊治療

晩婚化などを背景に**不妊治療**が広がっている。日本産科婦人科学会（日産婦）によると、2021年の体外受精の実施件数は約50万件だった。また、同年に体外受精で生まれた子どもの数は7万人近くで、年間出生数の11人に1人に相当する計算だ。

不妊治療の方法は、一般不妊治療（タイミング法、人工授精など）と生殖補助医療（体外受精、顕微授精など）に大別される。2022年には、体外受精なども公的医療保険の適用になった。

▼ 不妊治療の例

人工授精
採取した精子を排卵時に子宮内に注入する

体外受精
シャーレ（皿）内で卵子と精子を受精させる

顕微授精
顕微鏡を見ながら、針のようなガラス管で精子を卵子に注入

◆ 出自を知る権利

体外受精などで第三者の精子や卵子を使って出産した場合、親子関係や「出自を知る権利」が問題になることがある。

民法の特例法（生殖補助医療法、2021年施行）では▽女性が第三者の卵子で出産した場合、産んだ女性を母とする▽妻が夫の同意を得て第三者の精子で妊娠した場合、夫は父であることを認めなければならない――と規定されている。ただ、生まれた子どもが遺伝上の親（精子や卵子の提供者）を知る「出自を知る権利」に関する規定は盛り込まれなかった。代理出産の是非についても先送りされた❶。

◆ 新型出生前診断（NIPT）

高齢出産の増加などを背景に、胎児の染色体異常を調べる**新型出生前診断（NIPT）**も広がっている。妊婦の血液に含まれる胎児のDNAを調べ、ダウン症などの原因になる3種類の染色体異常を推定する。腹部に注射針を刺す羊水検査と比べて流産のリスクが低く、出生前から病気や障害に備えるのに役立つ。だが異常が確定した場合（確定診断には羊水検査などを要する）、約9割が人工妊娠中絶したというデータもあり、「命の選別」につながるとの指摘もある。

NIPTを巡っては、国も関与する日本医学会の組織が、一定の基準を満たす医療機関を認証する仕組みがある。しかし、手軽さを売りに検査を行う美容皮膚科などの無認証施設も多いのが実態だ。2022年からは、これまで「主に35歳以上」とされてきた年齢制限がなくなり、市町村で妊婦に母子健康手帳を交付する際、保健師などがチラシを用いて検査について情報提供するようになった。

❶第三者の女性に妊娠・出産してもらう**代理出産**について、国内法に規定はなく、日産婦が指針で禁じているにとどまる。

2級 Check

じわり広がる「リプロダクティブ権」への理解

性や生殖に関することを自由に決定でき、そのための情報と手段を得ることができる権利を**リプロダクティブ権**という❷。特に女性は妊娠・出産の可能性があり、子どもの数や出産時期などを自己決定できることが重要だ、という認識が世界的に広がりつつある。

この概念は1994年、エジプト・カイロで開かれた国際人口開発会議で提唱された。翌1995年の第4回世界女性会議で採択された「北京宣言」には、「女性のリプロダクティブヘルスの促進」が盛り込まれた。背景には、妊娠や避妊、中絶が本人の意思を尊重しないまま行われていることに対する問題意識がある。

国内では、旧優生保護法❸を巡る問題でリプロダクティブ権が注目された。旧法下で不妊手術を強制されたとして障害者らが起こした国家賠償請求訴訟で仙台地方裁判所は、日本国憲法に明記されていなくても憲法13条（幸福追求権）に基づく権利に当たる、との初の司法判断を示した（2019年）。

ただ、同判決は「国内ではリプロダクティブ権について議論の蓄積が少ない」とも言及。性教育や性暴力への対応は遅れているとの指摘もある。一方、人工妊娠中絶や同性愛に反対する立場から、リプロダクティブ権に慎重姿勢を示す意見も国内外で根強い。

❷セクシュアル・リプロダクティブ・ヘルス／ライツ（性と生殖に関する健康と権利）と表記することもある。
❸旧優生保護法……「不良な子孫の出生防止」を目的に、障害者らへの不妊手術や人工妊娠中絶を認めた法律。1948年に制定され、1996年に廃止された（旧法に代わり母体保護法が制定された）。

22 災害と日本

TOPICS

▶ 豪雨、噴火、地震…被害を減らす取り組みは

▶ 過去の大震災から得られるものは

▶ 原発処理水放出開始 廃炉に向けて

■ 「災害大国」日本の備え

❶線状降水帯
積乱雲が次々と発生して長さ50〜300㌔程度の帯状に並び、同じ場所で数時間にわたり強い雨を降らせる現象。

▶富士山噴火の避難対象エリアと想定される現象

① 富士山
山梨県
神奈川県
相模湾
静岡県
駿河湾
東海道新幹線

■ 火口が生じる可能性がある
■ 火砕流や大きな噴石が到達
溶岩流が3時間以内に到達
■ 〜24時間以内に到達
■ 〜7日間以内に到達
〜57日間以内に到達

※富士山火山防災対策協議会の資料を基に作成

毎年のように発生する豪雨災害。2023年7月には九州北部で記録的な大雨となり、8月には台風7号が近畿地方を縦断した。

甚大な被害をもたらす原因の一つが**線状降水帯❶**だ。被害を減らすために、気象庁は2021年から線状降水帯の発生情報の発表を開始。2022年からは半日〜6時間前から発生を予測し、情報を提供する取り組みも始めた。予測は全国を11地方に分割して発表してきたが、2024年には都道府県単位に絞り込んで発表できるようになる。

豪雨の他にもさまざまな災害が起こり、「災害大国」ともいわれる日本。政府は被害を減らすための「**減災**」の取り組みを進めている。

多くの火山を抱える日本では、噴火災害への備えも必要だ。2021年の**ハザードマップ**（☞98㌻）改定に合わせて2023年、富士山の噴火避難計画が改定された。大きな被害（☞左のイラスト）が見込まれる山梨、静岡、神奈川の3県が対象。車による避難は渋滞で逃げ遅れにつながるため、一般住民は原則、徒歩で避難することが盛り込まれた。

被害を防ぐためには、政府や地方自治体が担う「**公助**」だけでなく、自分の命を自分で守る「**自助**」の取り組みが大切だ。そのうえで、地域や身近にいる人同士が助け合う「**共助**」に取り組むことも必要とされる。

PLUS
元日の衝撃 能登半島地震

2024年1月1日、石川県能登地方を震源とする地震が発生。最大震度7の揺れを観測した。地震の規模を示すマグニチュード（M）は7.6。気象庁の発表では、地震発生直後に津波も観測された。

被災地では、建物倒壊による被害が相次いだ。古い木造住宅が多い一方、耐震化が大幅に遅れていることや2020年12月から続く地震活動の影響などが背景にある。石川県の発表（2024年1月末時点）によると、死者は238人、うち災害関連死（☞135㌻）は15人に上る。

国はまず、被災地の要望を待たずに水や食料、毛布などの必要物資を届ける「プッシュ型支援」を実施。自衛隊も派遣してインフラなどの復旧に努めた。しかし、道路の寸断や大雪などで、支援の遅れも起きた。

PLUS
「ダム・堤防の想定」超える大雨

長期的に見て日本では、1時間に50㍉以上の「滝のように降る雨」が増えており、このままでは河川の氾濫をダムや堤防だけで防ぐのは難しくなる。ダムや堤防の高さは過去の降水量に基づき設計されるからだ。このため、河川流域の自治体や企業、住民が連携する**流域治水**（☞105㌻）の取り組みが始まっている。

近年は、都市のマンホールから雨水が地表にあふれ出る浸水被害も目立つ。**内水氾濫**の一種で、雨量が下水道の排水能力を超えた時などに起きる。

地震への備え 十分か

東日本大震災以降、国は最大級の地震・津波による被害を見込んで、対策を進めてきた（☞下の「論点」）。

国は2012年、**南海トラフ巨大地震❶**の被害想定を公表し、2014年に減災対策を盛り込んだ基本計画を策定した。当時、建物の耐震化や津波避難タワーの建設などを進めれば、2023年度末までに想定死者数を8割減らすことができると見込んだ。策定から10年を迎える2024年、新たな被害想定を算出する。8割減の目標が達成できるかに注目が集まる。

首都直下地震も国が防災対策に取り組む巨大地震の一つだ。南関東を震源とするM7級の地震が30年以内に「70％程度」の確率で起きると予測されている（2014年）。2013年に被害想定を公表したが、2024年度に見直す予定だ❷。

❶南海トラフ巨大地震

南海トラフは、静岡県沖から宮崎県沖にかけての海底に延びる溝状の地形。過去100～150年間隔で、M8級の巨大地震を繰り返してきた。直近の地震は昭和東南海地震（1944年）と昭和南海地震（1946年）で、次の巨大地震が発生する可能性が高まっている。国が2018年に公表した試算では、M8～9級の地震が30年以内に「70～80％」の確率で起きるとしている。

▶想定される巨大地震の被害と規模

	死者・行方不明者数	建物の全壊・焼失数	M	最大震度
日本海溝地震	約19.9万人	約22万棟	9.1	7
千島海溝地震	約10万人	約8.4万棟	9.3	7
南海トラフ巨大地震	約32.3万人	約238.6万棟	9.1	7
首都直下地震	約2.3万人	約61万棟	7.3	7
東日本大震災（2011年）	約2.2万人	約12.2万棟	9.0	7

※東日本大震災以外は、想定される最悪のケースで、行方不明者や災害関連死は含まない。南海トラフ巨大地震の被害は2012、13年時点の想定（その後、引き下げられた）。首都直下地震の被害は都心南部が震源の場合（2013年時点）。東日本大震災の建物被害は全壊した民家の棟数

地震で大火災が起きる恐れがある**危険な密集市街地**は全国で1875ヵ所ある（☞105ﾍﾟｰｼﾞ）。国は2021年3月までの解消を目指したが達成できず、目標達成を10年先送りした。

一方、都市化に伴う新たな課題もある。大都市圏を中心に高層ビルが増え、**長周期地震動❸**の影響が大きくなっている。

▼地震波の周期と建物への影響の関係

（小刻みな揺れ）　短い　1秒　2秒　数十秒　長い　（ゆっくりした大きな揺れ）

石川県珠洲（すず）市などで観測 阪神大震災でも家屋倒壊の要因に

人が感じやすく、家具などが倒れたり物が落ちたりする

木造家屋などが倒壊

高層ビルなどが大きく長く揺れる

論点 「最大級の被害想定」メリットとデメリットどちらが大きい？

地震の発生確率や規模の評価は、推計の手法などによって異なる。想定外の大地震だった東日本大震災以降、将来の大地震について、国が「最大級」の想定を公表したところ、被害が見込まれる市町村の抗議を招いた例もある。

●メリットのほうが大きい
・自然災害はいつでもどこでも起こり得る。最大級の被害想定は日ごろの備えの重要性を住民に再認識させ、行政に対策を促す意義がある。
・地震の発生メカニズムは複雑で、想定に幅が生じるのはやむを得ない。
・想定を生かしたまちづくりは、将来の世代を守る遺産にもなり得る。

●デメリットのほうが大きい
・震災からの復興に力を入れる人たちの不安をあおりかねない。
・実際に起きた被害が想定をはるかに下回った場合、国の情報発信に対する信頼を揺るがしかねない。
・被害が見込まれる自治体は過重な防災対策や出費を迫られる。

❷ 2022年に東京都が改定した想定では、耐震化の進展などを背景に、建物被害や死者数が2012年の想定より3割超減った。

❸長周期地震動

大きな地震で生じる周期の長い揺れ。震源から遠い高層ビルの上層階を大きく長く揺らす場合がある。南海トラフ巨大地震では最大で2万人以上がエレベーターに閉じ込められると想定されている。気象庁は2023年、長周期地震動を緊急地震速報の対象に加えた。

身を守る行動は備えから

◆ 的確な行動は正確な情報から

災害時には、正確な情報に基づく的確な判断が命を守る行動につながる。気象庁が発表する防災気象情報と、これを踏まえて市区町村が住民に出す避難情報は現在、次のように整理されている。

▶ 警戒レベルと避難情報

警戒レベル	防災気象情報（例）		避難情報
5	大雨特別警報	氾濫発生情報	緊急安全確保
	➡ 命が危険な状況。直ちに安全確保		
4	土砂災害警戒情報	氾濫危険情報	避難指示
	➡ 危険な場所から全員避難する		
3	大雨・洪水警報	氾濫警戒情報	高齢者等避難
	➡ 高齢者や障害のある人は危険な場所から避難する		

※内閣府と気象庁のウェブサイトを基に作成。警戒レベル1、2は省略した

◆ ハザードマップ見るだけでは…

こうした情報をいざという時に生かすには、事前に「ハザードマップ」で危険箇所や避難場所を確かめておくことが大切だ。ただ、例えば洪水マップで安全に見える避難ルートも、別の災害が同時に迫っていれば安全とは言い切れない。危険箇所などの現場を見て歩くよう心掛けたい。国土交通省が公開している「重ねるハザードマップ」も役に立つ。

◆ 「日常と非常」の区別なく

「日常と非常」を区別せずに備える**フェーズフリー**という考え方もある。日ごろから長持ちする食品を多めに買い求め、古い物から食べては買い足す備蓄方法（**ローリングストック法**）はその一例だ。

過去の震災の教訓

◆ 明治以降「最悪」・関東大震災

1923（大正12）年の関東大震災の死者・行方不明者は東京市（現在の23区の一部）、横浜市を中心に10万5000人余りに上る。死者の9割近くは「揺れに伴う火災」の犠牲者だ。地震後にあちこちで火の手が上がり、木造住宅密集地に燃え広がった。混乱が起きる中で「朝鮮人が襲ってくる」というデマも広がり、多くの朝鮮人が自警団などに虐殺された。

◆ 「ボランティア元年」阪神大震災

1995年の阪神大震災は戦後初の大都市直下型地震だ。建物の倒壊しやすい周期の地震波（☞97㌻の図）によって、住宅だけで約25万棟が全半壊。主に窒息や圧死で約6400人が亡くなった。

駆けつけたボランティアが復旧作業に携わったことをきっかけに、ボランティアが定着。災害時には社会福祉協議会を中心にボランティアセンターが設立され、組織的に動くようになった。東日本大震災などでも全国からボランティアが集まった。

◆ 熊本地震 災害関連死にも注目

2016年の熊本地震はマグニチュード（M）6.5の地震が起きた2日後、M7.3の地震が起きた。いずれも最大震度は7。気象庁は1回目の地震の後、「震度6弱以上の揺れの余震が起きる可能性は20％」と予測していた。大きな地震が発生しない印象を与えてしまうため、気象庁は「余震」という言葉を使わず、発生から1週間以内は「同規模の地震に注意」と呼びかけるようになった。また、地震を直接の原因とする死者は50人だったが、長引く避難生活で体調が悪化するなどして死亡した**災害関連死**（☞135㌻）は200人以上（2023年末時点）に上った。

試される「地域の力」

東日本大震災では、障害者に占める死者・行方不明者の割合は健常者の約2倍に上った。近年の豪雨災害でも多くの高齢者や障害者が逃げ遅れ、犠牲となった。

このため災害対策基本法が2021年に改正され、自力での避難が難しい高齢者、障害者などの災害弱者一人一人について、避難先や避難の支援者を定める「個別避難計画」の作成が市区町村の努力義務となった。

市区町村の多くは計画づくりに着手したが、計画を防災、避難訓練に活用しているのはそのうち約14％にとどまる（2023年1月時点の国の調査）。災害弱者と支援者のマッチングの難しさを指摘する声もある。

東日本大震災　復興への道のり

◆ 処理水の海洋放出始まる

東日本大震災（☞下の囲み）から13年。**東京電力福島第1原子力発電所**（☞下の囲み）はまだ、長く続く廃炉作業の入り口に立ったところだ。廃炉作業を進めるため、原発敷地内にたまる「**処理水**」の「**海洋放出**」が2023年8月に始まった。

今も原子炉建屋内に日々流れ込む地下水は、事故で溶け落ちた核燃料（**燃料デブリ**）に触れて高濃度の放射性物質を含む「汚染水」となり、増え続けている。これを「**ＡＬＰＳ（アルプス）**」という専用設備などで処理し、ほとんどの放射性物質の濃度を国の基準値未満に下げたのが処理水だ。ただ、アルプスでは取り除けない放射性物質（トリチウム）があるため、敷地内のタンクにためてきた。2024年には敷地内に約1000基あるタンクが満杯になる見通しだったため、トリチウムが国の基準値の40分の1未満になるよう海水で薄め、沖合に放出を始めた。

海洋放出完了までは30〜40年かかる見通しで、風評被害を心配する漁業者の反対は根強い。また中国は、海洋放出を理由に日本産水産物の輸入を全面停止した（☞45ﾟﾟ）。国は基金をつくるなどして漁業者支援に取り組む。

処理水の海洋放出によって空くスペースは、燃料デブリの取り出し作業などに使う。ただ、当初2021年開始としていた取り出し作業は困難を極め、2023年中にも始められなかった。政府や東電は「2051年ごろ」を廃炉完了とする計画だが、実現は極めて厳しいとみられている。

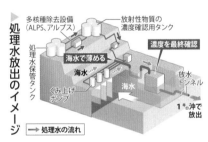

処理水放出のイメージ

◆ 古里に戻れる日は

国は放出された大量の放射性物質による健康被害を防ぐため、福島第1原発事故発生の翌日までに原発から20㌔圏内に「**避難指示区域**」を設定し、立ち入りを制限した。事故から約1カ月後には、三つの避難区域を設定し、避難指示を継続。その後、放射線量の年間積算線量に応じて「避難指示解除準備区域」「居住制限区域」「帰還困難区域」に再編した。除染（放射性物質を取り除く作業）を進め、帰還困難区域以外に出された避難指示を2020年3月までに順次解除した。

2017年には、放射線量が高く将来にわたって居住を制限するとして7市町村に設定された帰還困難区域でも、先行して居住などを目指す「**特定復興再生拠点区域（復興拠点）**」を6町村の一部に設定。2023年11月までに避難指示を解除した。政府はそれ以外の帰還困難区域の大半でも「希望者全員が2020年代のうちに戻れるようにする」と約束するが、全域で除染が実施される見通しは立っていない。

社会・環境

WORD

東日本大震災

国内の観測史上最大となるM9.0の巨大地震が2011年3月11日に発生した。東北から関東にかけて最大で震度7の強い揺れを観測し、岩手、宮城、福島の東北3県を中心に太平洋岸を大津波が襲った。災害関連死を含め、死者・行方不明者は約2万2000人（2023年3月時点）で、戦後最悪の自然災害となった。今も3万人以上が避難を余儀なくされる。うち約2万8000人は、福島県から県内や県外に避難している人だ（2023年2月時点）。

東京電力福島第1原子力発電所（事故）

福島第1原発は大津波に襲われて浸水し、全電源を失った。運転中だった1〜3号機では核燃料が冷却できず、燃料棒の大半が圧力容器の底に溶け落ちたとみられる（炉心溶融、メルトダウン）。1、3、4号機は水素爆発を起こし、大量の放射性物質が外に飛び散った。ソ連（現在のウクライナ）のチェルノブイリ原発事故（1986年）と同様、国際的な評価尺度で世界最悪の「レベル7」とされる。

■ 異常気象と温暖化

❶地球温暖化

　空気中の温室効果ガス（☞134ず）が増え過ぎて地球が温められる状態で、一般に人間活動が原因の現象を指す。気温や雨の降り方などの天気の特徴が、地球全体で長い時間をかけて変わっていく「気候変動」は、人間活動によるものと、火山の噴火など自然由来の変化が重なった形で現れるものがある。気候変動のうち、どの程度が人間によって引き起こされたのかを分析することも重要だ。

❷気候変動に関する政府間パネル（IPCC）

　1988年に設置された国連の組織。数年ごとにまとめる報告書は温暖化の国際交渉や各国の政策に影響を与える。報告書の作成には多数の研究者が参加し、気候の現状分析や将来予測に関する大量の論文などを基にまとめる。

　2023年も世界各地で異常気象が報告された。日本の2023年の平均気温は、統計開始の1898年以降で最高を記録。酷暑となった夏には熱中症による死者も多数出た。熱波に見舞われたカナダやギリシャでは、大規模な森林火災が発生した。

▲火災で燃え尽きた森林
＝カナダで2023年

　原因として無視できないのが**地球温暖化❶**の影響だ。国連の「**気候変動に関する政府間パネル（IPCC）❷**」は2021年から2022年にかけて公表した報告書で「人間が温暖化させたことは疑う余地がない」と初めて明記した。世界の平均気温は既に産業革命前から1.1度上昇し、2030年代前半にも1.5度に達する可能性が高い。

　これらを背景に、世界では地球温暖化を含めた**気候変動**対策を今すぐ行う必要があるとして、さまざまな取り組みが進められている。対策は▽原因である温室効果ガスの排出量を減らす「**緩和**」策▽インフラ整備などを通して、海面上昇、異常気象などによる被害を減らす「**適応**」策——に大別される。どちらにも取り組むことが必要だ。

PLUS

気候変動対策 市民も行動

　地球温暖化の原因となる温室効果ガスを大量に排出してきたのは主に先進国。しかし、海面上昇や異常気象などの被害をより受けるのはインフラ整備の遅れる貧しい国やそこに住む人だという「不公正」が近年、注目されている。また、事態が深刻化するのは、今の温暖化にかかわっていない未来の子どもたちという世代間の不公平もある。

　そこで、温暖化に関する影響や負担を公平・公正に共有し、途上国やこれからを生きる人の権利を保護するための「気候正義」という考え方が浮上した。スウェーデンの環境活動家グレタ・トゥーンベリさんが各国政府へ対策強化を求めたことをきっかけに、世界中の

若者が「気候正義」をかけ声にデモなどを展開している＝写真。

　消費者の健康志向と環境問題に対する意識の高まりから、ライフスタイルの見直しも進んでいる。一例が、大豆など植物性たんぱく質を加工し、肉のような食感や味がする「代替肉」だ。家畜に必要な飼料は生産や輸送の段階で二酸化炭素（CO_2）を排出する。家畜のげっぷにはメタンも含まれる。消費者の選択も環境に大きな影響があるといわれる中、肉よりも環境にやさしいとされる代替肉の開発が進んでいる。

■ 崖っぷちの温室効果ガス削減

国際社会は2021年の**国連気候変動枠組み条約**第26回締約国会議（**ＣＯＰ26**）で、産業革命前からの気温上昇幅を**1.5度**に抑えることを実質的な目標とした（☞102㌻）。この「1.5度目標」の達成には、2050年ごろまでに温室効果ガスの排出量を**実質ゼロ❶**にすることが必要と試算されている。これに合わせて、各国は温室効果ガスの排出削減目標を立てている（☞105㌻）。

しかし、国連環境計画（ＵＮＥＰ）が2023年に公表した報告書によると、各国の現行目標を全ての国が達成しても、今世紀末までに気温上昇幅は2.5〜2.9度に達してしまう。各国の削減目標に向けた取り組みも十分進んでおらず、1.5度目標の達成は非常に厳しい。

2023年にアラブ首長国連邦（ＵＡＥ）で開催されたＣＯＰ28の成果文書には、「世界全体の温室効果ガスの排出量を2035年までに2019年比で60%減らす」ことが必要と盛り込まれた。その方法として、2030年までに再生可能エネルギー（再エネ）の容量（発電能力）を世界全体で３倍にすることや、化石燃料からの「脱却」を目指すことなども挙げられている。

世界は「脱化石燃料」に向けてかじを切っているが、日本はいまだ脱化石燃料への道筋を示していない（☞54㌻）。日本の「脱炭素」に向けたこれからの姿勢が問われている。

❶実質ゼロ

人間の活動による温室効果ガスの「排出量」から、植林や森林の管理で「吸収される量」を差し引いて、合計を実質的にゼロにすること。日本を含む約150カ国・地域は2050年まで、中国やロシアは2060年まで、インドは2070年までに実質ゼロにすることを目指している。**カーボンニュートラル**、**ネットゼロ**もほぼ同じ意味の言葉として使われている。

日本の温室効果ガス総排出量と削減目標

2021年度
11億7000万㌧
2020年度比2%（増）
（2013年度比16.9%減）

2013年度
14億800万㌧

2030年度
2013年度比
46%減

2050年
実質ゼロ

総排出量

（億㌧）
16 / 14 / 12 / 10 / 8 / 6 / 4 / 2

2012 **13** 14　16　18　20 **21**　30　50 年度

※環境省の資料を基に作成。総排出量はＣＯ₂換算

論点　日本の新たな削減目標　どうする？

●積極的に引き上げるべきだ

・温暖化を招いた原因は、途上国より先進国にある。日本にも責任があり、いっそう努力すべきだ。

・各国が再エネの活用や省エネに取り組んでいる。温暖化対策の強化は日本の国際競争力を高め、経済成長の起爆剤にもなる。

●慎重になるべきだ

・目標引き上げには、化石燃料による発電などの大幅削減が必要だ。しかし、代替候補の再エネは電力供給が不安定で、エネルギーの確保が難しくなる。

・日本の削減目標には緩和策の技術開発（☞54㌻）も含まれるが、高コストで実用化の見通しも立たない。

市場メカニズムとは？

Ａ国がＢ国に対して温室効果ガスの排出削減につながる資金や技術を支援し、Ｂ国で温室効果ガス排出量が減った場合、この削減分を「排出権（クレジット）」と認定し、「Ａ国で減らした」とみなせる仕組みが「市場メカニズム」だ。排出権は他国に売ることもできる。ただ、両国がともに削減量を計上すれば二重計上となり、実際より数字上の排出量が減ったようにみえてしまうなどの課題があった。

この仕組みは京都議定書（☞102㌻）にもあったが、パリ協定（☞102㌻）の下では詳細な実施ルールに合意できず、ＣＯＰ26で初めて採択された。二重計上を防ぐルールや、パリ協定開始前の2013年以降の排出権も使ってよいことなどで各国が合意した。削減余地の大きい途上国で優先的に対策が進むことが期待され、2024年以降本格的に稼働する見込みだ。また、国同士に限らず、国内の企業間などにも同様の仕組みが広がっている（☞53㌻）。

▼市場メカニズム活用のイメージ

削減したとみなす分

移転

排出権として

削減分

Ａ国内の実際の排出量

みなしの排出量

Ｂ国内の実際の排出量

Ａ国（先進国）　Ｂ国（途上国）

資金・技術で削減支援

地球温暖化対策のこれまで

　地球温暖化に対する国際的な取り組みは、1992年に国連**気候変動枠組み条約**が採択されたことで始まった。「大気中の温室効果ガス濃度の安定化」を究極の目的に掲げ、198カ国・地域が参加している（2023年末時点）。ただ、当初各国に求められた対策は「努力」にとどまっていた。1995年からは、参加国が毎年１度集まる**締約国会議（ＣＯＰ）**が開かれるようになった。

　1997年、京都で開催されたＣＯＰ３では、日本を含む先進国の温室効果ガス排出量に数値目標を設定し、法的に削減を義務づけた「**京都議定書**」が採択された。ただ、中国やインドなど新興国・途上国に削減義務は課されず、「不平等条約」との声が出た。2001年に米国が京都議定書を離脱したほか、2007年には中国が米国を抜いて世界最大の排出国となったため、その実効性が問われた。

　国際社会は2015年、フランスで開催されたＣＯ

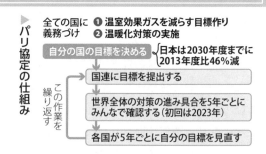

パリ協定の仕組み

▶ 全ての国に義務づけ　❶ 温室効果ガスを減らす目標作り　❷ 温暖化対策の実施

自分の国の目標を決める ── 日本は2030年度までに2013年度比46％減

国連に目標を提出する

世界全体の対策の進み具合を5年ごとにみんなで確認する（初回は2023年）

各国が5年ごとに自分の目標を見直す

この作業を繰り返す

Ｐ21で新たな約束「**パリ協定**」を採択した。新興国・途上国を含む全ての参加国に温暖化対策の実施を義務づけたのが特徴で、(1)世界の気温上昇目標を産業革命前に比べ２度未満とし、1.5度に抑えるよう努力する(2)21世紀後半の温室効果ガス排出量を実質ゼロにする──ことを目指す。削減目標は自国の都合に合わせて決めればよく、未達成でも罰則はない。

　温度目標は、2021年に英国で開かれたＣＯＰ26で、「1.5度に抑える努力を追求する」となり（**グラスゴー気候合意**、☞101㌻）、事実上強化された。

広がるプラスチック汚染対策

　プラスチック（プラ）は防水性や耐久性に優れた便利な素材で、世界中で幅広く利用されている。しかし、プラごみを巡る状況は深刻だ。2019年に世界で発生したプラごみは、３億5300万㌧に上る。河川から海に流出したプラごみは**マイクロプラスチック**となって、空気中から深海にいたるまで幅広い場所に拡散している（☞105㌻）。

　こうした現状を受けて、プラ汚染を防ぐ国際ルールの整備が進んでいる。主要20カ国・地域（G20）首脳会議は2019年、「海に新たに流出するプラごみを2050年までにゼロにする」とした目標「大阪ブルー・オーシャン・ビジョン」を盛り込んだ首脳宣言を採択した。2023年に開かれた主要７カ国（G7）首脳会議では、目標を10年前倒しして、プラごみによる新たな環境汚染をゼロにすることを目指すと決めた。また、有害廃棄物の国際的な移動を規制する「**バーゼル条約**」が改正され、リサイクルしにく

い「汚れたプラごみ」の輸出には相手国の同意が必要になった（2021年発効）。さらに、プラスチックの生産から廃棄まで、全ての段階でプラ汚染を防止するための条約作りに向けて、政府間交渉が行われている。2024年中に交渉を終える予定だ。

◆ 国内のプラごみ対策は

　政府は「**プラスチック資源循環戦略**」（2019年）で、2035年までにプラごみを100％有効利用するとともに、「2030年までに使い捨てプラを25％減らす」という目標を掲げ、削減に取り組んでいる。

　2020年にプラ製レジ袋が原則有料化されたのに続き、プラスチック資源循環促進法（2022年施行）で使い捨てプラを年５㌧以上提供する事業者に使用量削減を義務づけた。材料を木や紙に切り替えたり、空洞を作ってプラスチック使用量を減らしたりする動きが広まった＝写真。

生物多様性のいま

日本を含む196カ国・地域は**生物多様性条約**（1992年採択）のもと、多様性の保全や、自然の恵みの持続可能な利用を目指している。だが、地球に生息する約800万種の生物のうち、約100万種が絶滅の危機に直面するなど、厳しい状況が続いている。

2010年に名古屋市で開かれた、この条約の第10回締約国会議（ＣＯＰ10）で定められたのが「**名古屋議定書**」だ。近年、主に途上国の豊かな自然に由来する遺伝資源（生物の遺伝子など）を使った医薬品や食品の開発が進んでいる。しかし、高い技術を持つ先進国が開発で得た利益を、資源を提供する途上国に還元する仕組みがなく、両者が対立していた。名古屋議定書は利益配分のルールなどを定めた。

ＣＯＰ10では生物多様性の損失を止めるための「**愛知目標**」にも合意したが、大半は達成できなかった。そこで2022年、カナダ・モントリオールで開かれたＣＯＰ15では、2030年までに地球上の陸、海のそれぞれ30％以上を保全する「30 by 30」と呼ばれる目標を新たに採択した。

PLUS

外来生物の脅威

本来生息していない土地に定着した**外来生物**は、生物多様性を脅かす原因の一つだ。グローバル化で人やものの移動が活発化し、そのリスクは高まっている。

被害を防ぐため、政府は外来生物法で、アライグマなど生態系や人間に被害を及ぼす外来種を「**特定外来生物**」に指定し、輸入などを禁止している。2023年には、国内で大量に飼育されるアメリカザリガニとアカミミガメ（ミドリガメ）を「**条件付特定外来生物**」に指定し、ペットとして飼うのを例外的に認めながらも輸入や販売、野外放出を禁止した。

また、強い毒を持つ南米原産のヒアリが各地で見つかっている。まん延すると生態系に重大な被害が生じ、市民生活にも著しい支障を及ぼすおそれがあり、「**要緊急対処特定外来生物**」に指定した。ヒアリと特定される前でも、調査のために事業者の管理地に立ち入ったり、付着が疑われる物品の移動を禁止したりできるようになった。

▶ヒアリの模型

日本の公害問題

日本で公害が深刻化したのは高度経済成長期だ。工場などから有害な物質が河川や海、大気中に放出され、多くの人々が被害を受けた。**水俣病**、**新潟水俣病**、**イタイイタイ病**、**四日市ぜんそく**は四大公害病と呼ばれ、被害者の救済を巡って揺れ動いた。水俣病と新潟水俣病では、補償金や医療費の支給対象となる患者の認定基準から漏れた人たちの救済が問題となった。一時金などを支払う政治解決（1995年）や水俣病被害者救済特別措置法（特措法、2009年施行）があるが、これらからも漏れた人たちが国や原因企業を相手に患者認定などを求める訴訟が続く。2023年には、特措法の対象外でも水俣病と認定し、国の賠償責任を認める初めての判決が、大阪地方裁判所で出た。

イタイイタイ病 富山県神通川流域	新潟水俣病 新潟県阿賀野川流域
政府認定：1968年5月	政府認定：1968年9月
原因物質：カドミウム	原因物質：メチル水銀
原因企業：三井金属鉱業	原因企業：昭和電工

水俣病 熊本県水俣市	四日市ぜんそく 三重県四日市市
政府認定：1968年9月	市 認 定：1965年2月
原因物質：メチル水銀	原因物質：亜硫酸ガス
原因企業：チッソ	原因企業：三菱 油化、三菱化成工業、三菱モンサント化成、昭和四日市石油、石原産業、中部電力

1967年に制定された公害対策基本法では大気汚染、水質汚濁、土壌汚染、騒音、振動、地盤沈下、悪臭を**典型７公害**と定め（土壌汚染は1970年に追加）、公害防止を事業者や行政の責務と明記した。1971年には、公害関係の規制を一元的に行い、自然保護に取り組む環境庁（現在の環境省）が設置された。

健康被害がいまだ増えている**アスベスト**（☞132㌻）の問題も含め、公害問題は今もなお深刻だ。

◎児童虐待相談件数の推移と内訳

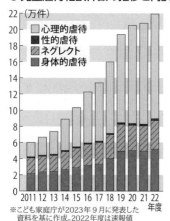

（万件）

- 心理的虐待
- 性的虐待
- ネグレクト
- 身体的虐待

2011 12 13 14 15 16 17 18 19 20 21 22 年度

※こども家庭庁が2023年9月に発表した資料を基に作成。2022年度は速報値

◎主要7カ国（G7）の同性婚の制度化状況

日本	✕	制度化していない
米国	◯	2015年の連邦最高裁判所の判決を契機に制度化
英国	◯	2013年にイングランドとウェールズ、2014年にスコットランド、2019年に北アイルランドで制度化
フランス	◯	1999年に同性カップルの法的地位を保障、2013年に同性婚を制度化
ドイツ	◯	2017年に制度化
イタリア	△	2016年に同性カップルに結婚に準じた権利を認める「シビルユニオン（民事的結合）」を制度化
カナダ	◯	2005年に制度化

※衆議院法制局の資料を基に作成

同性婚を法律などで制度化しているのは、欧米を中心に30カ国・地域以上ある。同性カップルに結婚に準じた法的権利を認めている国もある。主要7カ国（G7）で、どちらも認めていない国は日本だけだ。

◎最高裁判所が法令を「違憲」と判断した12例

1973年	父母ら直系尊属に対する殺人を他より厳しく罰する刑法の尊属殺人の規定
75年	薬局を新設する際に既存の薬局と一定の距離を置く必要があるとした薬事法の規定
76年	72年衆院選の定数配分を定めた公職選挙法の規定
85年	83年衆院選の定数配分を定めた公職選挙法の規定
87年	共有林の分割を制限する森林法の規定
2002年	郵便を巡る国の賠償責任を紛失や毀損（きそん）などに限定した郵便法の規定
05年	在外邦人の選挙権を制限した公職選挙法の規定
08年	日本人父と外国人母の子の国籍取得には父母の婚姻を要するとした国籍法の規定
13年	婚外子の遺産相続分を法律上の夫婦の子（嫡出子）の半分とする民法の規定
15年	女性だけに離婚後6カ月間の再婚禁止期間を設けた民法の規定
22年	最高裁裁判官の国民審査で在外邦人の投票を制限した国民審査法の規定
23年	生殖機能を無くす手術を性別変更の要件とする性同一性障害特例法の規定

超高齢社会で注目される **認知症**

高齢者に占める認知症の人の割合（推定）

（万人） （％）

高齢者に占める認知症の人の割合（右目盛り）

認知症の人数（左目盛り）

2012 15 20 25 30 40 50 60年

※認知症施策推進総合戦略を基に作成。各年齢の認知症有病率が上昇するケース

認知症の主な原因疾患

※厚生労働省の資料などを基に作成

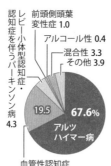

- 前頭側頭葉変性症 1.0
- アルコール性 0.4
- 混合性 3.3
- その他 3.9
- レビー小体型認知症・認知症を伴うパーキンソン病 4.3
- 19.5 血管性認知症
- 67.6% アルツハイマー病

アルツハイマー病	脳が萎縮し、認知機能などが低下。アミロイドベータの脳内への蓄積が原因とされる
血管性認知症	脳の血管障害、脳梗塞（こうそく）や脳出血により発症。めまいやしびれなどが出るが、発現にはムラも
レビー小体型認知症・認知症を伴うパーキンソン病	「レビー小体」というたんぱく質の塊が脳の神経細胞を破壊。幻視や睡眠時の異常行動などが起こる
前頭側頭葉変性症	同じ時間に同じ行為を毎日したり、他人を気にせず自己本位的な行動をしたりする
アルコール性	アルコールの大量摂取で発症。注意力や記憶力が低下、感情を制御できなくなる
混合性	アルツハイマー病と血管性認知症が同時に認められる状態

◎ネット上で誹謗中傷（ひぼう）を受けた被害者が匿名投稿者を特定するための手続き

改正前
2回の手続きが必要

❶SNS事業者に通信日時などの情報開示を仮処分請求

その後

❷通信事業者に投稿者の住所や氏名の情報開示を求める訴訟

時間や費用がかかり、被害者が泣き寝入りするケースが後を絶たず

改正後
1回の手続きで完結

被害者の申し立てで裁判所が投稿者の情報開示を判断・決定し、各事業者に命令

時間や費用は抑えられるが、乱用される懸念も

インターネット上で誹謗中傷を受けた被害者の迅速な救済に向け、匿名の投稿者を特定しやすくする改正プロバイダー責任制限法が2022年、施行された。改正前は、被害者が損害賠償を請求するため投稿者を特定するには、SNS（ネット交流サービス）事業者らを相手取り2回の手続きが必要だった。改正法に基づく新たな裁判手続きでは、同じ裁判官がこの両方を担当して開示の適否を判断する。このため1回の手続きで済み、被害者の負担軽減や時間短縮につながると期待される。

◎集団免疫のイメージ

- ウイルス
- 感染者
- 免疫あり
- 免疫なし

免疫を持つ人に守られる形で免疫のない人が感染者と接触する機会が減少

→ 感染拡大が抑えられる

◎ ゲノム編集の仕組み

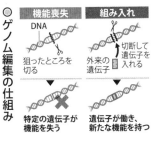

機能喪失	組み入れ
DNA 狙ったところを切る	切断して遺伝子を入れる／外来の遺伝子
▼	▼
特定の遺伝子が機能を失う	遺伝子が働き、新たな機能を持つ

◎ ゲノム編集食品の例

- 血圧の上昇を抑える成分が多いトマト
- 肉厚のマダイ
- アレルギー物質が少ない卵（開発中）
- 毒素が少ないジャガイモ（開発中）

◎ 「流域治水」のイメージ図

- 災害危険区域 老人ホームなどの建設禁止
- 危険な浸水想定区域 安全なエリアへ移転
- 農業用ため池、田んぼ 治水に活用
- 都会 ビルの地下に貯水施設を整備

◎ 各国の二酸化炭素（CO₂）排出割合と「実質ゼロ」目標

国内の温室効果ガス排出量を実質ゼロにする目標年

2030年までの温室効果ガス削減目標

%	国	目標年	削減目標
31.7%	中国	2060年	国内総生産あたり2005年比65%以上減　総排出量を減少に転じさせる
13.6	米国	2050年	2005年比50〜52%減
7.7	EU	2050年	1990年比55%以上減
6.8	インド	2070年	国内総生産あたり2005年比45%減
5.0	ロシア	2060年	1990年比30%減
3.0	日本	2050年	2013年度比46%減
その他			

※CO₂(エネルギー起源)の排出割合は2021年時点

◎ 全国各地の「地震時等に著しく危険な密集市街地」

※2022年度末時点。国土交通省発表資料を基に作成
※単位は㌶

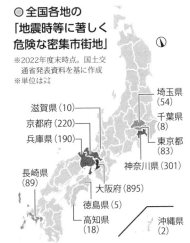

- 埼玉県（54）
- 千葉県（8）
- 東京都（83）
- 神奈川県（301）
- 滋賀県（10）
- 京都府（220）
- 兵庫県（190）
- 長崎県（89）
- 大阪府（895）
- 徳島県（5）
- 高知県（18）
- 沖縄県（2）

2024年から2025年にかけて、パリ協定に参加する国は温室効果ガスの排出削減目標を更新・提出する。「化石燃料からの脱却（☞101㌻）」に向けた実効性が注目される。

◎ プラスチックごみ（プラごみ）の海洋流出

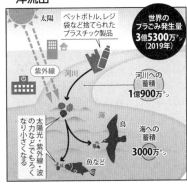

太陽

ペットボトル、レジ袋など捨てられたプラスチック製品

紫外線

世界のプラごみ発生量 3億5300万㌧（2019年）

河川

太陽光・紫外線・波の力などでもろくなり小さくなる

河川への蓄積 1億900万㌧

海への蓄積 3000万㌧

鳥
魚など

※経済協力開発機構（OECD）のデータを基に作成

◎ 環境に関係する主な条約・議定書（気候変動関係を除く）　※……の下は、上の条約のもとに作られた議定書

条約・議定書名	採択年（採択した場所）	内　　容	日本の批准・加入年
ラムサール条約	1971年（イラン・ラムサール）	多様な生物をはぐくむ湿地の保全と適正な利用を目指す　▶日本で最初の登録地、釧路湿原	1980年
ワシントン条約	1973年（米国・ワシントン）	野生生物が国際取引によって絶滅することを防ぐのが目的。商業目的の国際取引を禁止する付属書Ⅰや、輸出時に許可証の発行を義務づける付属書Ⅱなどに分けて指定し、それぞれ動植物種名を掲載している	1980年
オゾン層保護のためのウィーン条約	1985年（オーストリア・ウィーン）	オゾン層の保護を目的とする国際協力の基本的枠組みを定めている	1988年
モントリオール議定書	1987年（カナダ・モントリオール）	オゾン層を破壊する物質の生産・使用量の段階的削減を義務づける。2016年の改正で、「代替フロン」が規制対象に加わった	1988年
バーゼル条約	1989年（スイス・バーゼル）	有害廃棄物の国境を越えた移動を規制する条約。採択当時は汚れたプラスチックごみは対象外だったが、輸入国での不法投棄や海洋汚染が問題となり、2021年から対象に加わった	1993年
生物多様性条約	1992年（ケニア・ナイロビ）	多様な生物を生息する環境とともに守る▽動植物や微生物などの「遺伝資源」が生んだ利益を原産国にも配分する——などを掲げている	1993年
カルタヘナ議定書	2000年（カナダ・モントリオール）	遺伝子組み換え生物が生態系に悪影響を及ぼさないよう、輸出国の事業者が輸入国の事前同意を得ることや、輸入国が安全性を評価することなどを定めている	2003年
名古屋議定書	2010年（日本・名古屋市）	遺伝資源について国際的な取引ルールを定めている	2017年
水俣条約	2013年（日本・熊本市、水俣市）	水銀による健康被害や環境汚染を防ぐため、排出の抑制を目指す。血圧計などの水銀含有製品の製造や輸出入を2020年までに原則禁止し、水銀の適切な保管や廃棄も定める	2016年

社会・環境

平和な世界どうやって

■ 米中露　大国間競争の時代

❶対テロ戦争

　一般に、米同時多発テロを契機とした米国中心の軍事行動を指す。米国は2001年にアフガニスタンを攻撃し、政権を握るイスラム主義組織タリバンを放逐。米軍は2022年にアフガンから撤退し、その後タリバンが復権した。2003年には大量破壊兵器（☞111ジー）を保有しているとしてイラクを攻撃したが、保有していないことが後に判明した。

❷民主主義外交

　民主主義や人権などの価値観に基づいた米国の外交政策。

❸対中包囲網

　米日豪印の経済的、技術的協力の枠組み「クアッド」に加え、2021年には米英豪が安全保障の枠組み「ＡＵＫＵＳ」を結成（☞21ジー）。中国を念頭に、太平洋における支配権を強めるのが狙い。

　ロシアによるウクライナ侵攻（☞下の囲み）以降、大国同士の対立で、国際社会は「ブロック化」とも言える状況に陥っている。

　侵攻を受けて、欧米諸国や日本はロシアを厳しく非難して経済制裁を科し（☞56ジーの表）、ウクライナを経済、軍事面で支援した。一方、中国やインドはロシアの侵攻を明確に支持しないものの、経済制裁には反対し、ロシアと関係を深めている。

　背景には米国の国際的な地位の低下がある。米国は冷戦（☞112ジー）後、世界で唯一の超大国となったが、2001年の米同時多発テロ（☞139ジー）後の対テロ戦争❶で国力が疲弊した。この間、中国は軍事力と経済力を増大させ、ロシアも豊かなエネルギー資源をてこに国際社会への影響力を再び強めた。世界は今、米中露の**大国間競争**の時代にある。

　米国のバイデン政権はウクライナ侵攻以降、中露を改めて「専制主義」と批判し「**民主主義外交**❷」を展開した。特に中国を「唯一の競争相手」と位置づけており、同盟国や友好国と**対中包囲網**❸の構築を進める。

　一方、一部の新興国・途上国はいずれの大国とも距離を置く。「**グローバルサウス**」（☞117ジー）とも呼ばれるこれらの国々の間には、米国の民主主義外交への不満や、南シナ海（☞118ジー）をはじめとする中国の対外強硬姿勢への批判の声もある。

POINT

ロシアによるウクライナ侵攻　終結見えず

　ロシアは2022年2月、ウクライナに軍事侵攻した。ロシア軍は短期間でウクライナの首都キーウに迫ったが、ウクライナ軍は激しく抵抗。戦闘はウクライナ東部と南部を中心に継続している。ロシア軍によるとみられる市民への無差別攻撃も報告され、ウクライナ側の民間人の死者は1万人を超える（国連発表、2023年11月時点）。**国際刑事裁判所**（ＩＣＣ、☞135ジー）は2023年、戦争犯罪の疑いで、ロシアのプーチン大統領に対する逮捕状を発行した。

　今回の侵攻の背景には、**北大西洋条約機構（ＮＡＴＯ**、☞112ジー）の拡大があるとされ、ロシアは「自衛権の発動」と主張している。しかし、国際社会では「**国連憲章**（☞108ジー）違反だ」とする声が多い。侵攻開始から1年となる2023年2月には国連総会で、ロシア軍の即時撤退を求める決議が141カ国の賛成で採択された。

ロシア軍のウクライナ侵攻状況（2023年12月時点）

■ ロシア軍が制圧した地域　※英国国防省などの資料を基に作成

■ イスラエル ガザに大規模攻撃

中東では2023年10月、**パレスチナ自治区**（☞109ジーの「WORD」）**ガザ地区**を支配するイスラム組織ハマスがイスラエルを急襲し、市民約1200人を無差別に殺害したほか、女性や子どもらを人質として誘拐した。

これに対し、軍事力で圧倒的に上回るイスラエルは、「自衛」のためにハマスを壊滅させるとして

▲イスラエル軍の空爆や砲撃を受けて多くの建物が崩壊したガザ地区北部＝2023年12月

ガザ地区全域を空爆し、地上侵攻にも踏み切った。イスラエルは、ハマスの軍事拠点があるなどの理由で、

多くの市民が避難する病院や学校、難民キャンプ、国連施設なども攻撃。ガザ地区外から運び込まれる支援物資も制限したため、水や食料、燃料、薬などが枯渇し、地区内は人々が尊厳を持って生きることが困難な「人道危機」の状態に陥った。ガザ保健省によると、2024年1月時点で、ガザ地区の死者は2万5000人超に上り、多くが子どもだという。

アラブ諸国を筆頭に国際社会では停戦を求める声が多数を占めたが、米国や英国などはイスラエルによる攻撃を容認した。**国連安全保障理事会**では2023年12月、戦闘の即時停止を求める決議案が出され、日本を含む理事国の多くが賛成したが、イスラエルと関係の深い米国の**拒否権**（☞108ジー）行使で否決された**❶**。

イスラエルとパレスチナ側が初めて和平交渉に合意した歴史的な**オスロ合意❷**（1993年9月）から30年。今回の軍事衝突は長く続くパレスチナ問題（☞109ジー）の根深さを物語る。国連や主要国は、問題の最終解決案として「**2国家解決（2国家共存）❸**」を掲げてきたが、対立は近年激化しており、実現の道筋は見えていない。

❶一方、直後の国連総会では、停戦を求める決議が153カ国の賛成で採択された。

❷オスロ合意

ノルウェーの仲介で1993年、イスラエルとパレスチナ解放機構（PLO）の間で結ばれた。両者の相互承認のもと、「2国家解決」を目指し、ヨルダン川西岸地区とガザ地区におけるパレスチナによる暫定自治▽エルサレムの帰属や国境線の画定に向けた「最終地位交渉」の開始——などで合意。しかし軍事衝突はやまず、最終地位交渉は挫折した。なお、ハマスはオスロ合意を承認していない。

❸2国家解決（2国家共存）

パレスチナ人の独立国家を樹立し、イスラエルと平和のうちに共存する、というパレスチナ問題の最終的な解決案。主要7カ国（G7）をはじめ国際社会で広く支持されている。2003年には米国、ロシア、国連、欧州連合（EU）の4者が2国家解決に向けた行程表を示したが、実現しなかった。

国際

論点 「2国家解決」案に賛成？ 反対？

●賛成だ
・オスロ合意でも最終目標と位置づけられていた。イスラエルとパレスチナの存立を巡って両者がともに目指した唯一の案で、他に手だてはない。
・日本をはじめ欧米や中露、アラブ諸国など多くの国が「根本的な解決策」として支持しており、国際社会からの協力を得やすい。

●反対だ
・パレスチナの貧困は深刻で、経済はイスラエルに依存しており、独立国家としての運営は現実的ではない。イスラエルの下にパレスチナを組み込む連邦国家の形成なども検討すべきだ。
・自治政府主流派の支持は低下しており、独立国家を安定して運営していく主体が存在しない。

国連の役割

国連は1945年10月、第二次世界大戦後の平和と安全を維持するための国際機構として創設された。当初の加盟国は、大戦の戦勝国の米国、英国、ソ連など51カ国。現在は193カ国（2024年1月時点）でほぼ全ての国家が加盟する（日本は1956年に加盟）。

国連には**総会**や**安全保障理事会**など六つの主要機関がある。事務局トップの事務総長は現在、ポルトガル元首相のグテレス氏が務める。総会は全加盟国で構成され、通常年1回の開催。表決では各国に1票の投票権がある。

安保理は**常任理事国**5カ国（米英仏露中）と、**非常任理事国**（任期2年、2024年末まで日本を含む）10カ国から成る。国連の**集団安全保障**（☞左下の「2級Check」）体制を担い、軍事制裁や経済制裁を決定できる。総会決議と異なって、安保理の決議には法的拘束力があり、その決定には全加盟国が従う義務がある。議事手続きを除く全ての事項の決定に際して常任理事国に拒否権が与えられており、1カ国でも行使すれば決議できない（☞下の「POINT」）。

国連の基本事項を定めた**国連憲章**は、全ての加盟国に対して「武力による威嚇または武力の行使」を原則として禁止している。例外は、加盟国による**個別的・集団的自衛権**の発動と、安保理の決定に基づく軍事行動のみとされる。

「集団安全保障」の仕組みとは

国連は平和維持の方法として「**集団安全保障**」を採用している。加盟国間の武力紛争を原則禁止する一方、違反国に対して、他の加盟国が集団的自衛権に基づき、協力して制裁を加える仕組みだ。

集団安全保障は、第一次世界大戦後に創設された国際連盟でも採用された。ただし、主な制裁手段は経済制裁（☞134㌻）で、軍事制裁に関する規定は不十分だった。国際連盟は、米国が国内の反対により参加せず、日本やドイツなど主要国の脱退が相次いだことも重なって機能不全に陥り、第二次世界大戦を防ぐことはできなかった。こうした反省から、国連は憲章で、安保理の決定による軍事制裁の規定を明記している。

▲ウクライナ侵攻を巡る国連安保理会合＝米ニューヨークの国連本部で2023年7月

POINT

安保理 拒否権がもたらす機能不全

国連憲章は、国連の目的を「国際の平和及び安全を維持すること」と明記する。その中核を担うのが、全加盟国に対して法的拘束力のある決定ができる安保理だ。その中でも、米英仏露中5大国で構成する常任理事国は、安保理の決定に大きな影響力があり、国際秩序の安定に最も責任を持つべき立場といえる。

5大国に与えられた**拒否権**は、安保理による常任理事国への軍事措置決定を難しくし、常任理事国同士の軍事衝突や大国間戦争への発展を防ぐ役割もある。

一方で冷戦時代以降は、常任理事国の拒否権行使によって、安保理が機能不全に陥る状況が繰り返されてきた。冷戦時代は米国とソ連が互いの提案に拒否権を発動し合った。冷戦後も、中東や北朝鮮などの問題を巡り、米露中が互いに拒否権を行使したり、行使をちらつかせたりする構図がみられる（☞121㌻）。

2022年のロシアによるウクライナ侵攻に際しては侵攻当事国のロシアが拒否権を発動。2023年のパレスチナ自治区（☞109㌻）ガザ地区の軍事衝突では、イスラエルを支持する米国だけでなく、中国やロシアも拒否権を発動し、武力行使を止められない状況が続いた。

拒否権のあり方や理事国枠を巡る**安保理改革**（☞121㌻）の議論は、国連の積年の課題となっている。近年の安保理の機能不全を受け、安保理改革を進めるべきだという声は高まっている。

ただ、拒否権の制限や常任理事国枠の拡大を承認すれば、現在の常任理事国が特権を失うことになるため、実現に懐疑的な見方も強い。国連の機能を回復し、強化していけるかが問われている。

パレスチナ問題の歴史

パレスチナ問題は、ユダヤ人（ユダヤ教徒）とパレスチナ人（パレスチナ地方に住むアラブ人で、多くはイスラム教徒）の間の、パレスチナ地方の帰属を巡る長年の紛争を指す（☞120㌻）。

19世紀末ごろ欧州で、ユダヤ教の聖地があるパレスチナでユダヤ人国家の建設を目指す**シオニズム運動**が興隆。ユダヤ人のパレスチナ移住が進み、それ以前から住んでいたパレスチナ人と対立するようになった。第一次世界大戦中、この地の覇権を争う英国が、パレスチナ人には当時の統治者オスマン帝国からの独立を約束し、ユダヤ人にはシオニズム運動への支持を表明。双方の対立が激化する中、大戦後は英国がこの地を委任統治した。

その後、第二次世界大戦中のナチス・ドイツによる**ホロコースト**を受けて、多くのユダヤ人が欧州からパレスチナへ流入した。国連総会は1947年、パレスチナの地を双方に分割し、聖地**エルサレム❶**を国際管理下に置くとする「**パレスチナ分割決議**」を採択。ユダヤ人は翌1948年、イスラエルを建国した。

パレスチナ人とアラブ諸国はこ

▶パレスチナ難民キャンプを囲む分離壁。壁の向こうにはユダヤ人入植地が広がる＝東エルサレムで2018年

れに強く反発し、軍事衝突とパレスチナ人の大量難民化が始まった。米国を後ろ盾とするイスラエルとアラブ諸国の間では4度にわたる**中東戦争**が勃発し、イスラエルが領土を広げる結果となった。

1993年の**オスロ合意**（☞107㌻）などで和平の機運が高まったものの、国境線の画定やエルサレムの帰属など多くの課題があり、軍事衝突によって交渉は頓挫。2000年代後半以降、イスラエルはガザ地区を封鎖状態に置く一方、ヨルダン川西岸地区で入植活動を進める（☞下の「WORD」）。その間も、軍事攻撃の応酬が続いている。

中東戦争以降、周辺のアラブ諸国とも対立してきたイスラエルだが、2020年、極端にイスラエル寄りだった米トランプ政権の仲介で、アラブ首長国連邦（ＵＡＥ）、バーレーン、スーダン、モロッコの4カ国と国交正常化に合意❷。しかし、2023年10月以降、アラブ諸国との関係は再び悪化している。

❶**エルサレム**……キリスト、イスラム、ユダヤの3宗教が聖地とする都市。第3次中東戦争以降、イスラエルが全域を支配する。パレスチナは東エルサレムを、独立国家が成立した時の首都と位置づける。
❷それまでアラブ諸国のうち国交があったのはエジプトとヨルダンのみだった。

PLUS
増える難民

難民条約は、難民について「**人種、宗教、国籍、政治的意見や特定の社会集団に属すること**」を理由に迫害を受ける恐れがあり、出身国を逃れた人と定義する。紛争などから逃れた人も難民だ。難民と同じ理由で故郷を追われ、自国内にいる人は「国内避難民」と呼ばれる。**国連難民高等弁務官事務所（ＵＮＨＣＲ）**によると、2022年末時点で、世界の難民や難民申請者、国内避難民などの総数は約1億840万人に上った。これらの人々の出身国・地域で最も多いのはシリア（約650万人）で、次いでロシアとの戦争が続くウクライナ、イスラム主義組織タリバンが政権を握るアフガニスタン（いずれも約570万人）と続く。

WORD
パレスチナ自治区

地中海に面した**ガザ地区**（365平方㌔）と、ヨルダン川を挟んで隣国ヨルダンに面した**ヨルダン川西岸地区**（5655平方㌔）からなるパレスチナの領域（☞107㌻の地図）。1967年の第3次中東戦争以降、イスラエルが占領していたが、オスロ合意によりパレスチナ自治政府が統治する自治区となった。パレスチナは2012年、国連で「オブザーバー国家」に位置づけられた。

ガザ地区は2007年以降、イスラム組織ハマスが実効支配する。イスラエルによる境界封鎖で住民は許可がない限り地区外に出られず、地区内では慢性的に食料や生活物資が不足している。狭い土地に約222万人が暮らすガザ地区は、世界で最も人口密度の高い場所の一つとされ、「天井のない監獄」とも呼ばれる。

ヨルダン川西岸地区は自治政府が統治するが、イスラエルが国際法違反とされる入植や分離壁の建設を進め、一部はイスラエルの統治下にある。

核兵器と向き合う世界

TOPICS

▶ プーチン氏「核の先制使用」示唆

▶「核なき世界」へ 日本の立場は？

▶「冷戦後最悪」の米露関係

16 平和と公正を すべての人に

▣「核の脅威」高めるロシア

❶ こうした「核の脅し」はロシアにとどまらない。イスラエルによるパレスチナ自治区ガザ地区への攻撃に絡み、イスラエル政府の閣僚は2023年11月、ガザ地区への核兵器使用は「選択肢の一つ」だとインタビューで語った。

❷核の先制使用

一般に、核兵器以外の兵器で攻撃された際に核兵器を用いて反撃すること。これに対し、核兵器による攻撃にのみ核兵器で反撃することを「**核の先制不使用**」という。ロシアは軍事行動の原則として、通常兵器による攻撃でも、国家の存続が脅かされる時は核兵器を使用する可能性があると示している。

冷戦（☞112㌻）終結後、遠のいていた「核戦争」の恐れが、再び高まっている。ロシアがウクライナ侵攻以降、自国の核戦力を誇示し、核兵器を使用する可能性を繰り返し示唆しているためだ**❶**。

ロシアは2023年2月、米国との間の**新戦略兵器削減条約**（**新START**、☞113㌻）の履行停止を通告し、10月にはロシアとウクライナの隣国ベラルーシに核兵器を配備したと表明。11月には、**核実験全面禁止条約**（**CTBT**、☞下の「2級Check」）の批准を撤回した。プーチン大統領＝写真＝は記者会見で、「**核の先制使用❷**」を検討することも示唆している。

2023年9月には、プーチン氏が北朝鮮の金正恩（キムジョンウン）総書記と会談し、核保有国としての互いの関係強化をアピールする場面もあった。ただ、ロシアと関係の近い核保有国の中国やインドを含め、国際社会ではロシアの核兵器使用を懸念する声が強く、現実の使用は困難だとの見方も多い。

PLUS

中国の核軍拡と核管理

米国防総省によると、中国は2030年までに核弾頭を倍増し、1000発以上を保有する見込みだ。米露に比べると少ないが、核戦力を急速に増強しており、新たな核軍拡の火種となっている。

中国は、いかなる場合も核兵器を先制使用しないこと（核の先制不使用）▽非核保有国に対する核兵器の使用や威嚇を無条件で控えること——などを宣言し、核戦力の保持は必要最低限にとどめるとする核戦略を表明してきた。しかし、近年の急激な核戦力の増強を受け、中国の核戦略の転換を指摘する声もある。

中国のこうした動きは米国への対抗措置とみられる。米国はトランプ政権（2017〜21年）時、小型核兵器の開発など核使用のハードルを下げる戦略を打ち出した。中国は、米国が台湾有事（☞117㌻）などで限定的な核使用に踏み切る可能性があるとみて、警戒を強めたとされる。

米中両政府は2023年11月、トランプ政権下で途絶えていた核兵器の管理のあり方に関する協議を再開した。偶発的な核戦争の勃発を防ぐための回避措置などを巡り、今後も協議が続くとみられる。

核実験全面禁止条約とは？

核実験全面禁止条約（**CTBT**）は、宇宙空間や大気圏内、水中、地下を含むあらゆる空間での核爆発実験を禁止する条約。核兵器の開発や改良に欠かせないと言われる核爆発実験を禁止することで、核軍縮・核不拡散を進めることを目指す。

キューバ危機（☞134㌻）などを契機に、1963年に**部分的核実験禁止条約**（**PTBT**）が締結されたが、地下核実験を禁止しておらず、核開発の抑止効果は限定的だった。

CTBTは1996年9月に採択され、2023年11月時点で日本を含む177カ国が批准（ロシアを除く）。しかし、発効にはロシアを含む特定の44カ国の批准が必要で、このうち米国や中国、インド、パキスタンなども未批准のため、いまだ発効していない。

■ 核軍縮 二つの条約の行方

「核の脅威」が高まる中、国際社会の核軍縮の動きは停滞している。

核軍縮に関する世界最大の枠組みが**核拡散防止条約（ＮＰＴ、☞下の「WORD」）**だ。世界の大半の国が参加し、参加国・地域に対して「誠実な核軍縮交渉」が義務づけられているが、取り組みは鈍い。５年に１度開かれる参加国・地域による再検討会議は、過去２回にわたって最終文書の採択に至らなかった。

ＮＰＴの下での核軍縮の停滞に危機感を持った非核保有国の主導で、2021年には**核兵器禁止条約（核禁条約）❶**が発効した❷。ただし条約は核の保有を禁じているため、核保有国は参加していない。さらに条約は、**核抑止論❸**の根幹となる「核による威嚇」も禁止しており、参加すれば「**核の傘**」が無効となる。そのため、米国の核の傘の下にある日本や**北大西洋条約機構（ＮＡＴＯ、☞112ﾍﾟ）**加盟国も不参加だ❹。

日本政府はＮＰＴを足場に「核保有国と非核保有国の橋渡し役を務める」という立場だ。しかし、唯一の戦争被爆国でありながら核禁条約への参加を見送る状況に、被爆者団体などからは批判が上がる。広島市で2023年５月に開かれた主要７カ国首脳会議（Ｇ７サミット）では、「核兵器のない世界を目指して取り組みを強化する」との言葉を盛り込んだ首脳宣言が採択された。「核なき世界」への日本の本気度が問われている。

❶核兵器禁止条約（核禁条約）

核兵器を違法として全面禁止する初めての国際ルール。2021年１月に発効。70カ国・地域が参加する（2024年１月時点）。将来的な核廃絶を目指し、核兵器の開発、実験、保有、移譲、使用をいかなる場合も禁止し「使用の威嚇」も禁じる。一定期限までの核廃棄を前提に、核保有国も参加できる。

❷核兵器、化学兵器、生物兵器は一般に、一度に大量の死傷者を出す「大量破壊兵器」とされる。化学兵器と生物兵器にも包括的に禁止する条約がある。

❸核抑止論

核兵器の保有は「攻撃されたら核兵器で報復する」という脅しになり、相手に攻撃を思いとどまらせる力（核抑止力）がある、という考え方。

❹ただし、ドイツなどＮＡＴＯ加盟国の一部は2023年の締約国会議にオブザーバー参加した。

国際

WORD
核拡散防止条約（ＮＰＴ）

「核不拡散・核軍縮・原子力の平和利用」を３本柱とする世界最大の核軍縮の枠組み。キューバ危機を教訓に結ばれた（1970年発効）。核保有国を米国、英国、フランス、ロシア、中国に限定し、非核保有国への核兵器の拡散を防止する。191カ国・地域が参加する一方、５カ国のみに核保有を認めることから「不平等条約」との批判もあり、核保有国のインドとパキスタン▽核保有が確実視されるイスラエル▽非核保有国の南スーダン──は不参加で、北朝鮮は脱退を表明した。参加国・地域が核軍縮の現状などを検証する再検討会議は次回、2026年に開催される。

▼核軍縮を巡る構図

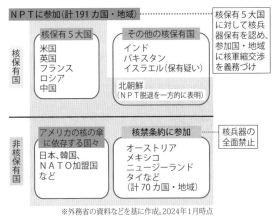

※外務省の資料などを基に作成。2024年1月時点

論点　日本は核禁条約に参加すべきか、否か？

●参加すべきだ
- 日本は唯一の戦争被爆国として、核廃絶を強く求める役割を積極的に果たすべきだ。
- 核兵器の非人道性への理解が世界で広がる中、核抑止力に頼る政策は時代の流れに反する。

●参加すべきではない
- 条約は核保有国と非核保有国の対立を深めかねないため、ＮＰＴの強化などを優先すべきだ。
- 東アジアで北朝鮮や中国などの脅威が増す中、日本の安全保障には米国の「核の傘」が必要だ。

冷戦とその後の世界

冷戦（冷たい戦争）とは20世紀半ばから世紀末にかけて、世界が米国や西欧などの**西側（資本主義）陣営**と、ソ連や東欧などの**東側（社会主義・共産主義）陣営**に分かれて対立したことをいう。

米ソの対立はまず、欧州で顕著になった。第二次世界大戦後、東欧諸国に親ソ政権を成立させたソ連を警戒し、米国が英仏などの西欧諸国との経済的・軍事的結びつきを強めた。これにより両陣営の緊張が高まり、最前線のドイツでは国家が東西に分断される事態となった。欧州以外でも、米ソが自陣営の維持・拡大を図り、朝鮮戦争（☞137㌻）やベトナム戦争などの「代理戦争」が展開された。

米ソの核開発競争もエスカレートした。核実験が繰り返され、核弾頭保有数も増えた。1962年の**キューバ危機**（☞134㌻）を教訓に核軍縮交渉が重ねられたが、1970年代以降は再び核軍拡競争の局面に陥り、欧州を軸に、米ソが中距離ミサイルの配備合戦を展開した。

転機は1985年。ゴルバチョフ氏がソ連トップの共産党書記長に就任し、ペレストロイカ（改革）を掲げて民主化や政治改革を推進。計画経済が行き詰まる中、市民の間で自由を求める動きが活発化した。1989年には東欧の共産主義独裁体制が次々と倒れ、「ベルリンの壁」が崩壊。米ソ両首脳はマルタ会談で冷戦終結を宣言した。1991年の**ソ連崩壊**（解体）後は15の旧共和国がそれぞれ独立国となり、ソ連の国際的地位と核兵器はロシアが継承した。

◆ 米露関係 近年は「冷戦後最悪」

冷戦終結後、米露関係は一時改善するかに見えた。米国は主要7カ国（G7）の枠組みにロシアを加え、1998年からは一時、主要8カ国（G8）となり、ロシアは北大西洋条約機構（NATO、☞下の囲み）への一部東欧諸国の加盟を容認した。しかし、ロシアでプーチン政権が発足し、国内で政権に批判的な勢力に対する強権的な政治を進める中、欧米とロシアの対立は再び深まった。2014年のロシアによるウクライナ南部クリミア半島の併合、2022年に始まったウクライナ侵攻を受け、近年の米露関係は「冷戦後最悪」といわれる。

▶**NATO加盟国の推移**

凡例：
冷戦期に加盟
冷戦終結後に加盟
2023年に加盟

※米国なども加盟。ドイツは西ドイツ（当時）の加盟時期

POINT

ロシアとNATO 高まる緊張

北大西洋条約機構（NATO）は欧米諸国による世界最大の軍事同盟で、米国の「**核の傘**」の下にある。冷戦構造が強まる1949年、西側陣営の欧米諸国が、東側陣営（ソ連と東欧諸国）に対抗するために結成。対する東側陣営は1955年に「ワルシャワ条約機構」を設立した（1991年解体）。冷戦終結後、NATOには旧東側陣営の東欧諸国が続々と加盟した。

こうしたNATOの拡大が、ロシアによるウクライナ侵攻の背景にあると指摘される。ソ連崩壊時に独立したウクライナでは、親欧米派と親露派の間で政権交代が繰り返され、親欧米政権時にNATO加盟を目指す動きがみられた。ロシアは、欧州諸国と自国の間に位置し、歴史的にも関係が深いウクライナが、NATOや西欧へ接近する動きを警戒してきた。

2014年、ウクライナで親欧米派が政権を掌握すると、ロシアは、ロシア系住民が多く住むウクライナ南部クリミア半島を一方的に併合。反発した欧米諸国はG8からロシアを外し、NATO加盟国は各国の国防費を国内総生産（GDP）比2％以上に引き上げる目標を設定した。

さらに、ウクライナ侵攻を受けて2022年、ロシアと国境を接するフィンランドとその隣国のスウェーデンがNATOへの加盟を申請（フィンランドは2023年に加盟）。両国は冷戦中も軍事同盟に加わらずに中立を保ってきたが、侵攻を受けて政策を転換した。一方、ロシアはNATOに対抗するため、ベラルーシに核兵器を配備。ウクライナ侵攻は、NATO勢力の拡大と欧州における核軍拡の緊張につながっている。

せめぎ合う核軍拡と核軍縮

冷戦時代に最大約7万発あった核弾頭は、1万2512発まで減った（☞**右下の図**）。しかし、米露中を中心とする核保有国は先端技術を駆使した新型核兵器の開発を競い、核兵器の「近代化」を進める。

例えば近年開発が進むのが、戦場などでの使用を想定した比較的小型の核兵器だ。都市を壊滅させるような核兵器と比べて爆発力は小さいが、使用のハードルが下がり「使える核兵器」とも呼ばれる。爆発力が小さくても放射線が飛散し、甚大な被害をもたらす。こうした核兵器はロシアが先行して保有し、米国も潜水艦に実戦配備する。核弾頭を搭載するミサイル技術では、音速の5倍（マッハ5）以上で飛ぶ極超音速兵器の開発を米露中などが競う。

◆ 米露間の核軍縮条約 消滅の危機

米露は2カ国で全世界の核弾頭の約9割を保有し、世界の核軍縮の進展に最も大きな影響力を持つ。ただ、米国とソ連の間で結ばれ、冷戦終結の契機になったとされる**中距離核戦力（INF）全廃条約**（☞

137ﾍﾟー ）はすでに失効。米露間に残る核軍縮条約は、互いを直接攻撃できる戦略核兵器の削減を定める**新戦略兵器削減条約（新START）❶**のみだ。

しかし、ロシアのプーチン大統領は2023年2月、新STARTの履行停止を表明。米国も対抗措置として、条約が定める核兵器などの情報提供を一部停止すると発表した。新STARTの期限は2026年だが、延長交渉の見通しは立っていない。

❶新戦略兵器削減条約（新START）……米国とロシアの間で2010年に締結。大陸間弾道ミサイル（ICBM）や潜水艦発射弾道ミサイル（SLBM）の削減を定める。

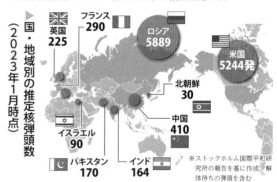

国・地域別の推定核弾頭数（2023年1月時点）

英国 225
フランス 290
ロシア 5889
米国 5244発
北朝鮮 30
中国 410
イスラエル 90
パキスタン 170
インド 164

※ストックホルム国際平和研究所の報告を基に作成。解体待ちの弾頭を含む

PLUS

米・イラン関係とイラン核合意の行方

イランによる核開発を制限する「**イラン核合意❷**」は、再建に向けた進展が見えない状況だ。核合意を巡っては、米国のトランプ政権が2018年に一方的に離脱。反発したイランは、核合意の枠組みにとどまりつつも核開発を再開した。2021年に発足したバイデン米政権は、両国間の間接協議を開始したが、同じ年にはイランの大統領が穏健派のロウハニ師から反米保守強硬派のライシ師に交代。協議は継続しているが、核合意再建の見通しは立たない。その間、イランは合意違反のウラン濃縮を続けている。

2023年以降のイスラエルによるパレスチナ自治区ガザ地区への攻撃を巡っても、パレスチナ側に立つイランと、米国と関係が深く核保有が確実視されているイスラエルの対立が深まっており、協議への影響が懸念される。

米国とイランの対立の発端は1979年にさかのぼる。米国を後ろ盾に西洋化を進めたイランの独裁王制に国民が反発し、イスラム教シーア派の宗教指導者ホメイニ師を精神的支柱として王制を打倒（**イラン革命**）。同年、ホメイニ師を支持する学生らが、首都テヘランの米大使館を占拠し、米国に亡命した前国王の身柄引き渡しを求めた。事件は解決までに444日を要し、両国は1980年に断交した。その後、現在まで国交がない。

❷イラン核合意……イランと米英仏独露中が2015年に結んだ合意。イランが核開発を制限する見返りに米欧が経済制裁を解除するなどの内容。2000年代以降、イランによるウラン濃縮などが発覚。核兵器を開発しているとの疑惑から米国などは経済制裁を科し、反発するイランとの緊張が高まった。こうした問題を解決するために合意が結ばれた。

PLUS

北朝鮮 続く緊迫

核兵器を保有する北朝鮮は、核兵器と、核兵器の運搬手段となるミサイルを「自衛的国防力」と位置づけて開発を続けてきた。

2017年に核実験やミサイル発射実験を相次いで行い、「核戦力の完成」を宣言。全米を射程に収める**大陸間弾道ミサイル（ICBM、☞137ﾍﾟー）**をはじめ、迎撃困難な極超音速ミサイル、発射を探知しにくい潜水艦発射弾道ミサイル（SLBM）などの発射を繰り返している。

日本政府は、北朝鮮が「核の小型化・弾頭化を実現した」とみており、北東アジア情勢は緊迫した状況が続いている。

26 米国 次のリーダーは

TOPICS

▶ 大統領選の構図どうなる

▶ 米国の政治の仕組み

▶ 連邦最高裁 保守派多数に

■ 波乱含みの選挙戦

❶次期大統領の任期が始まる 2025年1月までにバイデン氏は 82歳。一方、トランプ氏も78 歳となっている。

❷連邦議会議事堂襲撃事件
トランプ氏の支持者ら数千人が 2021年1月、大統領選の結果の 確定手続きが行われていた連邦議 会議事堂を取り囲み、数百人が建 物内に乱入した事件。死者も出た。 支持者らはトランプ氏が敗北した 大統領選の結果の無効を訴えてい た。

❸（米国の）文化戦争
銃規制や移民、性的少数者の権 利など、幅広い社会問題を巡る党 派間の対立を指す。

米国では2024年、4年に1度の大統領選挙（☞115ジ） が実施される。与党・民主党からは、再選を狙うバイデ ン大統領＝**写真**、野党・共和党からはトランプ前大統 領やヘイリー元国連大使が立候補を表明（2024年1月 時点）。各党による候補者1人の指名につながる**予備選 挙・党員集会**は2024年1月以降に各州で始まり、11月の**本選**（**一般投票**、 ☞115ジ）で大統領が選出される。

本選は、前回と同じ「バイデン氏対トランプ氏」の構図が有力視される。 ただし、バイデン氏については高齢**❶**への懸念が広がるほか、イスラエ ルによるパレスチナ自治区ガザ地区への攻撃（☞107ジ）を支持し続けた 姿勢に、アラブ系や若者の間で批判が高まった。

トランプ氏は敗北した前回大統領選（2020年）を巡る選挙妨害などで 起訴されているが（☞**左下の囲み**）、共和党内の支持率は高い。ただし、 **連邦議会議事堂襲撃事件❷**の「反乱」に関与したとして、一部の州におけ る大統領選の出馬資格の有無を連邦最高裁判所が判 断する事態となったうえ、訴追の行方が選挙戦に影 響する可能性もある。

大統領選の主な争点の一つは経済政策だ。ロシア によるウクライナ侵攻などで、国内は物価の高騰に 見舞われている。同時に注目されるのは「**文化戦争❸**」 と呼ばれる対立だ。特に人種問題や移民政策を巡っ て、黒人など人種的少数派の権利や中南米からの移 民に寛容なバイデン政権に対し、トランプ氏は多数 派の白人の権利を優先して排外主義的な政策を唱え、 対立が際立つ。人工妊娠中絶や性的少数者の権利を 巡っても、肯定的なリベラル派と否定的な保守派が 激しく対立する。文化戦争の激化は米国社会の分断 を深める要因となっている。

POINT

トランプ氏 訴追の影響は

トランプ氏は2023年、四つの事件を巡り起訴され た。具体的には、前回大統領選を巡る連邦議会議事 堂襲撃事件や、南部ジョージア州での敗北を覆そうと した事件での、共謀罪や組織犯罪処罰法違反の罪▽ 機密文書を不正に保持した罪▽自分に不利な情報を 隠すための口止め料を不正に処理した罪――などだ。

米国の憲法や連邦法では、起訴された人物が大統 領選に立候補することを禁じる規定はないとされる。 また、仮にトランプ氏が大統領選で当選した後に裁 判で有罪が確定し、刑務所に収容された場合も、大 統領職を続けることは可能だとの見方が多い。裁判 と大統領選の結果によっては、史上初の「受刑者の大 統領」が誕生する可能性もある。さらに、トランプ氏 が当選した場合、自分自身に対する起訴を取り下げ させたり、恩赦したりする可能性も指摘されている。

■ 大統領と議会が均衡

米国は**大統領制**の国だ。それぞれ選挙で選ばれた大統領(行政府の長)と連邦議会(立法府)議員が、互いに抑制・均衡し合う。日本や英国の**議院内閣制**(☞14㌻)よりも権力の分立が徹底されており、大統領は議会に法案を提出できず、政策などを示す「教書」を送って議会に法律の制定を求める。議会の解散権はないが、可決された法案に拒否権を使える。議会は立法権、予算議決権を持ち、大統領に対する不信任決議はできないが**弾劾**は可能だ。

大統領の出身政党と、上院・下院の多数派が異なることは珍しくないが、現在のように党派間の分断が大きい状態では、大統領が掲げる重要政策が通らず政権運営に支障をきたしかねない。そこで、議会の承認を得ずに出せる行政命令「**大統領令**」を多用する例もみられる。

■ 大統領はどう決まる？

大統領(任期4年、3選は不可)の選挙(**本選**)は実質的に民主党、共和党それぞれの候補の一騎打ちとなる❶。勝敗は全米の「総得票数」ではなく、各州に割り振られた**選挙人**の獲得数で決まる❷。州ごとに勝者を決め、大半の州は勝者がその州の全選挙人を獲得する(勝者総取り方式)。こうした仕組みのため、全米でより多くの票を得ても選挙には負けることがある。2000年以降の6回の大統領選は、総得票数では民主党候補の5勝1敗だが、実際の選挙結果は3勝3敗となっている。

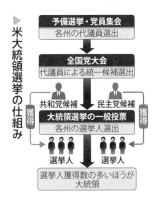

米大統領選挙の仕組み

| 予備選挙・党員集会 |
| 各州の代議員選出 |

| 全国党大会 |
| 代議員による統一候補選出 |

共和党候補 ← → 民主党候補
獲得　**大統領選挙の一般投票**　獲得
各州の選挙人選出

選挙人　　選挙人

選挙人獲得数の多いほうが
大統領

❶民主党と共和党以外の政党から大統領選へ出馬することも可能だが、米国の強固な2大政党制のもとでは、大統領に選出される可能性はきわめて低い。

❷米大統領選は形式的には、選挙人が大統領候補に投票する間接選挙で、候補が獲得した選挙人は原則、その候補に投票する。

▼連邦最高裁前で抗議する中絶容認派の人々=米国・ワシントンで2022年

連邦最高裁判所 判事の党派性に焦点

米国の最高司法機関である**連邦最高裁判所**は、判事9人で構成され、大統領の決定や議会が定めた法律の違憲審査権を持つ。国論を二分する争点の是非を憲法判断という形で示すが、判断は小差で決まることが多いため、各判事が大きな影響力を持つ。

判事は事実上の**終身制**。判事の死去や退任で欠員が生じた際は、大統領が後任を指名し、上院の承認を経て就任する。指名の際、大統領が民主党であればリベラル派、共和党であれば保守派を選ぶ傾向があることから、政治が司法に与える影響が指摘されてきた。

顕著な影響が指摘されるようになったのは近年だ。従来、判事の構成は保守派とリベラル派がほぼ拮抗していたが、欠員補充でトランプ前大統領が任期中に保守派3人を相次いで指名。バイデン大統領もリベラル派1人を指名したが、保守派6人、リベラル派3人で保守派多数の構図が続く(☞右の図)。

この判事構成のもとで連邦最高裁は2022年6月、女性が人工妊娠中絶を選ぶことを憲法上の権利と認めた1973年の歴史的判例「ロー対ウェイド判決❸」を自ら

覆し、州が中絶を禁止・制限することを容認する判断を下した。保守派判事5人の賛成による。さらに2023年6月には、大学の入学選考で黒人や中南米系を優遇する**積極的差別是正措置(アファーマティブ・アクション)**を巡って従来の判断を覆し、特定の人種を一律に優遇する手法は違憲とする判断を示した。保守派判事6人が賛成した。

同様に、合憲判決が出ている同性婚など双方が対立する問題でも、今後、判事構成が影響する可能性がある。

❸ロー対ウェイド判決……連邦最高裁が中絶を憲法上の女性の権利として米国で初めて認めた判決。当時は全米50州中30州で中絶が禁止されていたが、この判決で妊娠後期を除き中絶が認められた。その後、胎児が母体外で生存できる時期(妊娠22〜24週ごろ)までは容認されてきた。

▼**現職の連邦最高裁判事(2024年1月時点)を指名した大統領と党派**

保守	保守	保守	リベラル	リベラル	保守	保守	保守	リベラル
共和党 ブッシュ氏(父)	共和党 ブッシュ氏(子)		民主党 オバマ氏		共和党 トランプ氏			民主党 バイデン氏

27 鈍る中国 台頭する国々

TOPICS

▶ 中国 遅れる「コロナ後」の景気回復

▶ 台湾 新総統は民進党・頼氏に

▶ 注目されるグローバルサウス

▣ 曲がり角の中国社会

「奇跡」とも言われた中国の経済発展が曲がり角を迎えている。中国は1978年の**改革・開放政策❶**導入後に右肩上がりの成長を遂げ、米国に次ぐ世界２位の経済大国となった。習近平国家主席＝写真＝率いる指導部は、建国100年の2049年までに米国に並ぶ超大国になることを目指す「**強国路線**」を掲げる。

ただ、その長期戦略に暗雲が垂れ込めている。新型コロナウイルスの感染拡大を厳格に封じ込める「**ゼロコロナ**」政策の完全撤廃（2023年1月）後、期待されていた経済の回復が遅れているからだ。

中でも、地方財政や個人資産を支える不動産市況の不振が深刻だ。若者の失業率も過去最悪の水準となった。消費や投資を控える動きが定着し、経済が長期低迷することへの懸念が高まっている。習指導部は貧富の格差を縮小して社会全体で豊かになる「**共同富裕**」を掲げてきたが、都市部と地方の格差も依然として深刻だ。

習指導部の下、経済成長よりも中国共産党の一党支配体制を守る「国家の安全」が優先されるようになり、改革・開放政策は変質した。地方政府は外国企業の投資に期待するが、反スパイ法❷の改正（2023年施行）などで国内のビジネス環境は厳しさを増す。14億の巨大人口は減少に転じ、少子高齢化も急速に進む。増大する社会保障費を賄い、消費主導の経済へ転換するために、不動産税の導入など既得権益に切り込む構造改革の必要性を指摘する声もある。

強権体制によって経済の減速と人口減少を同時に乗り切ることができるか。党総書記、国家主席として異例の３期目を務める習氏の政治手腕が問われている。

---

❶改革・開放政策

鄧小平が主導した、市場経済を取り入れ、外資に門戸を開く経済政策。経済特区の設置や人民公社の解体、企業自主権の拡大などとともに、個人の経済活動や一定の私的経営を認める「社会主義市場経済体制」が導入された。

❷反スパイ法

「国家の安全」を脅かすスパイ行為の摘発を目的に、2014年に施行された。「スパイ行為」の定義が曖昧で、中国当局による恣意的な運用が懸念されている。改正法では「スパイ行為」の定義が広がり、情報提供（密告）を国民に促す内容も盛り込まれた。

POINT

「一帯一路」10年 「量より質」へ

習主席が2013年秋に巨大経済圏構想「**一帯一路**」を打ち出してから10年が過ぎた。中国は、古代の交易路「シルクロード」にちなみ、中国から欧州を陸路と海路でつなぎ、巨額の資金力で鉄道や港湾などインフラ建設を推進。**アジアインフラ投資銀行（ＡＩＩＢ）**の設立も主導した。一帯一路の範囲は中南米や北極など地球規模に広がり、約140カ国が関連の協定や覚書を中国と結んだ。中国から沿線国への直接投資は累計2000億㌦（約30兆円）を超えた。

しかし、近年は中国への借金返済に窮する途上国が出始め、「**債務のわな**」との批判もある。貸手の中国側にとっても、不良債権を抱えて損失を被りかねない事態となっている。

一帯一路の求心力にはかげりも見える。主要７カ国（Ｇ７）で唯一参加していたイタリアは「期待した経済効果が得られない」として2023年12月、中国側に離脱を通知した。

国内経済の低迷もあり、習指導部は環境技術などを売り込む「量より質」への転換を打ち出している。

■ 米中対立 鮮明に

■ 緊迫続く台湾情勢

中国は、国家主権や領土、政治制度の安定などを守るために譲歩できない国益を「**核心的利益**」とする。中でも重視するのが台湾だ。

中国は「**一つの中国❶**」の原則に基づいて、台湾統一を「祖国統一」と位置づけてきた。習指導部は台湾に対する圧力を強めており、「平和的統一を堅持するが、決して武力行使を放棄しない」と表明している。

一方の台湾では、中国との融和路線を掲げる国民党に代わり、対中強硬路線を掲げる民進党が2016年から政権を担う。2024年1月の台湾総統選挙では、次期総統に与党・民進党の頼清徳氏＝写真＝が当選。頼氏は、米国との連携を重視した前任者の路線を継承する方針で、中台関係の緊張は当面続くとみられる。

■ 米国 中国は「唯一の競争相手」

アジアで覇権主義的な姿勢を強める中国に対して、米国のバイデン政権は対決姿勢を鮮明に打ち出している。2022年の「国家安全保障戦略」では、中国を「国際秩序を変える意図と能力を備えた唯一の競争相手」と位置づけた。

ただし、緊張が高まる台湾情勢を巡っては、米国は中国との決定的な対立を避けている。米国は台湾の民主体制を肯定するものの独立は支持せず、「現状維持」の立場だ。歴代政権は、想定される台湾有事で軍事介入の方針を明確にしない「あいまい戦略」を取ってきた。軍事衝突を避けるための外交努力が、今後も米中に求められる。

❶一つの中国

世界で中国はただ一つ▽台湾は中国の領土の不可分の一部▽中華人民共和国は全ての中国人民を代表する唯一の合法政府──との考え方で、中国の台湾政策の原則。

論点 グローバルサウスは国際社会で主導権を発揮できるか

●できる
・新興国や途上国は世界で130カ国以上あり、世界人口の約6割を占める。発言力が強まるのは当然だ。
・気候変動などで先進国のしわ寄せを受け、被害に直面する国々だからこそ、説得力をもって地球規模の問題の解決を訴えられる。

●できない
・グローバルサウスは一枚岩ではなく、それぞれの国が状況に応じて大国と近づいたり離れたりしている。大国に翻弄される状況は今後も変わらない。
・インドのような大国からアフリカの最貧国までさまざまで、独裁国家もある。価値観を共有し、統一した行動をとれるかは疑問だ。

国際

PLUS

存在感高まるグローバルサウス

国際社会では近年、アジアやアフリカ、中東などの新興国・途上国の動きが注目されている。欧米などの先進国や中国、ロシアといった大国が主に北半球にあるのに対して、これらの国々は南半球に多いことから、「**グローバルサウス**」と総称される。

正式な国家・地域同士の枠組みではなく、どの国が含まれるのかといった明確な定義はない。1964年に中国が主導して結成した国連における途上国の集まり「**77カ国グループ（G77）**」（現在は130以上の国・地域が参加）が土台にあるとされる。インド（☞119㌻）が「盟主」を自任しているほか、主要20カ国・地域（G20、☞136㌻）のメンバーであるブラジルやインドネシア、南アフリカなども含まれるとされる。

グローバルサウスは、新型コロナの世界的感染拡大の際にワクチンが行き届かなかったり、2022年以降の

ロシアによるウクライナ侵攻の影響で食料や資源が不足したりする状況が注目されるようになった。気候変動による影響を大きく受けているのもこれらの国々だ。いずれも地球規模の問題において、大国のしわ寄せを受ける形で窮状が浮き彫りになり、貧困、飢餓、気候変動、債務危機などの課題解決が急務となっている。

グローバルサウスの国々の多くは、米中露の**大国間競争**（☞106㌻）から距離を取る。ウクライナを巡っても、ロシアの軍事侵攻を問題視する一方、ロシアに経済制裁を科す欧米にも同調しない「中立」の立場の国が多い。2023年2月の国連総会はロシア軍の即時撤退を求める決議を141カ国の賛成多数で採択したが、インドや南アフリカなど32カ国は棄権した。増加する人口や豊富な資源を背景に経済成長が見込まれることから、国際社会での影響力は高まっていきそうだ。

中国「習1強体制」続く

◆ 集団指導体制が形骸化

中国の習近平氏は2012年に**中国共産党総書記**、翌2013年に国家元首である**国家主席**に就任。軍のトップも兼ねる。2018年には憲法改正で国家主席の任期制限を撤廃し、長期政権に道を開いた。共産党は毛沢東時代への反省から、個人崇拝を防ぐために集団指導体制を取ってきたが、習氏の「1強体制」はその形骸化とも指摘される。

◆ 強固な一党支配

共産党は中国の憲法で「国家を指導する政党」と位置づけられる。そのトップが総書記だ。また、党の指揮下に人民解放軍がある。

日本の国会に当たるのが、年1回、10日間ほど開かれる**全国人民代表大会（全人代）**だ。1院制の立法機関で、人民代表（議員）は少数民族も含めて約3000人。形式上は選挙が実施されるが、その過程は党の統制下にあり、審議も党の決定を追認する側面が強い。行政機関である国務院（トップは一般に首相と呼ばれる）や最高裁判所に相当する最高人民法院は共に全人代の監督下にあり、三権分立は否定されている。

▶中国の党・軍・国家の関係

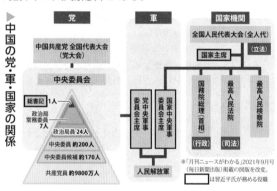

※「月刊ニュースがわかる」2021年9月号（毎日新聞出版）掲載の図版を改変。
□は習近平氏が務める役職

南シナ海 進む軍事拠点化

中国は南シナ海の島々の領有権や資源開発を巡り、東南アジア諸国連合（ＡＳＥＡＮ、☞119㌻）の一部加盟国と対立する。中国が地図上で南シナ海のほぼ全域を「**九段線**」で囲い、「核心的利益」として権益を主張しているためだ（☞120㌻）。オランダ・ハーグの仲裁裁判所は2016年、中国側の主張を退けたが、中国政府は南沙諸島などの軍事拠点化を進め、ベトナムなど周辺国との緊張が続く。欧米も「軍事力による一方的な現状変更の試みだ」と批判する。中国は2023年8月、領有権の主張を広げた新しい地図を公表し、周辺国のさらなる反発を招いた。

POINT

ウイグル、香港…人権問題に批判も

習氏の1強体制が強固になる一方、中国国内では深刻な人権問題も指摘されている。特に国際社会から批判されているのが、南西部のチベット自治区や北西部の**新疆ウイグル自治区**での人権弾圧を巡る問題だ。

ウイグル自治区などで暮らす少数民族「ウイグル族」は多くがイスラム教徒で、中国当局はテロ対策の名目で厳しく取り締まり、「再教育施設」などへ収容してきた。これに対し米国は、特定の民族の撲滅を図る「**ジェノサイド**」に当たると非難。ウイグル自治区が関与する産品の輸入を原則禁止する法律も施行した。一方、中国は「弾圧はでっちあげだ」と反論する。

また、中国政府は2020年、民主派による運動が広がった香港で、中国政府への反乱や独立運動などを取り締まる**国家安全維持法（国安法）**を制定。政府に批判的な言論や報道を厳しく弾圧し、民主活動家や政治家を次々と逮捕した。

選挙制度が民主派に不利な制度に変更された影響で、2023年12月の香港区議会議員選挙では民主派が一人も立候補せず、親中派が議席をほぼ独占する結果となった。民主化運動のリーダーの一人だった周庭氏＝写真＝は同月、カナダに事実上亡命した。

中国は1997年、英国から返還された香港を特別行政区とし、言論や報道の自由を認める「**1国2制度❶**」を50年間維持すると約束した。しかし国安法の制定によって制度は事実上、崩壊したとみられている。

❶1国2制度……一つの国に資本主義と社会主義の併存を認める考え方。元々は台湾統一のため鄧小平時代に編み出した手法とされ、香港とマカオ（1999年にポルトガルから返還）に適用されてきた。親中派の多いマカオでは2009年に国安法が成立している。

台頭する新興国

◆ ＢＲＩＣＳ拡大へ

ブラジル、ロシア、インド、中国、南アフリカの５カ国による枠組み「ＢＲＩＣＳ」に2024年１月、エジプト、エチオピア、イラン、サウジアラビア、アラブ首長国連邦（ＵＡＥ）の５カ国が新たに参加した。中東の国々が参加したことで、米国の影響力が低下する中東地域で、中露の影響力がさらに高まる展開が予想される。

日本の研究機関の試算によると、主要７カ国（G７、☞136ホェ）の国内総生産（ＧＤＰ）は2000年には世界の３分の２（66.6％）を占めていたが、2020年には半分を割り、2050年には３分の１（31.7％）に減少する。新たにＢＲＩＣＳに参加した国々は、**グローバルサウス**（☞117ホェ）を代表する新興国ともみなされる。G７の経済力が相対的に低下する中、G７と一線を画すこれらの新興国の動きには、欧米主導の国際秩序に影響力を行使する狙いがあるとみられている。

◆ インド 各国が動きを注視

こうした中、特に存在感を増しているのが、グローバルサウスの「盟主」を自任するインドだ。国連人口基金の推計によると、インドの人口は14億人を超え、2023年に中国を抜いて世界１位となった。成長の原動力となる若年人口が約25％を占める。ＧＤＰは世界５位で、2027年までに日本とドイツを抜き３位となる見通し。「ＩＴ大国」としても知られ、巨大ＩＴ企業の経営トップなども輩出する。

インド外交の特徴は「非同盟・中立」だ。どの国とも付き合う「全方位外交」を掲げ、米中露それぞれと対等な外交を展開する。ライバルの中国を念頭に、米日豪との協力枠組み「**クアッド**（☞21ホェ）」を構成する一方、中露主導の地域協力枠組み「上海協力機構（ＳＣＯ）」にも加わり、欧米をけん制する。ウクライナ侵攻を巡ってもロシアへの経済制裁に加わらず、欧米と距離を置いてきた。発言力が増すインドの動きを各国が注視している。

国際

PLUS

ＡＳＥＡＮ 大国との距離感に温度差

東南アジア諸国連合（ＡＳＥＡＮ）は東南アジア10カ国による地域経済統合体だ。1967年に５カ国でスタートした。2022年の域内全体の名目国内総生産（ＧＤＰ）は３兆6223億㌦で、欧州連合（ＥＵ、約17兆㌦、☞121ホェ）には及ばないものの、日本（約４兆㌦）に近づく。人口は約６億8000万人で、今後の成長が期待される。このため日本をはじめ各国の企業が進出している。

一方、加盟国の中には政情が不安定な国も複数ある。例えばミャンマーでは2021年、国軍がクーデターを起こし、事実上の国のトップである国家顧問を務めていたアウンサンスーチー氏を拘束。2022年までに計33年の刑期を言い渡した。国軍は民主派への弾圧を強めており、ＡＳＥＡＮによる介入も進展していない（2024年１月時点）。軍の弾圧による少数派イスラム教徒**ロヒンギャ**（☞140ホェ）の難民問題も続いている。

中国やロシアとの距離感も加盟国間で温度差がある。中国を巡っては、南シナ海問題（☞118ホェ）で対立するベトナムなどが厳しい姿勢を示す一方、カンボジアなどは経済的に大きく依存する。また、歴史的にロシアと近いベトナムやラオスはウクライナ問題を巡り、国連総会でロシア軍の即時撤退を求める決議案の採決を棄権するなど、ややロシア寄りの立場を取る。大国のはざまでどのように結束を維持していくかが、ＡＳＥＡＮの大きな課題だ。

▼ＡＳＥＡＮ各国の国力（2022年）

ミャンマー	タイ	ラオス	カンボジア	ベトナム
5418	7170	753	1677	9819
594億	4953億	157億	300億	4088億
1096	6909	2088	1787	4164

10カ国計
人口 6億7945万人
名目GDP 3兆6223億㌦
1人当たり名目GDP 5331㌦

フィリピン 1億1556 4043億 3499

ブルネイ 45 167億 3万7152

シンガポール	インドネシア	マレーシア
564	2億7550	3394
4668億	1兆3191億	4063億
8万2808	4788	1万1972

国名
人口（万人）
名目GDP（㌦）
1人当たり名目GDP（㌦）

※外務省の資料を基に作成

◎ パレスチナ問題を巡る経緯

19世紀末	シオニズム運動興隆 ユダヤ人のパレスチナ移住本格化
1915年〜	フセイン・マクマホン協定、バルフォア宣言
1933年〜	ナチスの台頭とホロコースト
1947年	国連総会でパレスチナ分割決議採択
1948〜49年	イスラエル建国 第1次中東戦争勃発
1956〜1973年	第2次〜第4次中東戦争で、いずれもイスラエルが勝利
1993年	オスロ合意（暫定自治に関する原則宣言）
2000年	パレスチナ和平交渉決裂
2006年ごろ〜	パレスチナ自治区ガザ地区でイスラム組織ハマスが台頭
2018年	トランプ政権が在イスラエル大使館をエルサレムに移転

英国が、パレスチナのアラブ人には国家独立を約束（フセイン・マクマホン協定）、ユダヤ人にはシオニズム運動の支持を表明（バルフォア宣言）した。

第二次世界大戦後、多くのユダヤ人が欧州からパレスチナへ流入。

パレスチナの地を、ユダヤ人の国とパレスチナ人の国に分割し、聖地エルサレムを国際管理下に置くという内容の決議。ユダヤ人は翌年、イスラエルを建国。パレスチナ人とアラブ諸国は強く反発し、軍事衝突とパレスチナ人の大量難民化が始まる。

第3次中東戦争（1967年）で、イスラエルがヨルダン川西岸地区やガザ地区などを占領。エルサレムも一方的に併合した。

◎ 中東と周辺の主な国々

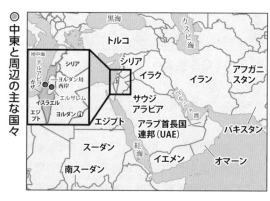

▲デモに参加し、パレスチナの旗を掲げる少年＝パレスチナ自治区ヨルダン川西岸地区で2023年12月

◎ 南シナ海における中国の主張

中国が権益を主張する九段線

◎ 米国のバイデン政権とトランプ政権の政策の比較

	バイデン政権（2021年〜）民主党	トランプ政権（2017〜21年）共和党
経済	・環境インフラ投資 ・大企業や富裕層への増税	・規制緩和 ・大型減税で大企業や富裕層を優遇
通商	環太平洋パートナーシップ協定（TPP）に復帰せず、インド太平洋経済枠組み（IPEF）設立を提唱	発効前のTPPから離脱
気候変動	・パリ協定に復帰 ・気候変動サミットを開催	パリ協定から離脱
外交全般	・国際協調を重視 ・インド太平洋地域を重視する政策を継承	・米国第一主義 ・インド太平洋地域を重視 ・歴代政権以上に「親イスラエル」
中国	専制主義国とみなし、民主主義の同盟国と連携して対抗	追加関税を課し「貿易戦争」を展開

◎ 台湾を巡る主な動き

1996年	総統選挙で初の直接選挙。李登輝総統が当選
2000年	総統選で民進党の陳水扁氏が当選。初の政権交代
05年	中国が武力統一の可能性を明記した反国家分裂法を制定
08年	総統選で国民党の馬英九氏が当選
09年	中台間で定期便が就航し、「三通」（通商、通航、通郵）が完全実現
10年	中台間の自由貿易協定に相当する「経済協力枠組み協定」（ECFA）締結
14年	対中貿易協定に反対する台湾の学生らが議場を占拠する「ヒマワリ学生運動」発生
15年	中国の習近平国家主席と台湾の馬総統が中台分断後初のトップ会談
16年	総統選で民進党の蔡英文氏が当選
19年	習国家主席が「1国2制度」など中台統一に向けた5項目の台湾政策発表
22年	米国のペロシ下院議長が訪台。反発した中国が台湾周辺で大規模軍事演習

◎ 中間選挙（2022年）の結果を受けた米連邦議会の勢力図

※2022年12月6日時点、CNNの報道などを基に作成。上院は改選35（補欠選挙含む）

◎ 米大統領選挙の主な日程

2024年1月15日	アイオワ州党員集会（共和党候補争い開始）
2月3日	サウスカロライナ州予備選（民主党候補争い実質開始）
3月5日	スーパーチューズデー
7月15〜18日	共和党全国大会
8月19〜22日	民主党全国大会
11月5日	本選（一般投票）

米国の連邦議会は上院と下院の2院制を採用する。上院（定数100）は、各州から2人ずつ選出。任期は6年で、2年ごとに約3分の1ずつ改選される。上院議長は副大統領が務め、議案採決で賛否同数の場合は決裁票を投じる。下院（定数435）は、議席が各州に、人口に応じて配分される。任期は2年で、2年ごとに全議席が改選される。2022年の中間選挙では、上院は民主党系、下院は共和党がそれぞれ過半数を占めた。

◎ 北大西洋条約機構（NATO）加盟国の変遷

冷戦時代からの加盟国	
1949年	アイスランド、イタリア、英国、オランダ、カナダ、デンマーク、ノルウェー、フランス、米国、ベルギー、ポルトガル、ルクセンブルク
1952年	ギリシャ、トルコ
1955年	西ドイツ（当時）
1982年	スペイン

冷戦終結以降の加盟国	
1999年	チェコ、ハンガリー、ポーランド
2004年	エストニア、スロバキア、スロベニア、ブルガリア、ラトビア、リトアニア、ルーマニア
2009年	アルバニア、クロアチア
2017年	モンテネグロ
2020年	北マケドニア
2023年	フィンランド

◎ 欧州連合（EU）加盟国の変遷

2004年まで（東欧加盟前）
2004年以降の加盟国
主な加盟候補国

欧州連合（EU）は、マーストリヒト条約に基づき、1993年に発足した。この条約で共通通貨の導入や安全保障政策の共通化などが定められた。
　EUの最高意思決定機関は欧州理事会で、その常任議長として、EU大統領が置かれている。また、立法機能を欧州議会が、行政執行機能を欧州委員会が担う。欧州司法裁判所もある。

◎ 2024年1月時点の国連安全保障理事会構成国

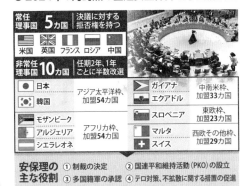

安保理の主な役割
① 制裁の決定　② 国連平和維持活動（PKO）の設立
③ 多国籍軍の承認　④ テロ対策、不拡散に関する措置の促進

◎ 国連安保理で行使された拒否権（1946年〜）

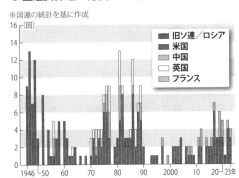

※国連の統計を基に作成

旧ソ連／ロシア
米国
中国
英国
フランス

◎ 核兵器の種類と米露間条約での規制の範囲

核兵器の種類	具体的な兵器	米国・ロシア	中国
長距離ミサイル	■大陸間弾道ミサイル（ICBM） ■潜水艦発射弾道ミサイル（SLBM） ■戦略爆撃機	新STARTで保有制限	制限なし
中・短距離ミサイル	射程500〜5500⁺㌖	INF全廃条約失効で制限なし	制限なし
戦術核兵器	■射程500⁺㌖以下 ■小型核、空中、陸上、潜水艦を含む海上艦	制限なし	制限なし

◎ 安保理改革に関する提案

	G4＝日本、ブラジル、ドイツ、インド	アフリカ連合	UFC＝カナダ、イタリア、韓国など12カ国
			提案しているグループ
常任理事国	6カ国増やす	アジア2、アフリカ2、中南米1、西欧その他1	現状維持
非常任理事国	4〜5カ国増 （アジア1、アフリカ1〜2、中南米1、東欧1）	5カ国増 （アジア1、アフリカ2、中南米1、東欧1）	最大で11カ国増 新たに創設する長期任期・再選可能な非常任理事国を含む
拒否権	新常任理事国は現常任理事国と同じ責任と義務を有すべきだが、拒否権は15年間、凍結する	拒否権は廃止すべきだが、存続するならば、新しい常任理事国にも拒否権を拡大する	全常任理事国の行使を制限

◎ 米露間の核軍縮関連条約（　　は現存する条約）

条約名	主な内容	署名年	発効年	備考
第1次戦略兵器制限条約（SALT1）	・大陸間弾道ミサイル（ICBM）の保有を建造あるいは配備中（米1054、ソ連1618）の数に限定 ・潜水艦発射弾道ミサイル（SLBM）は建造中のものも含めた水準（米710、ソ連950）で凍結	1972	1972	
弾道弾迎撃ミサイル（ABM）制限条約	・弾道ミサイル迎撃システムの開発、配備を規制 ・陸上の迎撃基地を各国1カ所に限定し、空中、海上からの迎撃を禁止	1972	1972	米国が一方的に脱退（2002年）
第2次戦略兵器制限条約（SALT2）	・ICBMなどの総数を同時に2400以下に ・1981年末までに2250以下に	1979	未発効	ソ連のアフガニスタン侵攻（1979年）で米連邦議会が批准せず
中距離核戦力（INF）全廃条約	・射程500〜5500⁺㌖の地上発射型ミサイルの開発、実験、保有を禁止（対象は弾道ミサイルと巡航ミサイルの双方で、核だけでなく通常弾頭も含む）	1987	1988	失効（2019年）
第1次戦略兵器削減条約（START1）	・戦略核弾頭の総数を6000に削減 ・戦略核兵器の運搬手段は1600に限定	1991	1994	
第2次戦略兵器削減条約（START2）	・戦略核弾頭の総数を3000〜3500に削減 ・SLBM弾頭は1700〜1750に削減	1993	発効せず無効化	米国のABM制限条約脱退を理由にロシアが破棄を表明（2002年）
戦略攻撃兵器削減条約（モスクワ条約）	・2012年までに戦略核弾頭の総数を1700〜2200に削減	2002	2003	
新戦略兵器削減条約（新START）	・戦略核弾頭の配備上限を1550に（配備されていない予備用は数えない） ・ICBMなどの運搬手段総数を800に制限	2010	2011	ロシアが履行停止を表明（2023年2月）。有効期限は2026年まで

国際

政治分野

繰り返される「政治とカネ」

自民3派閥裏金 起訴

東京地検特捜部

会計担当ら 安倍派7幹部は見送り

これで済むわけがない

政治部　松尾　良

大野氏在宅、谷川氏略式

　自民党派閥の政治資金パーティーを巡る事件で、パーティー券収入のノルマ超過分に関する収支を政治資金収支報告書に記載しなかったとして東京地検特捜部は2024年1月19日、清和政策研究会（安倍派）と志帥会（二階派）、宏池会（岸田派）の会計責任者ら3人を政治資金規正法違反（虚偽記載）で在宅・略式起訴した。自民6派閥のうち3派閥を立件した。安倍派の幹部議員7人については、会計責任者との共謀が認められないとして立件を見送った。

　起訴状によると、政治資金パーティーの収入から除外されて不記載となった金額は、安倍派が約6億7000万円（2018～22年）▽二階派が約2億6000万円（同）▽岸田派が約3000万円（2018～20年）──とされる。安倍派と二階派では所属議員側への寄付でも不記載があり、安倍派では約6億7000万円、二階派では約1億1000万円が裏金として議員側に渡った可能性がある。

　安倍派では松本淳一郎・会計責任者（76）、二階派では永井等・元会計責任者（69）が在宅起訴された。岸田派は元会計責任者の佐々木和男元職員（80）が略式起訴された。

　会計責任者との共謀を巡って立件が見送られた安倍派幹部は、松野博一前官房長官▽西村康稔前経済産業相▽高木毅前党国対委員長▽世耕弘成前党参院幹事長▽萩生田光一前党政調会長▽下村博文元文部科学相▽塩谷立元文科相の7人。

◇大野氏在宅、谷川氏略式

　一方、還流資金を受けた議員側では、安倍派の大野泰正参院議員（64）＝岐阜選挙区＝と会計事務を補佐していた岩田佳子秘書（60）が在宅起訴された。谷川弥一衆院議員（82）＝長崎3区＝と会計事務を補佐していた三宅浩子秘書（47）は略式起訴とした。大野、谷川両議員は19日、自民を離党した。

　立件された不記載額は、2018年からの5年間で大野議員が約5100万円、谷川議員が約4300万円。1月7日に逮捕された池田佳隆衆院議員（57）＝比例東海、自民を除名＝の約4800万円と並び、最大規模となる。

　二階派では、派閥会長の二階俊博元党幹事長の政治団体で2018年からの5年間で約3500万円が不記載になっていたとして、梅沢修一秘書（55）が略式起訴された。ノルマ超過分を派閥に報告せずに事務所でプールしていたとみられる。二階氏の立件は見送られた。

毎日新聞 2024年1月20日朝刊（東京本社版）

NEWSのポイント

▶ 1994年の政治改革で資金集めや候補者選びが派閥から党主導へ

▶ 改革が想定した通りにいかず、派閥を介した裏金作りが慣例化

▶ 民主主義が成り立つために政治資金の透明化が不可欠

非自民連立の細川護熙内閣による「政治改革」から今年で30年となった。しかし、「政治とカネ」の問題は今日も繰り返されている。

1988年に発覚した「リクルート事件」では、値上がり確実とされた未公開株が自民党議員らに譲渡されたことが明るみに出て、竹下登内閣が退陣に追い込まれた。派閥の肥大化が金権腐敗の温床と批判された。

1994年の政治改革で衆議院選挙に小選挙区制が導入されたが、もう一つの柱が**政党助成制度の新設**だった。癒着を防ぐために企業・団体から政治家個人への献金を禁止する**政治資金規正法**の改正が行われ、代わりに公費で政党の活動を支える制度だ。派閥が担っていた資金集めや候補者選びを政党が主導し、政策本位の選挙となるよう促す狙いがあった。

ただ、規正法には「抜け道」が残された。

企業・団体でも、政党や政党支部への寄付や、政治資金パーティーの券購入は可能で、企業・団体献金が事実上温存された。献金者名を報告しなければならない額は、個人による寄付が年間5万円超なのに対し、パーティー券は1回20万円超。匿名性が高く裏金の温床になりかねないと指摘された。

政党から政治家個人に支出される「政策活動費」は、使途を明らかにする必要がない。派閥からの還流はこれに該当しないが、今回の事件

▲政治改革関連法案で合意し、共同記者会見する細川首相（右）と、合意書に署名する野党・自民党の河野洋平総裁＝国会内で1994年1月29日

で自民党安倍派では政治資金収支報告書に記載しなかった口実として使われた。

◆ 透明化へ抜本改革が不可欠

1994年の改革の趣旨に沿うなら、パーティー券を含む企業・団体献金の全面禁止が筋だ。報告書のデジタル化を進めることも求められる。

今回、自民党で派閥を介して裏金作りをしていた慣例が明らかになった。党内に六つある派閥のうち、刑事責任を問われた安倍、二階、岸田の3派は解散する。全派閥の解散を求める意見もあったが、党が示した改革案では「政策集団」と看板を変えて存続させる内容だ（2024年1月24日時点）。弊害が指摘された「カネと人事」から決別できるか、実効性が問われる。

政治資金規正法は「政治活動が国民の不断の監視と批判の下に行われるようにする」と定める。政治活動を支えるには一定程度の費用が必要だが、資金力で議員が選ばれたり、民意がゆがめられたりすれば民主主義が成り立たなくなるからだ。

カネのかからない政治をどう実現させるかも含め、根本から議論することが求められている。

ここに注目 | **今後の展開を読み解くポイント**

☐ 政治資金規正法の「抜け道」をどう塞ぐか

☐ 派閥の弊害である「カネと人事」を排除できるか

☐ カネのかからない政治活動をどう実現させるか

1級

経済分野

「適格性評価制度」法整備へ

情報漏えい 罰則検討

政府 適格性評価制度の骨格

政府は11日、国の安全保障に関わる機密情報を扱う民間人らを認証する「セキュリティークリアランス（適格性評価、SC）制度」の創設に向けた有識者会議を開いた。政府は基本的な制度の骨格を示し、情報漏えいなどがあった場合、罰則を設ける方向で検討する。今後議論を加速させ、2024年の通常国会での法案提出を目指す。

政府は経済安全保障上重要な情報として、サイバー関連▽審査などに関する規制制度関連▽サプライチェーン（供給網）上の脆弱性など調査・分析・研究開発関連▽国際的な共同研究開発など国際協力関連――の四つを示した。

重要情報の範囲としては、特定秘密保護法の対象となる「トップ・シークレット（機密）」「シークレット（極秘）」の他、特定秘密の対象外で行政文書管理のガイドラインに基づき保全されている「コンフィデンシャル（秘密）」の一部も含まれるとの方向性を示した。

SCは機密情報へのアクセスを審査で認められた有資格者に限定する制度で、主要7カ国（G7）で日本だけ導入されていない。先端技術の共同研究などでは制度が未整備の日本企業などが参加できないケースがある。実効性のある制度を作り、企業のビジネス拡大につなげることを目指す。韓国やインドにも同様の制度があり、セキュリティー関連で連携を深めることが期待されている。

政府は2023年10月11日、国の安全保障に関わる機密情報を扱う民間人らを認証する「セキュリティークリアランス（適格性評価、SC）制度」の創設に向けた有識者会議を開いた。政府は基本的な制度の骨格を示し、情報漏えいなどがあった場合、罰則を設ける方向で検討する。今後議論を加速させ、2024年の通常国会での法案提出を目指す。

政府は経済安全保障上重要な情報として、サイバー関連▽審査などに関する規制制度関連▽サプライチェーン（供給網）上の脆弱性など調査・分析・研究開発関連▽国際的な共同研究開発など国際協力関連――の四つを示した。

重要情報の範囲としては、特定秘密保護法の対象となる「トップ・シークレット（機密）」「シークレット（極秘）」の他、特定秘密の対象外で行政文書管理のガイドラインに基づき保全されている「コンフィデンシャル（秘密）」の一部も含まれるとの方向性を示した。

SCは機密情報へのアクセスを審査で認められた有資格者に限定する制度で、主要7カ国（G7）で日本だけ導入されていない。先端技術の共同研究などでは制度が未整備の日本企業などが参加できないケースがある。実効性のある制度を作り、企業のビジネス拡大につなげることを目指す。韓国やインドにも同様の制度があり、セキュリティー関連で連携を深めることが期待されている。

毎日新聞 2023年10月12日朝刊（東京本社版）

NEWSのポイント

▶ 民間と軍事の両方で使える技術が増え、情報流出時のリスクが増大

▶ 欧米では、安全保障に関わる情報に接するためにSCを制度化

▶ 先端技術の研究開発で後れを取らないよう、日本でも導入を目指す

重要な情報は信頼できる相手としか共有しないものだ。安全保障や産業競争力に直結する技術であればなおさらだろう。政府が導入を目指す**セキュリティークリアランス（SC）**は、機密情報を扱うのにふさわしい人物かどうかを国が審査し、問題がなければ資格を与える制度だ。

技術革新が進み、次世代通信や宇宙開発、サイバーセキュリティーといった民生分野でも軍事などに活用できる技術が増えている。安全保障上重要な情報の流出を防ぐには、情報にアクセスできる人材を限定するのが有効だ。

G7で唯一、SCの制度がないのが日本だ。資格がなければ海外で政府が行う入札や企業間の共同研究開発に参加できず、情報すら得られないケースがあるという。このため経済界などから「事業展開に不可欠」との声が出ていた。

国内でも類似の制度はある。2014年施行の特定秘密保護法だ。防衛、外交、スパイ防止、テロ防止の4分野で、政府が指定した情報を扱える資格を定めている。ただ、立法過程で「政府が情報を隠しかねない」などとして反発を浴びた経緯がある。特定秘密保護法は主に軍事分野の公務員が対象だが、SCは民間企業に広が

▼セキュリティークリアランスのイメージ

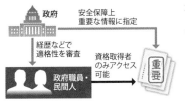

政府　安全保障上重要な情報に指定

経歴などで適性性を審査

政府職員・民間人

資格取得者のみアクセス可能　重要

る。このため政府は、2022年5月に成立した経済安全保障推進法ではSCの導入を先送りするなど、慎重に対処してきた。

◆ プライバシーの侵害防ぐ仕組みを

政府は有識者会議で議論を進め、資格審査の仕組みや情報を漏らした場合の罰則など制度案を固めた（2024年1月）。審査では、家族の国籍から収入・借金などの経済状況、飲酒の節度や薬物依存、犯罪歴、精神疾患などの病歴まで確認する。調査を一元的に行う政府機関を新設する方針だ。扱う情報に応じて資格も区分けし、機密度が高いほど審査も厳しくなる。

調査は家族のプライバシーにまで踏み込むため、情報の流出や目的外使用などを防ぐ制度設計が不可欠だ。調査はあくまでも本人の同意を前提とし、強制しない仕組みも求められる。働き手が資格取得を拒んだり、何らかの理由で取得できなかったりする場合に、不本意な人事異動などの不利益を被ることがないようにする必要もある。

自由な価値観を共有するG7と、中露など強権的な国や地域との溝が深まるなか、経済安全保障の重要性が増しているのは確かだ。だが、プライバシーの侵害や、企業の自由な経済活動を抑制することがあってはならない。バランスの取れた制度設計と運用が求められる。

1級

ここに注目　今後の展開を読み解くポイント

☑ 資格を取得する人のプライバシーを守る体制の整備をどう進めるか

☑ 取得を断ったり、認定されなかったりした場合に、不利益を被らない制度を作れるか

☑ 経済安全保障の強化と、自由な企業活動などのバランスを確保する取り組みとは

暮らし分野

昇進の男女差　賃金にも

女性賃金 男性の7割

管理職比率で差 上場企業正社員

上場企業で働く女性正社員の賃金は男性正社員の71.7%にとどまることが、東京商工リサーチの調査で判明した。いずれの企業も入社年次や職務・業務が同じなら男女間の賃金格差はないとしていることから、同社は女性管理職が少ないことが賃金格差につながっているとみている。

調査は、2023年3月期決算から上場企業の有価証券報告書（有報）に、男女間の賃金格差や女性管理職比率の記載が義務づけられたことを受けて実施した。3月期決算の上場企業2456社のうち、1677社が賃金格差、1706社が女性管理職比率を記載しており、全て調査した。

男女間の賃金格差を業種別にみると、開きが大きかったのは金融・保険業63.6%、建設業65.3%、水産・林業・鉱業65.5%で、男性より4割近く低かった。

企業別で格差が最大なのは、電気機器製造「ファナック」の39.7%で、有報には「正規雇用労働者は技術職が大半を占めており、技術職は近年まで女性の求人・応募が非常に少なかった」などと記載。2位は航空大手「日本航空」の45.3%で「正社員の男女の賃金差異は職種別に異なり、勤続年数の影響を受けている」と分析した。

女性管理職比率は平均9.4%だった。政府目標の30%にはほど遠く、女性管理職がいない会社も76社あり、製造業が大半を占めた。業種別で最も比率が低いのは、建設業の3.2%だった。一方、比率が高かったのはサービス業の19.8%だった。

上場企業で働く女性正社員の賃金は男性正社員の71.7%にとどまることが、東京商工リサーチの調査で判明した。いずれの企業も入社年次や職務・業務が同じなら男女間の賃金格差はないとしていることから、同社は女性管理職が少ないことが賃金格差につながっているとみている。

調査は、2023年3月

毎日新聞2023年9月3日朝刊（東京本社版）

NEWS の ポイント

▶ 従業員301人以上の企業で男女の賃金格差の公表始まる

▶ 同じ業種・同じ企業で賃金に大差のあるケースも

▶ 管理職比率などの男女格差が賃金に影響

男女間の賃金格差の是正は世界的な課題だ。とりわけ日本の出遅れが目立つ。

経済協力開発機構（ＯＥＣＤ）の調査によると、日本の賃金格差は2022年時点で21.3％。ＯＥＣＤ加盟38カ国中、下から４番目の水準で、主要７カ国（Ｇ７）の中では最も差が大きい。

女性は、賃金が比較的低いパート従業員が多いことに加え、正社員の中でも管理職が少ないなど男性に比べて賃金が上がりにくい構造的な問題が背景にある。

2023年は日本がＧ７の議長国だった。同年６月には栃木県日光市でＧ７男女共同参画・女性活躍担当相会合を開き、男女の賃金格差是正などを盛り込んだ「日光声明」を採択した。ただし、この会合では、議長を務めた小倉将信・男女共同参画担当相（当時）を除く、各国の代表は全員女性だった＝写真。日本の女性の政治参加の遅れが浮き彫りになる皮肉な結果となった。

岸田文雄内閣は現状を打破するため、2022年に女性活躍推進法の改正省令を施行し、従業員301人以上の企業に対し男女の賃金格差の公表を義務づけた。管理職に占める女性の比率や、育児休業取得率などの開示も求める。

女性活躍に対する企業の取り組みを公開する

▼男女間賃金格差

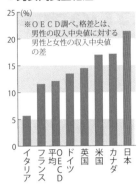

※ＯＥＣＤ調べ。格差とは、男性の収入中央値に対する男性と女性の収入中央値の差

（横軸：イタリア、フランス、平均ＯＥＣＤ、ドイツ、英国、米国、カナダ、日本）

ことで、産業界の意識改革を促す狙いがある。しかし、「情報公開を強化するだけでは不十分だ」との指摘は強い。

日本では有償労働時間が男性、無償労働時間は女性に大きく偏るなど「依然として、固定的な性別役割分担が残っている」。こう指摘するのは、2023年版男女共同参画白書だ。

例えば、週に49時間以上仕事に就いている人の割合を見ると、男性は「働き盛り」といわれる30代後半から50代前半の割合が、他の年代に比べ高くなっている。一方、女性は同じ年代の割合が、若い世代に比べ減少している。子育て期と重なったことが減少の要因とみられる。他の調査でも主に女性が家事や育児を担っている実態が分かる。

女性の社会進出を促し、賃金を含めた男性との格差を是正するには、社会全体の意識改革を進めることが欠かせない。

前向きな動きもある。男性は仕事、女性は家事・育児という古い考え方は、若い世代になるほど薄れつつある。生活や働き方の多様化は、男女の格差是正に向けた大きな一歩だ。

ここに注目　今後の展開を読み解くポイント

▣「仕事は男性、家事・子育ては女性」という古い価値観をどう変えるか

▣ 男女の賃金格差の是正に向け踏み込んだ対策を示せるか

▣ 男性優位の産業界、政界の現状の改革も必要

1級

社会・環境分野

― 1級を目指すみなさんへ ―

共生社会は実現するか

外国人労働者を受け入れている技能実習と特定技能の両制度の見直しを検討してきた政府の有識者会議は2023年11月24日、技能実習に代わる新制度「育成就労」（仮称）の創設を盛り込んだ最終報告書を取りまとめた。途上国への技術移転を掲げ、1993年から30年続いてきた技能実習を事実上廃止し、育成就労の下で未熟練の外国人を正面から労働者として受け入れ、育成する方向性を打ち出した。

最終報告を踏まえた見直しが実現すれば、外国人労働者の受け入れ政策の転機となる。ただ、自民党内には最終報告に対する慎重意見もあり、政府は与党と調整した上で、来年の通常国会に関連法案を提出したい考えだ。

最終報告によると、育成就労は3年間の在留を基本とし、未熟練の外国人労働者を確保して、即戦力の人材と位置付けられる「特定技能1号」の水準まで育成することを目的とする。より高レベルの熟練技能が求められる「特定技能2号」の試験に合格すれば、家族帯同の無期限就労が可能になり、育成就労と特定技能を通じて、永住の道が開かれることになる。

技術移転が目的の技能実習では、同一職場で計画的に技能を学ぶとの考えに基づき、職場を変える「転籍」が原則3年間、認められていない。過酷な職場環境下で転籍できず、人権侵害の一因になっているとして国内外から批判があった。

最終報告は、基礎的な技能・日本語試験に合格すれば、同じ仕事の範囲内で1年で転籍できるとした。ただ、都市部への人材流出への懸念が自民から寄せられたことを踏まえ、例外措置として「当分の間は分野によって1年を超える転籍制限を認める経過措置を検討する」とも提言。具体的な制度設計については国会に議論を委ねた。

現在の技能実習は実態として海外からの出稼ぎ労働者の入り口となっており、ブローカーが介在し、実習生が来日前に手数料の支払いで多額の借金を背負うケースが報告されている。このため、来日を希望する外国人労働者と、日本の受け入れ企業が手数料を分担する仕組みの導入も求めた。

外国人の就労の支援・監督を担う監理団体の許可要件の厳格化や在留資格の難易度に対応した日本語試験制度の創設も訴えている。

有識者会議は2022年12月に初会合を開き、計16回の会合を重ねてきた。

技能実習「育成就労」に
未熟練者受け入れ
有識者会議提言

外国人労働者を受け入れている技能実習と特定技能の両制度の見直しを検討してきた政府の有識者会議は24日、技能実習に代わる新制度「育成就労」（仮称）の創設を盛り込んだ最終報告書を取りまとめた。途上国への技術移転を掲げ、1993年から30年続いてきた技能実習を事実上廃止し、育成就労の下で未熟練の外国人を正面から労働者として受け入れ、育成する方向性を打ち出した。（3面に「この国が縮む前に」、社会面に関連記事）

最終報告を踏まえた見直しが実現すれば、外国人労働者の受け入れ政策の転機となる。ただ、自民党内には最終報告に対する慎重意見もあり、政府は与党と調整した上で、来年の通常国会に関連法案を提出したい考えだ。

最終報告によると、育成就労は3年間の在留を基本とし、未熟練の外国人労働者を確保して、即戦力の人材と位置付けられる「特定技能1号」の水準まで育成することを目的とする。より高レベルの熟練技能が求められる「特定技能2号」の試験に合格すれば、家族

毎日新聞2023年11月25日朝刊（東京本社版）

日本は少子化で人口が年々減少し、高齢化も進んで働き手が減っている。特に、建設業や製造業、農業、介護などの分野で、人手不足が深刻だ。こうした仕事の担い手として、外国人は欠かせない存在になっている。2023年6月時点で、約322万人の外国人が日本で暮らす。過去最多を更新し、人口の2.6%に当たる数字だ。2070年には1割が外国人になると推計されている。

外国人労働者の受け入れに使われてきたのが、技能実習制度だ。「国際貢献」を建前にするが、劣悪な職場環境で人権侵害を生んできた。転職が原則認められず、過酷な環境でも我慢するしかない。制度ができてから30年を経て、ようやく見直しの議論が進んでいる。背景には、国際的な人材獲得競争がある。周辺の国でも日本と同様に少子化が課題だ。労働者の権利を保障しなければ、日本は「選ばれない国」になってしまうとの危機感が事態を動かした。

◆ 壁を取り除く努力が必要

しかし、そうした思惑にかかわらず、誰であっても人権は尊重されなければならない。同じ社会の一員として、ともに生きていくための取り組みを進めていく必要がある。

ただ、日本人と外国人の間には、いまだ厚い壁がある。文化や慣習の違いから、日常生活でトラブルが生じる。言葉が通じないことで、あ

▼在留外国人数と外国人労働者数

※2023年は6月末、他は12月末時点

（グラフ凡例）■ 在留外国人数　── 外国人労働者数

※在留外国人数は入国管理局(当時)「登録外国人統計」、出入国在留管理庁「在留外国人統計」を基に、労働者数は厚生労働省「「外国人雇用状況」の届出状況まとめ」を基に作成。外国人雇用状況は2007年10月から開始された

つれきも広がる。「治安が悪くなる」といった偏見は根強く、外国人側からも「入居を断られた」などと差別的な扱いを訴える声が上がる。

さまざまな「接点」をつくり、理解し合う努力が求められる。地域のつながりが薄れる中、行政の役割も重要だ。日系ブラジル人らが多く住み、早くから共生に力を入れてきた浜松市や群馬県大泉町などの取り組みが参考になる。

人手不足への対応を優先していた政府も、2022年に共生社会の実現に向けた5カ年計画を策定した。外国人が日本語や日本文化を学べる仕組みを設け、社会に溶け込みやすくすることや、家族と暮らせるようにすることも大切になる。専門家は、共生社会づくりを推進する法律と、国の担当組織が必要だと指摘する。

外国人を労働力の調整弁として扱うような考え方が根深く残る。決別しなければ、日本社会は将来、立ちゆかなくなるかもしれない。

ここに注目　今後の展開を読み解くポイント

☑ 外国人にも労働者としての権利を保障する制度を整えられるか

☑ 社会に溶け込めるよう、支援する仕組みを設けられるか

☑ 同じ社会の一員として、ともに生きる意識を根付かせられるか

1級

国際分野

「トランプ人気」の背景は

　2024年の大統領選挙で返り咲きを目指すドナルド・トランプ前大統領（77）。支持者の間では、「民主党幹部を含む小児性愛者の『ディープステート』（影の国家）が世界を牛耳り、トランプ氏は『救世主』として闘っている」といった陰謀論「Qアノン」の影響が今も根強い。

　不動産管理会社に勤務するリード・フルトンさん（39）は、2016年の大統領選で「反エスタブリッシュメント」を掲げたトランプ氏に熱狂した。ジョー・バイデン大統領（80）に敗れた2020年大統領選の結果を受け入れないトランプ氏の姿勢も支持。2021年1月にはトランプ氏の演説を聞き、議事堂まで行進した。

　議事堂に侵入した人たちが刑事訴追されたことを事件後に知り、表だってトランプ氏を支持するのは避けるようになった。しかし、トランプ氏が2023年3〜8月、四つの事件で起訴されたことを受けて、「トランプ氏の復権を阻むための政治的な起訴だ」と感じ、再び支持集会に参加するようになったという。

　共和党の大統領候補の指名争いでは、トランプ氏の支持率は起訴のたびに伸び、最近は60％にまで迫る。

　一方、当のトランプ氏は裁判の先行きに気をもんでいる。2023年10月30日にはソーシャルメディアで、自身が関わる刑事、民事の全ての裁判を2024年11月の大統領選後に先送りすべきだと訴えた。「違法なことはしていない」と主張するトランプ氏だが、有罪判決を受けたり、敗訴したりすることが選挙戦で不利に働くことに神経をとがらせている。

　刑事事件の公判は2024年3月にも始まる予定だが、少なくとも数週間はかかるとみられ、判決が出る前に党候補指名争いは決着している公算が大きい。政治サイトの各種世論調査の集計（2023

トランプ氏 復権へ独走

起訴のたび 憎悪あおり

米国の岐路 2024年 大統領選 あと1年

　10月23日、米東部ニューハンプシャー州デリー。来年の大統領選で返り咲きを目指すドナルド・トランプ前大統領（77）の演説が行われる体育館前では、開会3時間前から約2000人が列を作っていた。

　支持者が「小児性愛者に死刑を」と書かれた横断幕を掲げると、歓声と拍手がわく。「民主党幹部を含む小児性愛者の『ディープステート』（影の国家）が世界を牛耳り、トランプ氏は『救世主』として闘っている」。そんな陰謀論「Qアノン」の影響は今も根強い。

　行列の中に不動産管理会社に勤務するリード・フルトンさん（39）の姿があった。トランプ氏が立ち上げたソーシャルメディア「トゥルース・ソーシャル」のロゴ入りパーカを着て、「彼は庶民の味方で、政界や財界のエスタブリッシュメント（既存の支配層）を切り崩した」と静かに語った。

　後方にいたフルトンさんは、前方の支持者らが議事堂に侵入したのに気づかなかったという。警官隊との衝突が起きたこともあり、議事堂に近寄らなかった。しかし、侵入した人たちが事件後に捕まるんじゃだってトランプだって「目覚めた」そんなフルト「目覚めた」そんなフルトがきっかけだっが相次いで起た。ジョー・バイデン大統領（80）に敗れた20年大統領選の結果を受け入れない姿勢も支持。連邦議会で大統領選の公式集計手続きが行われる21年1月6日には、ホワイトハウス前でトランプ氏の演説を聞き、議事堂まで行進した。

　2016年の大統領選で「反エスタブリッシュメント」を掲げたトランプ氏に熱狂した。8月に起訴されには、20年大統領覆そうとした罪察側は「議会襲撃とトランプ氏をだがトランプ氏は「襲撃演説で平和的、ンプ氏は「平和的、届けるため、皆プ氏は2日時点）に行進していくると語ってい

年11月2日時点）によると、トランプ氏の支持率は59.3％で、南部フロリダ州のデサンティス知事（13.4％）やヘイリー元国連大使（8.3％）、実業家のラマスワミ氏（4.6％）らを引き離し、共和党内の争いでは圧倒的に優位だ。

　ただ、米ヤフーニュースなどの2023年8月の世論調査では、市民の60％が「重罪で有罪になった場合、大統領に就くべきではない」と回答している。本選でカギを握る無党派層は、反対（56％）が容認（29％）を上回っており、有罪判決が出れば本選の足かせになるのは必至だ。

毎日新聞2023年11月4日朝刊（東京本社版）

▶ 四つの事件で刑事訴追されても人気は衰えず

▶ 白人の不安・不満を吸い上げて支持を拡大

▶ 背景にあるのは米国社会の深刻な分断

　大統領在任中に2度の弾劾訴追を受け、敗北した大統領選の結果を覆そうとし、退任後には四つの事件で刑事訴追された。それでもトランプ氏の共和党内の支持は高く、次期大統領への返り咲きも取り沙汰される。背景は何か。

　トランプ氏は「時代にあらがう人々の代弁者」と言える。その代表が労働者だ。グローバル化がもたらした経済的な繁栄の陰で、製造業が斜陽化し、そのあおりで窮地に陥った。トランプ氏の政治思想は「トランピズム（トランプ主義）」と呼ばれ、反グローバリズムと孤立主義を柱とする「米国第一」を掲げる。労働者の不安を反映したものだ。

▶ 起訴された際のトランプ氏の顔写真をプリントしたTシャツを着て演説会を訪れた支持者＝2023年10月

　保守的な白人も当てはまる。米国勢調査局によると、1960年代に人口の約9割を占めた白人は、2020年には約6割に低下。2045年に半数を切って少数派に転じるとの民間機関の予測もある。「古き良きアメリカ」の郷愁にかられる白人層の危機感は強い。

　これに呼応するのが、排外的な移民政策だ。公約では、中南米系などの移民受け入れを厳しく制限し、不法移民を徹底的に排除するという。米国の安全保障の最大課題は「独裁国家ではな

く不法移民だ」と主張し、支持を広げる。保守的な白人の中には、1960年代に黒人差別解消に向けて導入された積極的差別是正措置（アファーマティブアクション）で「逆差別」を受けてきたという意識が根強い。そうした不満も吸い上げ、「白人擁護」の姿勢を鮮明にする。

◆ 激化する「文化戦争」

　懸念されるのは、トランプ氏の反動的な政策を巡る論争が白熱し、社会の分断を深めていることだ。保守派の一部は極右的な白人至上主義に走り、非白人や性的少数者の権利を擁護する急進的なリベラル派は反差別の抗議を活発化させている。対立点は、銃規制、同性婚、人工妊娠中絶など幅広く、保守派とリベラル派による「文化戦争」と呼ばれる状況を引き起こしている。それぞれの主張は両極化し、歩み寄りが難しい硬直した社会にあるのが、米国の現状だ。

　ただし、裁判の行方次第では、トランプ氏が苦境に立たされる恐れもある。有罪になった場合、立候補資格が改めて問われ、裁判所の判断に委ねられるという指摘もある。

　2023年12月の米紙ニューヨーク・タイムズの世論調査によると、有罪になってもトランプ氏が指名を獲得した場合はこれを支持するとの回答が6割強を占めており、トランプ氏も撤退せず戦う意向を示している。

1
級

ここに注目　**今後の展開を読み解くポイント**

☑ 刑事裁判で有罪になっても選挙戦を続けられる？

☑ 共和党でも民主党でもない、第3政党の候補の活躍は？

☑ 11月の本選でカギを握る無党派層の動向は？

あ

■ **iPS細胞**　人工多能性幹細胞（induced pluripotent stem cell）の略称で、体のさまざまな組織の細胞に変化する能力を持つ人工の幹細胞の一種。皮膚などの細胞に特定の遺伝子を加え、その細胞になる以前の状態に「初期化」させて作る。京都大学の山中伸弥教授が2006年、世界で初めて作製し、2012年にノーベル生理学・医学賞を受賞した。再生医療や難治性の病気の原因究明、新薬の開発など、医療現場で実用化に向けた研究が進んでいる。

■ **アジア太平洋経済協力会議（APEC）**　太平洋を取り囲む21カ国・地域の経済協力の枠組み。1989年に日本、米国、オーストラリアなど12カ国で創設され、1990年代に中国やロシアなどが加わった。年1回、首脳会議を開いている。

■ **アスベスト（石綿）**　繊維状の鉱物で、高度経済成長期に建物の耐火材、断熱材などに使われた。吸い込むと肺がんなどになる危険性があり、国内では2012年、使用が全面禁止された。発症までの潜伏期間が数十年と長く、「静かな時限爆弾」とも呼ばれる。石綿紡織工場と建設現場で働いた人々の健康被害を巡り、最高裁判所はそれぞれ国の賠償責任を認めたが、全面解決には至っていない。石綿を使った古い家屋は今後、解体のピークを迎える。飛散防止策の徹底が求められる。

■ **新しい資本主義**　岸田文雄内閣が掲げる経済政策。これまでの「新自由主義」的な経済政策が格差や貧困などの問題を悪化させたとの指摘を踏まえ、経済成長の「果実」が一部に偏らないよう「成長と分配」を重視する考え方のこと。少子高齢化や気候変動などの社会課題を官民連携で解決し、次の成長につなげる好循環を目指す。しかし、「分配」よりも「成長」に力点が移っており、歴代政権の成長戦略との違いが見えにくくなっている。

■ **アフリカ開発会議（TICAD）**　アフリカの開発をテーマにした国際会議で、日本が世界銀行などと共同で開いている。

■ **アラブと中東**　アラブは民族を、中東は地域を指す言葉。原則、アラビア語を母語とする人々をアラブ人と呼ぶ。一方、中東はイランから北アフリカのモロッコにかけた地域を指す。日本周辺が極東と呼ばれるのと同様、中東も欧州の視点に立った呼び方だ。中東地域にはアラブ人に限らず、ペルシャ（イラン）やトルコ、ユダヤ、クルドなど多くの民族が暮らしている。

■ **安全保障関連法**　2015年に成立した。主な内容は①集団的自衛権の行使を限定的に容認した②他国軍への後方支援を拡大した――の2点。

①集団的自衛権は、自国と密接な関係にある国が攻撃された時、自国が攻撃されていなくても反撃できる権利のこと。政府は長年、「日本は集団的自衛権を持っているが、日本国憲法9条が禁じる武力行使に当たるため、行使できない」との立場を取っていた。安倍晋三内閣は2014年、この解釈を変えて「一定条件の下、集団的自衛権を行使することは憲法上許される」と閣

多くの分野のニュースでよく出てくる言葉

＜国内の「法律や条例」の制定や改正に関する言葉＞

● **公布**：新たに制定されたり、改正されたりした法律や条例を、国民や住民に広く知らせること。

● **施行**：制定・改正された法律や条例の効力（ルールとしての効き目）を生じさせること。

（例） 法律が国会で成立すると公布され、一定の期間を経て施行される。

＊施行日の決め方には「法律の中で施行日を定めておく」「後日、内閣が定める」などのパターンがある。

＜国際的な「条約」に関する言葉＞

● **署名**：各国が条約に賛同して、内容を確定する手続き。

● **批准**：署名した国が、条約を締結していいかどうか自国の議会などに諮って認められた場合、他国に対して、条約への参加を正式に約束する手続き。

● **発効**：あらかじめ決めておいた条件（批准した国の数など）を満たして、条約の効力が生じること。発効すると、批准国はその条約に従う義務を負う。

（例） 3カ国以上で条約を結ぶ場合、「各国が署名」→「各国が批准」→「一定の条件を満たせば、条約が発効」――という手順を踏む。

＊条約の制定から発効には、「国連が関係するかしないか」などによって手順に違いがある。

＊日本の場合、条約を締結する権限は**内閣**にある。ただし、**国会の承認**を事前か事後に得なければならない（日本国憲法73条）。

議決定した。関連法では閣議決定を踏まえ、「武力行使の３要件」を満たす場合に限り、行使が認められると規定された。

②日本に直接の武力攻撃が起きかねない「重要影響事態」の際に、自衛隊が世界のどこにでも行って、他国軍（米軍に限らない）を後方支援できるようになった。また、国際社会の平和と安全のために武力を行使している他国軍への後方支援について、時限立法をその都度制定する必要がなくなり恒久化され、国会の事前承認を得れば政府判断で派遣できるようになった。

■**慰安婦問題** 第二次世界大戦中、旧日本軍の関与の下で日本の植民地や占領地から女性が慰安所に集められ、性的被害を受けたとされる問題。日本政府は2015年、朴槿恵（パク・クネ）政権下の韓国と「最終的かつ不可逆的に解決される」と確認し、韓国政府が設立する財団に日本政府が資金を拠出するといった合意を結んだ。その後に発足した文在寅（ムン・ジェイン）政権は合意に否定的な見解を示し、財団を解散するなど混乱を招いたが、現在の尹錫悦（ユン・ソンニョル）政権は日韓合意を尊重する立場だ。ただ、2023年には韓国で、元慰安婦らに賠償をするよう日本政府に命じる司法判断が出ており（日本政府は、主権国家は他国の裁判所に裁かれないという国際法上の「主権免除の原則」を主張し、手続きに応じていない）、なおも両国間でくすぶっている。

■**ＥＳ細胞** 胚性幹細胞の略称で、体のさまざまな組織の細胞に変化する能力を持つ人工の幹細胞。ともに「万能細胞」と呼ばれるｉＰＳ細胞の開発の手本となった。再生医療への応用が期待される一方、不妊治療で余った受精卵（胚）を壊して作るため、倫理的な問題が指摘される。また、他の人に移植した場合に拒絶反応が起きるという課題もある。

■**ＥＳＧ投資** 投資家が、環境（Environment）・社会（Social）・企業統治（Governance）に配慮する企業を選んで投資すること。

■**eスポーツ** エレクトロニック（電子）スポーツの略で、格闘技やシューティングなどのコンピューターゲームで対戦する。海外では1990年代後半から若者を中心に広がった。遠隔で対戦できるため新型コロナウイルスの感染が拡大した2020年に注目度が高まった。

■**育児休業（育休）** 仕事と育児の両立のため、子どもが原則１歳（最長で２歳）になるまで休業できる制度。育児・介護休業法で取得の権利が保障されており、従業員が取得を申し出ると事業主は基本的に拒めない。

育休中は雇用保険から給付金（最初の半年は賃金の67％、その後は50％）が給付される。

男性の育休取得率を上げるため、2022年10月に従来の育休とは別に子どもの生まれた日から8週間以内に男性が取得できる「産後パパ育休」（男性版産休）が創設された。2023年4月からは、従業員が1000人を超える企業に男性の育休取得率の公表が義務づけられた。国は男性の育休取得を推進した企業に対する「両立支援等助成金」制度を設けている。

■**「違憲状態」と「違憲」** 「1票の格差」訴訟などで、裁判所は「違憲状態」と「違憲」を区別している。ともに「著しい不平等」がある点では同じだ。ただし、格差の是正が実現していなくてもやむを得ない時期には違憲状態にとどめ、格差が長く放置され「是正のための合理的期間」を過ぎたと裁判所が判断した時に初めて違憲とされる。違憲状態は広い意味で合憲に含まれる。

■**一般データ保護規則（ＧＤＰＲ）** 欧州連合（ＥＵ）が定めた、個人データを保護するためのルール。2018年に施行され、「世界一厳しい」とも言われる。個人が特定できるデータを扱う企業に厳格な管理を求め、例えばデータ収集時に本人の同意を「明確に」得るよう義務づけたり、データの域外への持ち出しを原則禁止したりしている。ＥＵ域内に拠点がなくても、域内にサービスを提供している企業は対象となり、違反すれば高額な制裁金を科される場合もある。日本の個人情報保護法では個人情報に当たらない「クッキー」（サイトの閲覧記録に関するデータ）やＩＰアドレス（ネット上の住所）も保護対象としているほか、「忘れられる権利」を法的権利として明記している。

■**遺伝子組み換え（ＧＭ）** ある生物の遺伝子に異なる種の遺伝子を組み込むこと。例えば農作物の品種改良に利用されており、「害虫に強い」「除草剤の影響を受けにくい」といった特性を持つ新しい品種を作ることができる。この技術を用いた農作物と、それを原材料とする加工食品を総称して「遺伝子組み換え（ＧＭ）食品」という。日本では9農作物（大豆、トウモロコシなど）と33加工食品（豆腐、納豆など）について、食品表示基準による表示制度が定められている。

■**インクルーシブ教育** インクルーシブは英語で「包括的な」の意味。障害の有無で学ぶ場を分けるのではなく、全ての子どもが同じ教室で学び、必要に応じた支援や配慮が受けられる教育のこと。1994年、国連教育科学文化機関（ユネスコ）のサラマンカ宣言で提唱された。日本も批准している国連の障害者権利条約で

も原則になっている。

■**温室効果ガス** 地球から放出される熱を吸収する、大気中の気体の総称。二酸化炭素（CO_2）、メタン、フロン、一酸化二窒素などがある。これらがなければ地球の平均気温は氷点下18度になるとも言われるが、「多すぎる」のが問題だ。化石燃料の使用による排出量の増加や、森林伐採による吸収量の低下などで特にCO_2濃度が上がっていて、長期的な気温上昇の原因とされる。

か

■**核態勢見直し（NPR）** 米国の核戦略の指針。政権が代わるたびに改められる。バイデン政権は、政権初となるNPRを2022年に公表。トランプ政権が打ち出した、核兵器を積む巡航ミサイルの再開発を中止する一方、核抑止力を「国家の最優先事項」と位置づけ、同盟国への拡大抑止を含めた核抑止力の強化を掲げた。当初は、核の「先制不使用」や、核兵器の役割を敵の核攻撃抑止や核攻撃への反撃に限定する「唯一の目的」宣言を盛り込むことも検討したが、見送った。

■**株式の公開買い付け（TOB）** 不特定多数の株主から株式を大量に買い集める企業買収の手法のこと。英語の頭文字を取って「TOB = Take Over Bid」ともいう。取得株数や価格、期間を公表し、既存の株主に売却するよう呼びかける。対象企業の経営陣の同意を得て協力的に買い付ける場合は友好的TOB、買収先との合意がないまま一方的に行うと敵対的TOBとなる。

■**がんゲノム医療** 患者の遺伝子の特徴を調べて効果が見込める治療薬を探す医療。2019年、遺伝子検査に公的医療保険が使えるようになり、これまでに5万人以上が受けた。治療薬が見つかってもまだ研究途上にある場合、治療できるのは都市部の病院に限られることが多いなど、課題も残されている。2023年には、推進に向けたゲノム医療法が成立した。

■**完全失業率** 「完全失業者」の人数を「労働力人口」で割った値（推計値）。完全失業者とは、15歳以上の人口のうち①仕事に就いていない②ハローワーク（公共職業安定所）などを通じて職探しをしている③働き口さえあればすぐ仕事に就ける——という3条件を満たす人。労働力人口とは、15歳以上の人口のうち、就業者（収入になる仕事をしている人や休業者など）と完全失業者の人数の合計だ。

■**期日前投票** 選挙人名簿登録地の市区町村の期日前投票所で、公示・告示日の翌日から投票日前日まで投票

できる制度。投票日当日に仕事や旅行などの理由で投票所へ行けない人が利用できる。

■**キューバ危機** ソ連による中米キューバへの核ミサイル配備が発覚し、米ソが一触即発の事態に陥った一連のできごと。米国と隣り合うキューバでは1959年、親米政権が打倒され、カストロ兄弟らによる社会主義政権が成立した（キューバ革命）。東側陣営の一員となったキューバに1962年、ソ連が核ミサイルを配備していることが発覚すると、米ソの緊張は一気に高まった。その後、ケネディ米大統領はキューバに侵攻しないことを約束し、ソ連のフルシチョフ首相はミサイル基地撤去で応じた。キューバ危機を教訓に、核拡散防止条約（NPT）が制定されるなどした。

■**クルド人** 「国を持たない最大の民族」と呼ばれる。トルコ、シリア、イラク、イランなどにまたがり、計3000万人が暮らすとされる。居住地域はかつてオスマン帝国が統治していた。だが、第一次世界大戦で敗れた帝国の領土が英仏などの秘密協定（サイクス・ピコ協定）により各国に分割され、クルド人はそれぞれの国で少数民族となり、たびたび弾圧されてきた。

■**経済制裁** 国際法に違反した国などに対して科す罰の一つ。武器などを使った軍事的な制裁を科す前に、貿易を制限するなどして経済的なダメージを与えることによってルール違反をやめさせることが狙い。

■**経常収支** 日本の海外経済取引での「稼ぐ力」を示す。輸出から輸入を引いた「貿易収支」、旅行や特許料収入などの「サービス収支」、海外への投資から得られる利子や配当などの「第1次所得収支」、海外への資金贈与などの「第2次所得収支」——の四つからなる。

■**原子力協定** 原子力関連の資機材や技術を輸出する際、平和利用に限ることなどを相手国に義務づける取り決め。原発輸出の前提となる。日本が結んでいる代表的なものが、米国との日米原子力協定だ。1988年に発効し、2018年に自動延長された。この協定によって日本は、非核保有国として世界で唯一、使用済み核燃料からプルトニウムを取り出すことが認められている。最近では2017年、核拡散防止条約（NPT）非加盟国としては初めてとなる、インドとの協定が発効した。これで日本が原子力協定を結んでいる相手は15カ国・機関となった。

■**拘束名簿式と非拘束名簿式** 拘束名簿式は、政党が比例代表の候補者名簿で、あらかじめ候補者に順位を付ける方式。有権者は政党名で投票し、各党の獲得議席数に応じて名簿の上位から当選する。衆議院議員総選挙で採用されている（ただし、政党は小選挙区に重複

立候補した複数の候補者を名簿で同一順位とし、小選挙区の得票数に応じて当選順位を決めることもできる）。

非拘束名簿式は、比例代表の候補者名簿で順位を付けない。有権者は政党名か候補者の個人名で投票し、各党の獲得議席数に応じて個人票の多い順に当選が決まる。参議院議員通常選挙で採用されている（ただし、政党が定めた「特定枠」の候補者は優先して当選する）。

■**高年齢者雇用安定法**　高年齢者の就業機会の確保などを目的とする法律。2013 年に改正法が施行され、定年制の廃止▽65 歳以上への定年の引き上げ▽定年後の継続雇用──のいずれかによって、希望者全員を 65 歳まで雇用することが企業に義務づけられた。2021 年 4 月からは 65 歳までの雇用確保義務に加えて、70 歳までの就業確保が企業の努力義務となった。同時に、企業がとり得る選択肢に、起業を希望する人との業務委託契約の締結▽企業が行う社会貢献事業への参加を支援──も加わった。

■**公判前整理手続き**　刑事裁判を迅速に進めるため、初公判に先立ち検察官、弁護人、裁判官の 3 者が争点や証拠を整理して審理計画を立てる手続きのこと。裁判員裁判では必ず実施される。

■**コーポレートガバナンス・コード**　金融庁と東京証券取引所（東証）が示す企業の行動指針（企業統治原則）。東証が 2015 年に導入した。企業の意思決定の迅速化や透明化により企業の稼ぐ力を高め、持続的な成長につなげることが目的。強制力はないが、従わない場合は投資家などへの説明が求められる。

■**国際刑事裁判所（ICC）**　国連から独立した常設の国際刑事裁判所機関で、集団殺害犯罪（ジェノサイド）▽人道に対する罪▽戦争犯罪、侵略犯罪──を行った個人を国際法に基づいて訴追、処罰する。1998 年設立。本部はオランダ・ハーグ。裁判官は 18 人で、締約国（日本を含め、2023 年 4 月時点で 123 カ国）から選出される。捜査・訴追を行うためには、犯罪の実行国が締約国である▽犯罪の被疑者が締約国の国籍を有する──などのいずれかの条件が必要となる。

■**国際司法裁判所（ICJ）**　国家間の紛争解決を目的とする国連の司法機関で、1945 年に設立された。本部はオランダ・ハーグで、国連の安全保障理事会と総会の選挙で選ばれた 15 人が裁判官を務める。裁判開始には、紛争の両当事国が同意して共同付託するか、原告の単独提訴を受けて被告が合意することが必要だ。

■**国際通貨基金（IMF）**　通貨と為替相場、国際金融システムの安定化を目的とする国連の専門機関。加盟国の経済状況、政策などの調査・分析や、資金繰りが悪化した国への支援などを行う。世界銀行とともに、ブレトンウッズ協定（1944 年）に基づき設立された。

■**国際捕鯨委員会（IWC）**　国際捕鯨取締条約に基づく国際機関。日本は 1951 年に加盟した。当初は乱獲を防ぐため、漁獲枠や操業時期などの規制を決めていた。だが米国やオーストラリアが次々と反捕鯨に転じ、1982 年に商業捕鯨モラトリアム（一時停止）が採択された。日本は「鯨類は重要な食料資源で持続的に利用すべきだ」とモラトリアム解除を主張してきたが、反捕鯨国の反対で実現せず、2019 年 6 月末に脱退。翌月、日本の商業捕鯨が 31 年ぶりに再開された。

■**個人情報保護法**　個人情報を「保護」しつつ「適正な活用」を図るため、取り扱いルールなどを定めた法律。デジタル改革関連法（2021 年成立）の一環で改正され、それまで国の行政機関、地方自治体、民間に分かれていた個人情報保護法制が一元化された（2023 年 4 月全面施行）。行政機関や民間事業者へのチェックは政府の個人情報保護委員会が担う。欧州連合（EU）の一般データ保護規則（GDPR）などに比べて規制は緩いと指摘される。

■**こども基本法**　2022 年に成立した、子どもの権利条約に基づく基本法。国連の委員会から「（国内で）十分尊重されていない」と指摘されていた「子どもが意見を述べる権利（意見表明権）」を明記した。国や地方自治体には、子ども政策に子どもの意見を反映させる仕組みを設けることを義務づけた。

■**子どもの権利条約**　子ども（18 歳未満）を保護の対象としてだけではなく、権利の主体と位置づけ、全ての子どもの基本的人権を保障している。国連で 1989 年に採択され、日本は 1994 年に批准した。子どもにとって最も良いこと（最善の利益）を考慮するよう求めており、人種や国籍、性などにかかわらず、いかなる差別も受けずに全ての権利が尊重されるとした。

■**コンセッション方式**　国や地方自治体が公共施設を保有したまま、運営権を民間企業に与えること。行政の効率化や地域経済の活性化が長所として挙げられる。日本では空港への導入事例が多く、例えば関西国際空港は 2016 年から民間企業が運営している。2019 年には改正水道法が施行され、水道事業への導入も可能になった。

さ

■**災害関連死**　災害による直接死（例えば、地震で建物の倒壊により圧死する）を逃れた後、避難生活などの

間接的な原因で亡くなること。衛生環境の悪化や栄養不足、長引く避難生活によるストレスなどで持病や体調が悪化し、死に至る。国は対策として、避難所などへの避難（1次避難）から時間がたった後、より環境の整った場所に移る「2次避難」を促している。

■**G7とG20**　主要7カ国（G7）は日本と米国、英国、ドイツ、フランス、イタリア、カナダの7カ国。財務相・中央銀行総裁会議、首脳会議（サミット）を定期的に開き、経済成長や為替相場の安定を図る政策協調の場となってきた。G7に中国やロシア、インドといった新興国などを加えたのが主要20カ国・地域（G20）で、リーマン・ショック後の2008年11月、初めて首脳会議を開いた。新興国の台頭に伴い、世界経済を議論する中心的な場となった。

■**ジェネリック医薬品**　新薬（先発薬）の特許が切れた後、別メーカーが新薬と同じ成分で製造する薬（後発薬）。効能は新薬と同等とされるが、研究・開発費を抑えられるため、公定価格は新薬より低く設定できる。医療費を抑えるため、政府はジェネリックの使用を促している。

■**事業継続計画（BCP）**　自然災害やテロ、基幹システムのトラブルなどが起きた際、企業活動への影響を最小限にとどめて早期に復旧するための計画を指す。東日本大震災などを教訓に策定する企業が増えている。

■**ジニ係数**　所得の格差を0～1の間で示す数値。「0」は全国民の所得が完全に平等な状態で、数値が高いほど格差が開き、「1」は1人だけに所得が集中する状態となる。

■**社会的養護**　保護者の不在、虐待、貧困など何らかの事情で親と暮らせなくなった子どもを公的責任で養育すること。児童養護施設や乳児院、里親家庭などで子どもを受け入れる。対象は原則18歳まで。最長22歳を迎える年度末まで延長できる仕組みがあるものの、大半は高校卒業とともに施設や里親家庭を出て自立しなければならず、社会生活に必要なスキルが不十分なまま独り立ちを迫られている。年齢上限を撤廃する改正児童福祉法が2024年4月に施行される。

■**春闘**　毎年春に、労働組合が経営者（社長など）に対して、賃金アップや労働時間の短縮など労働条件がより良くなるよう求め、交渉すること。

■**証人喚問**　政治家の疑惑などの解明のため、衆参それぞれの議院が証人を出頭させて、証言などを求める制度。日本国憲法62条の国政調査権に基づく。正当な理由のない出頭拒否や虚偽の証言には罰則がある。地方自治体の議会も、地方自治法100条に基づく特別委員会（百条委員会）で証人喚問を実施できる。

■**情報通信技術（ICT）**　コンピューターやインターネットで情報を処理（生産や加工）、伝達する技術の総称。情報技術（IT＝Information Technology）とほぼ同じ意味で使われることが多いが、「通信・伝達」のC（Communication）を含めて情報活用を強調する意味合いがあるとも言われる。外国ではICTのほうが一般的とされ、日本の官庁もICTを使うことが多い。

■**消滅可能性都市**　民間の有識者で作る日本創成会議が2014年、全国約1800市区町村の約半数にあたる896市区町村が、将来消える可能性がある「消滅可能性都市」だとするリポートを発表した。20～39歳（出産の中心となる年代）の女性の人数が2040年に、2010年の半分以下に減ると予想される自治体を指す。創成会議の提言は国が「地方創生」に取り組むきっかけになった。

■**シリア内戦**　民主化運動「アラブの春」が引き金となって2011年、シリアのアサド政権と反体制派による内戦が始まり、それぞれを支援する国々に過激派組織「イスラム国」（IS）も加わって泥沼化した。その後、ISは壊滅状態となり、ロシアやイランが支えるアサド政権が優位に立った。ただ、トルコが支援する反体制派に加え、クルド人勢力も一部地域を支配している。国連によると、内戦開始から2023年末までのシリア国内の死者は約40万人に上り、大量の難民が生まれている。

■**自律型致死兵器システム（LAWS）**　人工知能（AI）が自ら標的を判断するなどして攻撃する兵器で、キラーロボットとも呼ばれる。規制する条約は今のところなく、使われれば民間人の犠牲が拡大する恐れがあるほか、軍拡競争に発展したり、テロリストの手に渡ったりすることも懸念される。国連総会は2023年12月、LAWSを巡り「対応が急務」とする決議を初めて採択した。

■**新型コロナウイルス感染症**　新型コロナウイルスに感染することでかかる病気。2019年末に中国・武漢（ぶかん）市で初めて確認され、世界保健機関（WHO）は「COVID（コビッド）−19」と命名した。症状は発熱や肺炎などさまざまで、倦怠（けんたい）感などの後遺症も報告されている。

　コロナウイルスは以前からあり、風邪の原因の一つでもあった。新型は、感染力が強い▽高齢者などが感染すると重症化しやすい▽感染しても無症状や軽症の人も多い——などの特徴がある。変異して、警戒すべ

きものは「オミクロン株」などと名付けられている。

■**新自由主義**　国家が経済への介入を減らし、市場原理に基づく競争を重視する経済学上の考え方のこと。米国のレーガン政権や、英国のサッチャー政権で導入された。日本では「構造改革」を掲げた小泉純一郎内閣で取り入れられて以降、「アベノミクス」（安倍晋三内閣が掲げた経済政策）といった新自由主義的な政策がとられてきた。競争が激化し、経済格差を広げるとの批判もある。

■**診療報酬**　公的医療保険で提供されるサービスの値段で、医療機関や薬局に支払われる。医師らの技術料や人件費である「本体」と、薬などの値段である「薬価」があり、原則として本体は2年に1度、薬価は毎年改定される。社会保障給付費を抑制するために近年は全体のマイナス改定が続いている。2022年度は本体が0.43％引き上げられ、看護師の処遇改善や不妊治療の保険適用拡大などの財源となったが、薬価は1.37％の引き下げで、全体で0.94％のマイナス改定になった。2024年度予算案でも、改定率は本体が0.88％、薬価はマイナス1％で、差し引きマイナス0.12％として引き下げる方向だ。

■**スタートアップ（新興企業）**　新しいビジネスモデルなどによって社会に新しい価値を提供したり、社会に貢献したりすることで、事業の価値を短期間で飛躍的に高め、株式上場や事業売却を目指す組織のこと。

■**税と社会保障の一体改革**　2012年に、当時与党だった旧民主党と、野党だった自民党、公明党の3党が合意した一連の制度改革。社会保障の充実と財源確保、財政の健全化を同時に目指すもので、消費税を5％から10％に段階的に引き上げ、増税分を社会保障と財政再建に充てることなどを柱とする内容。

■**世界遺産**　国連教育科学文化機関（ユネスコ）の世界遺産条約に基づき、普遍的な価値がある遺産を人類全体の財産として保護する制度。文化遺産、自然遺産、複合遺産の3種類がある。2021年に「奄美大島、徳之島、沖縄島北部及び西表（いりおもて）島」（鹿児島県、沖縄県）が自然遺産に、「北海道・北東北の縄文遺跡群」（北海道、青森県、岩手県、秋田県）が文化遺産に登録され、国内の世界遺産は25件（文化20、自然5）になった。世界遺産と世界の記憶（世界記憶遺産）、無形文化遺産を合わせてユネスコの3大遺産事業という。

■**世界保健機関（WHO）**　1948年に設立された国連の専門機関。新型コロナウイルスなどの感染症対策のほか、がん対策や疾病分類の世界的な基準作りなどを担う。2023年末時点で194カ国・地域が加盟。

■**石油輸出国機構（OPEC）**　サウジアラビアなど原油を多く生産する国の集まりのこと（1960年発足）。12カ国が加盟し、原油の生産量の調整などを担う。ちなみに「OPECプラス」とは、OPEC加盟国に、ロシアなどOPEC非加盟の産油国を加えた組織のこと。原油価格の安定を目的として、2016年に発足した。

た

■**ダイバーシティーマネジメント**　多様性を認め合ったうえで、それぞれの能力や個性を生かす職場運営のこと。この場合の多様性には、性別や国籍、障害の有無のほか、働き方や労働形態の違いも含まれる。

■**大陸間弾道ミサイル（ICBM）**　ユーラシア大陸と北米大陸間など、大洋をまたぎ大陸間を飛行できる陸上発射型の弾道ミサイル。一般的に射程が5500㌔以上のものを指すとされ、核兵器の運搬手段となる。

■**中距離核戦力（INF）全廃条約**　1970年代以降の欧州における軍事的緊張の緩和を目指し、1987年に結ばれた。射程500〜5500㌔の地上発射型の弾道ミサイルと巡航ミサイルを全廃する内容。2019年に米トランプ政権が一方的に離脱。ロシアのプーチン政権も離脱し、失効した。

■**朝鮮戦争**　第二次世界大戦終結で日本の植民地支配から解放された朝鮮半島を巡り、朝鮮民主主義人民共和国（北朝鮮）と大韓民国（韓国）間で1950年に起きた戦争。1948年まで朝鮮半島を分割占領していた米国とソ連の支援（韓国は米国、北朝鮮はソ連と中国）も得て戦況はこう着状態に陥った。米中心の国連軍（多国籍軍）と中国、北朝鮮は1953年、休戦協定を結び（韓国は休戦に反対し不参加）、当時の前線を軍事境界線とした。休戦協定は「最終的な平和解決」である平和協定ではなく、国際法上は戦争が続いている。

■**地理的表示（GI）**　「夕張メロン」や「神戸ビーフ」など、地域に根付いた農林水産物や食品などの名称のこと。これらを知的財産として登録・保護する「GI保護制度」は、日本を含め世界100カ国以上で導入されている。その国の法律に基づく登録のため、海外でも自動的に適用されるわけではないが、貿易相手国・地域とGIを相互に保護する協定を結んだ場合に、その国で保護される。

■**デジタル通貨**　インターネットなどで取引される電子通貨をまとめた呼び方。紙幣や硬貨より手軽に支払いができるのが利点だ。国の法定通貨を電子化した「中

央銀行デジタル通貨（ＣＢＤＣ）」のほか、広い意味では、ビットコインに代表される仮想通貨（暗号資産）や、Ｓｕｉｃａなど民間企業の電子マネーも含まれる。

■**統合型リゾート（ＩＲ）**　カジノを中核に国際会議場やホテル、劇場、商業施設などを一体化したリゾート。法律に基づき国内で最大３カ所設置できるが、整備計画が国に認定されたのは大阪府・市（2030年秋ごろ開業予定）のみ。長崎県は計画が認定されず、誘致を表明した横浜市や和歌山県は撤回した経緯がある。ＩＲに対しては、治安悪化やギャンブル依存症への懸念から、根強い反対論がある。

■**道州制**　現在の都道府県を廃止し、全国を10程度のブロックに分けた道州を設置する制度のこと。地方分権の選択肢の一つで、国の持つ役割を国防や国家危機管理などに限定し、それ以外の権限を道州に移譲する構想。地域に根ざした行政サービスなどが期待される一方、知事の権限増大や過疎地域へのサービス低下が想定され、議論は進んでいない。

■**特定帰還居住区域**　帰還困難区域のうち、特定復興再生拠点区域（復興拠点）外の区域で、帰還を希望する住民が居住できるようにする区域。国は2023年9月に初めて福島県双葉町、大熊町の計画を認定し、除染作業を12月に始めた。

な

■**日米地位協定**　在日米軍と、その兵士や家族、軍属（事務員や技師、運転手など）の日本での法的地位に関する取り決め。米軍基地内では米国の法律が適用される▽公務中の米兵・軍属が罪に問われた場合の優先的な裁判権は米側にある▽公務外でも米側が先に容疑者を拘束した場合、原則、日本側が起訴するまで身柄を日本側に引き渡さない――ことなどが規定されている。米兵らによる犯罪が起きるたびに問題視されてきたが、改定されたことはない（補足協定は二つ結ばれている）。

■**日本海溝地震・千島海溝地震**　日本海溝沿い、千島海溝沿いでそれぞれ「最大級の津波の発生が切迫している」として想定されるマグニチュード（Ｍ）9級の地震。それぞれ三陸・日高沖、十勝・根室沖を震源とし、いずれも千葉県以北の太平洋側を中心に最大震度7の揺れと最大約30㍍の津波による被害が想定される。

は

■**発達障害**　先天的な脳の働き方の違いにより、幼い頃から行動や情緒に特徴が表れる障害のこと。読み書き

や計算など特定の学習に困難がある学習障害（ＬＤ）▽不注意や多動、衝動的な行動がある注意欠如・多動症（ＡＤＨＤ）▽特定の事柄への強いこだわりなどがある自閉スペクトラム症――などに分類される。

■**はやぶさ2**　日本の無人探査機で、小惑星イトカワの微粒子を持ち帰った「はやぶさ」の後継。地球から約2億8000万㌖離れた小惑星リュウグウを目指して2014年、打ち上げられた。2019年に2度着陸に成功。2020年には、はやぶさ2から切り離されたカプセルが地球に無事帰還し、内部にリュウグウの岩石が入っていることが確認された。太陽系の成り立ちや生命の起源を探る手がかりになると期待される。

■**ハラスメント**　ハラスメント禁止条約（2021年発効、日本は未批准）では「身体的、精神的、性的、経済的損害をもたらす恐れのある、容認できない行為」などと定義されている。職場のパワーハラスメント（パワハラ）を巡っては、改正労働施策総合推進法（2020年施行）に、大企業の事業主に対して防止措置を義務づける規定が盛り込まれ「パワハラ防止法」と呼ばれる。同法はパワハラを「優越的な関係を背景に、業務上必要な範囲を超えた言動で労働者の就業環境を害する」ものと定義。2022年4月から、中小企業を含む全ての企業に防止措置を講じることを義務づけた。

■**万博**　正式には国際博覧会といい、世界の国々が文化や科学技術の成果を展示する。国内での大規模な万博はこれまで、「人類の進歩と調和」がテーマの1970年大阪万博と、2005年愛知万博（愛・地球博）が開かれた。2025年には、大阪で55年ぶりとなる大規模な万博が開催される予定だ。ただ、会場の建設費が当初の予定から約2倍に増えたほか、建設工事が大幅に遅れるなど、さまざまな課題がある。

■**5Ｇ**　ほぼ10年ごとに一新される通信規格の「第5世代」。「高速・大容量・低遅延」の利点を生かした多様なサービスや、家電などあらゆる機器がネットにつながる「モノのインターネット（ＩｏＴ）」の基盤となることが期待されている。日本では商用サービスが2020年に始まり、利用可能エリアはほぼ全国に拡大している。

■**武器貿易条約（ＡＴＴ）**　通常兵器（戦車や戦闘機、自動小銃など）の国際取引を規制する条約。国連総会で2013年に採択され、2014年に発効した。締約国は日本を含め113カ国・地域（2023年2月時点）。

■**不在者投票**　選挙期間中に選挙人名簿登録地の市区町村にいない人が、投票用紙などを取り寄せて滞在先で投票できる制度。例えば、住民票を実家に残したまま

進学や就職で親元を離れた人が利用できる。

■**プラットフォーマー（ＰＦ）**　インターネット検索やＳＮＳ（ネット交流サービス）などで、サービスの土台（プラットフォーム）を提供するＩＴ企業のこと。中でも、グーグル、アップル、フェイスブック（現在はメタ）、アマゾン・コムの４社（ＧＡＦＡ＝ガーファ）は、ＰＦの代表格だ。４社は米国に本社を置きつつ、インターネットを通じて世界中で商売をして巨額の利益を上げている。近年はＰＦに対して規制を強める動きが世界中で広がっている。

■**武力行使の3要件**　集団的自衛権の行使を認める条件。安倍晋三内閣が2014年に閣議決定し、安全保障関連法（2015年成立）に盛り込まれた。①日本が武力攻撃を受けていなくても、日本と密接な関係にある他国への攻撃により、日本の存立が脅かされ、国民の生命、自由および幸福追求の権利が根底から覆される明白な危険がある（存立危機事態）②その危険を排除するために他に適当な手段がない③必要最小限度の実力を行使する──の３点を満たす場合に限り、集団的自衛権の行使が認められると定めている。

■**プログラミング教育**　新学習指導要領に基づき、2020年度から順次、小中高校で必修化または拡充されている。小学校では2020年度から必修となった。中学校では2021年度から技術・家庭（技術分野）での学習内容を拡充。高校では2022年度から「情報」が必修科目になった。現代の情報社会において、プログラミングに必要な論理的思考力などを養うことはどのような仕事でも大切だという考えに基づく。コンピューターの仕組みや活用の仕方などを学ぶ。

■**噴火警戒レベル**　火山活動の状況に応じ、警戒が必要な範囲、周辺住民や登山者らが取るべき行動を5段階で示す。現在運用されているのは、常時観測対象の国内50火山のうち49火山。レベルの上げ下げは、火山ごとに定める基準に沿って気象庁が決める。

■**米同時多発テロ**　米国で2001年9月11日、旅客機4機がハイジャックされ、2機がニューヨークの世界貿易センタービル、1機がワシントンの米国防総省ビルに突入し、1機は墜落。日本人を含む約3000人が死亡した。米国は国際テロ組織アルカイダの犯行と断定。アルカイダの指導者ビンラディン容疑者をかくまっているとしてアフガニスタンを攻撃した。ビンラディン容疑者は2011年、米軍に殺害された。

ま

■**マイナス金利政策**　中央銀行による金融緩和政策の一種。日本銀行は2016年に初めて導入し、日銀当座預金の一部の金利をマイナス0.1％に引き下げた。金融機関は日銀にお金を預けると損するため、企業向け融資や株式投資にお金を回すと見込まれたが、超低金利で金融機関の収益が悪化した。米欧の金融政策や国内経済状況を踏まえ、日銀はマイナス金利から脱して正常化に向かうと見込まれている。

■**マグニチュード(M)と震度**　マグニチュードは地震のエネルギーの大きさ（地震の規模）を示し、Mが1大きくなるとエネルギーは約32倍になる。一方、震度はそれぞれの場所における揺れの強さを示す。計測震度計で自動的に観測し、0から7までの10階級で示している。

■**民泊**　民家やマンションの空き部屋を宿泊場所として有料で貸すビジネスのこと。日本では宿泊営業を行う際、原則として旅館業法に基づく許可が必要だが、住宅宿泊事業法（民泊新法）が2018年に施行され、全国で民泊を営めるようになった（年間180日が上限）。

■**無形文化遺産**　国連教育科学文化機関（ユネスコ）が、芸能や儀式、祭礼、伝統工芸技術などを登録し、保護する制度。国内では能楽や歌舞伎、和食、和紙など22件が登録されている（2024年1月時点）。

や

■**有効求人倍率**　ハローワーク（公共職業安定所）を通じて仕事を探している人（新卒は除く）1人につき、企業からの求人がどれだけあるのかを示す数値。倍率が高いほど仕事に就きやすい環境だとされる。

■**幼保一元化**　文部科学省が所管する幼稚園と、厚生労働省が担当してきた保育所の機能を一体化する考えのこと。保育所の待機児童解消などにつなげる狙いがある。ただ現状では、幼稚園は親の就労の有無を問わず、主に日中の短時間利用できる一方、保育所は親の就労などの利用条件があり、早朝から夜まで利用できるなど、違いが大きい。所管を手放したくない文科省の思惑もあり、こども家庭庁への移管は見送られた。

■**預託商法**　「販売預託商法」「オーナー商法」ともいわれる。業者が契約者に「購入した商品を預かって、第三者へのレンタル料金や市場での運用益などで利益を上げ、その配当を支払う」と約束する商法のこと。実際は商品自体が存在していない場合が大半。2022年施行の改正預託法で、預託商法は原則禁止となった。

ら

■**ライドシェア**　一般ドライバーが自家用車に有料で

客を乗せること（相乗り）。日本ではこれまで道路運送法で原則禁じられてきたが、2024年4月からタクシー会社が運営主体となり、タクシーが不足する地域で一部解禁することが決まった。地域交通の担い手不足を解消することなどが主な目的だ。しかし、タクシーをはじめ、ハイヤー、観光バスなどの業界はライドシェアの解禁に後ろ向きで、規制緩和がどこまで広がるかは未知数だ。

■**（北朝鮮による日本人の）拉致問題** 1970～80年代に、北朝鮮の工作員らが日本人を相次いで連れ去った問題。2002年の日朝首脳会談で当時の金正日（キム・ジョンイル）総書記が拉致を認めて謝罪し、被害者5人が帰国した。日本は他に12人を被害者として認定している。北朝鮮は「8人が死亡、4人が未入国」と主張するが、日本は受け入れていない。

■**6次産業化** 農林漁業者（1次産業）が生産にとどまらず、加工（2次産業）や流通・販売（3次産業）を手がけること。農林漁業者の所得が増え、雇用の創出にもつながると期待される。農林漁業の活性化のため、6次産業化法が2010年に成立した。

■**ロヒンギャ** ミャンマーの少数派イスラム教徒。ミャンマーは仏教徒が国民の9割を占め、ロヒンギャは軍事政権下の1982年に国籍を剥奪された。軍の弾圧下で2017年以降、96万人以上が隣国のバングラデシュに逃れて難民となっている。国連などは「世界で最も迫害されてきた民族」と位置づけ、ミャンマーはこの問題で国際司法裁判所（ICJ）に提訴されている。

わ

■**ワーク・ライフ・バランス** 「仕事と生活の調和」という意味。仕事と家庭・地域での生活（育児や介護、余暇など）を両立させた、バランスのとれた生き方ができる社会作りを目指す考え方。

2024年はあれから何年？

130年	◆日清戦争が始まる（1894年）
120年	◆日露戦争が始まる（1904年）
110年	◆第一次世界大戦が始まる（1914年）
70年	◆アメリカが南太平洋ビキニ環礁で水素爆弾（水爆）実験を実施。日本のマグロ漁船「第五福竜丸」が被ばく（1954年3月1日） ◆自衛隊が発足（1954年7月1日）
60年	◆アメリカで人種差別を禁じる「公民権法」が成立（1964年7月2日） ◆東海道新幹線が開業（1964年10月1日） ◆東京オリンピックが開幕（1964年10月10日）
50年	◆佐藤栄作元内閣総理大臣（首相）がノーベル平和賞を受賞（1974年）
30年	◆衆議院議員選挙に小選挙区比例代表並立制を導入することを柱とした「政治改革関連法」が成立（1994年1月29日） ◆南アフリカでマンデラ氏が大統領に就任（1994年5月10日） ◆自民党と社会党などが連立し、村山富市内閣が発足する（1994年6月30日） ◆イスラエルのラビン首相、パレスチナ解放機構（PLO）のアラファト議長らがノーベル平和賞を受賞（1994年）
15年	◆衆議院議員総選挙で民主党が勝利（2009年8月30日）。政権が自民党から交代し、鳩山由紀夫内閣が発足（9月16日）
10年	◆消費税率、5％から8％に引き上げ（2014年4月1日。2019年10月1日には10％に） ◆安倍晋三内閣が日本国憲法の解釈を変更し「集団的自衛権の行使は限定的に認められる」と閣議決定（2014年7月1日）
5年	◆現在の天皇陛下が即位し、元号が「令和」に改まる（2019年5月1日）

東京都内の展示館で保存されている第五福竜丸

索　引 《ニュース検定公式テキスト1・2・準2級》　　（人名の敬称・肩書は省略）

最新ニュースはこちらから

この本の発売後、2024年秋までに起きた重要ニュースのポイントは、ニュース検定公式サイト内の「News ピックアップ」でご覧いただけます。

スマートフォンやタブレット端末で左の二次元コードからアクセスできます。2024年6、11月に実施する検定のそれぞれ約1カ月前に更新します。

ID : newsfile.advance
PW : xepy2024

※こちらからもアクセスできます。
URL : https://www.newskentei.jp/newsfile/advance/

ニュース検定公式サイトでは、過去問題や模擬問題も紹介しています。
https://www.newskentei.jp/question.php

2024年度版ニュース検定
公式テキスト「時事力」発展編（1・2・準2級対応）

編者：ニュース検定公式テキスト編集委員会
監修：日本ニュース時事能力検定協会

2024年3月20日　初版　第1刷発行

発行　　株式会社毎日教育総合研究所
　　　　〒100-0003
　　　　東京都千代田区一ツ橋1-1-1
　　　　TEL：03-3212-1406（編集）

株式会社朝日新聞社
〒104-8011
東京都中央区築地5-3-2

発売　　毎日新聞出版株式会社
　　　　〒102-0074
　　　　東京都千代田区九段南1-6-17
　　　　TEL：03-6265-6941（営業）

編集　　株式会社毎日教育総合研究所
　　　　大和田妙司／糟谷実枝／粂本夏希／塩田彩／田村佳子／村田泰博／山野由貴

編集協力　毎日新聞社

写真提供　朝日新聞社　毎日新聞社

印刷・製本　株式会社リーブルテック

DTP・編集協力　アート工房／カバーイラスト　フクイヒロシ／カバーデザイン　リーブルテック　宮嶋忠昭